GRAŻYNA BĄKIEWICZ

GRAŻYNA BĄKIEWICZ

O melba!

Prószyński i S-ka

Projekt okładki
Maciej Sadowski

Redakcja
Jan Koźbiel

Redakcja techniczna
Małgorzata Kozub

Korekta
Grażyna Nawrocka

Łamanie
Małgorzata Wnuk

ISBN 83-7337-194-X

Warszawa 2002

Wydawca
Prószyński i S-ka SA
02-651 Warszawa, ul. Garażowa 7

Druk i oprawa
Drukarnia Naukowo-Techniczna Spółka Akcyjna
03-828 Warszawa, ul. Mińska 65

1

We wtorek parę minut po jedenastej zadzwonił telefon. Nasz telefon skrzeczy, nie dzwoni. Trzeci z kolei sygnał przypomina zgrzyt paznokciem po szkle. Obrzydlistwo. Nigdy nie zdążę na czas dobiec i z miejsca jestem nastawiona wrogo do tego kogoś po drugiej stronie. Tyle razy prosiłam mamę, by zmieniła aparat, ale twierdzi, że nie pomieszkamy w tej dziurze aż tak długo, by opłacało się robić jakiekolwiek inwestycje. I rzeczywiście. W tych sprawach ma nosa jak mało kto. Przeprowadzamy się!

Od rana miota się między pakami, których jest więcej, niż być powinno; telefonem, który nie stoi tam gdzie zwykle; redakcją, gdzie zostały jakieś dokumenty, i ludźmi, z którymi musi się jeszcze spotkać. Wścieka się, pluje krwią i ciska wymyślnymi przekleństwami, ale założę się, że jest w siódmym niebie. Uwielbia, gdy adrenalina wrze jej w żyłach.

Ja zachowuję niebiański spokój. Siedzę w zdemolowanym pokoju, z nogami na ławie i gapię się na muchę spacerującą po ekranie telewizora. Ławę i fotel wynajęłyśmy razem z mieszkaniem, więc nikt mnie stąd nie ruszy. Najwyżej zabiorą mi telewizor, ale bez obawy, nie nastąpi to prędko, bo tę cenną rzecz ładuje się na końcu. Jestem jeszcze w piżamie, a na brzuchu grzeję puszkę piwa wyjętą z lodówki. Otworzę, jak tylko mama zniknie z pola widzenia. Czekam na tę chwilę z utęsknieniem i dziękuję opatrzności, że nie musiałam iść dzisiaj do szkoły. Dzięki kolejnej niespodziewanej przeprowadzce ominął mnie koszmar pisania wypracowania na temat tradycyjnych wartości w mojej rodzinie. Aż ciarki przechodzą mnie na myśl, ile musiałabym nazmyślać. Tradycyjne wartości! Śmiechu warte!

– Rusz tyłek i zadzwoń do tych facetów od przewozu! Już powinni tu być! Ja jeszcze muszę skoczyć do redakcji, bo należy mi się forsa za ostatni...

I już jej nie ma. Ruszam tyłek i dzwonię. Tylko ich patrzeć. Na dobrą sprawę tradycją w mojej rodzinie są przeprowadzki. Na ściennej mapie wymalowałam zygzakowatą linię naszego żywota, żeby uzmysłowić mamie jej szaleństwo. Nie powiem, doceniła mój wysiłek. Zatrzymała się kiedyś przed mapą, podumała, pokręciła głową i orzekła:

– Imponujące! I pouczające! Czy zauważyłaś, że zaniedbałyśmy południową Polskę? Następnym razem wezmę to pod uwagę!

Właśnie nadszedł ten obiecany następny raz. Nie mogę zarzucić mamie, że nie dotrzymuje słowa. Kierujemy się na południe. Jutro rozpakujemy graty, a pojutrze pójdę do identycznego liceum na drugim końcu Polski. Już nawet przestałam marzyć o chwili, gdy zakotwiczymy gdzieś na stałe. Jedyna pociecha w tym, że nie muszę oddać wypracowania, którego napisać i tak bym nie potrafiła. Tradycyjne wartości w mojej rodzinie? No, nie wiem!

„Nazmyślaj!" – poradziła mi w zeszłym tygodniu.

Dobre sobie!

Oho! Przyjechała ciężarówka. To pewnie nasi faceci.

– Co mamy robić? – spytali, rozglądając się po zastawionym pakami mieszkaniu.

– Ładować, panowie! – powiedziałam, wzruszając ramionami, ale okazało się, że chodziło im o coś innego. Co mają zrobić ze sprawą, którą załatwiła za nich mama i przez którą musimy teraz zmienić klimat.

– Chyba powinniście wziąć sprawy w swoje ręce! – mówię jak te wąsate mądrale z telewizora, a faceci z powagą kiwają głowami, że tak, owszem, mam rację, nic innego już im teraz nie pozostało. Tylko szkoda, że zbyt późno to zrozumieli. Mieli niezłą spółdzielnię mleczarską, stada krów, odbiorców za granicą, ale zachciało im się kapitalizmu, więc spółdzielnię rozwiązali, majątek przekazali syndykowi, utworzyli spółkę, powołali nowego prezesa. Ludzie dostali udziały, których się natychmiast zrzekli i przekazali dobrowolnie na rzecz prezesa. Prości ludzie, naiwnie myśleli, że tak trzeba. Sądzili nawet, że gość zrobił im łaskę, ale wraz z udziałami dostali jakąś część długów do spłacenia. A oni przecież nie chcieli długów, tylko kapitalizmu, czyli dobrobytu. Prezes w pół roku spółdzielnię rozchrzanił, majątek wyprzedał i udał się na dalszy podbój świata. Ponad setkę rodzin wystawił do wiatru, ale majątek był przecież jego i mógł z nim zrobić, co chciał. Sami mu przecież dali!

Mama zrobiła z tego reportaż, a ja pośrednio uczestniczyłam w jej pracy, przenosząc notatki z dyktafonu na dyskietkę. Zauważyłam, że najbardziej szokująca rzeczywistość, przemielona na pojedyncze słowa, traci ostrość i barwy. Na ekranie pojawia się tylko bajka o perypetiach pozytywnych i negatywnych bohaterów. I zawsze można nacisnąć właściwy klawisz, by wszystko zniknęło.

– Pani mama to fajna kobita. Żeby została, to my by ją burmistrzem zrobili i wszystko byłoby jak należy!

Może tak, może nie, ale co mam im wyłuszczać swoje wątpliwości. Ważne, że będą nas miło wspominać. Dla mnie to i tak marna pociecha. Muszę znowu spakować swoje książki i jestem przekonana, że tę najulubieńszą zgubię nie wiadomo gdzie. A mamie bez różnicy. Gdziekolwiek się zjawimy, trafi na jakiś szokujący temat, będzie tyrała jak wół, żeby znaleźć dowody, argumenty, kontrargumenty, a jak już wszystko zbierze, zrobi reportaż, który wstrząśnie sumieniami połowy Polaków. Druga połowa tak nam wkrótce obrzydzi życie, że będziemy musiały dorysować na mapie kolejny zygzak. Babcia mówi, że mamę diabeł na ogonie nosi i coś w tym musi być, bo nie potrafi nigdzie zagrzać miejsca. Ten stan psychiczny ma pewnie jakąś nazwę i mama właśnie na to cierpi. A ja razem z nią.

– Nie denerwuj mnie! Rusz się, bo nigdy się z tej dziury nie wygrzebiemy! Jadę dać Susikowej adres i wytłumaczyć, co ma robić, a ty pognaj tych dziadów, bo ruszają się jak muchy w smole! To mama. Wróciła, zakręciła się i znów znikła. I całe szczęście, bo ze schowanej za plecami puszki zaczęło mi się wylewać piwo za majtki.

Zazdroszczę jej tej energii. Ma w sobie jakąś radość, która sprawia, że ludzie lgną do niej jak muchy do miodu. Gdy zapyta, odpowiadają, gdy poprosi, żyły z siebie wyprują, a zrobią, co chciała. Niektórzy potem żałują, że stracili dystans i wyjawili to, co skrywali nawet przed sobą. Częściej jednak dziękują, że zrobiła coś, na co sami nigdy by się nie odważyli.

– Jak to robisz? – spytałam kiedyś, rozżalona własną nieudolnością.

– Bo ja wiem? – wzruszyła ramionami. – Lubię ludzi, lubię to, co robię!

Zauważyłam, że w jej ryzykownych działaniach nie ma strachu, jakby wszystko zło, jakie miało być jej udziałem, już się przytrafiło. Traktuje świat ze zrozumieniem i jakąś ironiczną pobłażliwością. Ja tak nie potrafię. W przeciwieństwie do niej nie lubię ludzi. Gdy już muszę być wśród nich, wyszukuję prześwity i przemykam przez nie z zamkniętymi oczami, by jak najprędzej znaleźć się w swoim pokoju. Każdy dzień to dla mnie problem i muszę się bardzo starać, by nie dać się wessać w tę czarną dziurę. Wieczorem odczuwam ulgę, że jeszcze ten jeden raz mi się udało. Staram się trzymać z dala od chaosu dziejącego się wokół. I tak jest dobrze, a jeśli nie całkiem, to przynajmniej spokojnie. Noszę w sobie samotność, wydzielam jej woń, wyczuwalną dla innych. Nie wiem, czy to taka naturalna skłonność, czy zostałam kiedyś zaszczepiona przeciw żywiołowości i otwartości. Od czasu do czasu dręczy mnie wątpliwość, czy aby na pewno jestem córką swojej mamy. Może gdzieś mnie podmienili albo co? Ja nie lubię niczego. Nie lubię swojego strachu, nie lubię swoich myśli, nie lubię siebie. Nie potrafię nawet powiedzieć mamie, że nienawidzę tych wiecznych przeprowadzek. Potrzebuję jakiegoś miejsca, gdzie mogłabym zapuścić korzenie, zbudować sobie własne ściany i pilnować, by nic nie zakłócało mi spokoju, który wypracowałam z takim trudem. Jestem bezwolna jak owca i za to też się nie lubię.

Wyjrzałam przez okno, ale faceci zwijali się jak należy. Wcale nie trzeba ich było poganiać. Za zasłonką znalazłam ukrytego tu kiedyś pall malla. Podkradam je czasem mamie i popalam, żeby zaimponować samej sobie.

Było parę minut po jedenastej, kiedy zadzwonił telefon. Zgrzyt paznokciem po szkle! Zerwałam się na równe nogi. Puszka sturlała się z kolan na fotel, z fotela na podłogę. Słyszałam, jak toczy się i rozchlapuje resztki piwa. Cholera! Gdzie ten telefon? Stał gdzieś między pakami i to jego szczęście, bo miałam ochotę go rozdeptać. Po kilku sygnałach umilkł. Kręciło mi się w głowie. Najchętniej wlazłabym pod koc i przespała całe to zamieszanie, ale faceci kręcili się po mieszkaniu i musiałam przynajmniej pozorować jakieś działanie.

Sprałam plamę z fotela, otworzyłam okna, ale wściekły zapach browaru i dymu z papierosów wgryzł się w ściany. Trudno, w razie czego zwalę na facetów. W ramach moralnej rekompensaty zaniosłam im wodę mineralną i poradziłam, żeby zwolnili trochę tempo. Skorzystali z rady. Usiedli i opowiedzieli co nieco o sprawie, którą mama tak nagłośniła, że minister przyjechał, a prezesowi prokuratura dobrała się do galotów. Reportaż puścili dwa razy na antenie ogólnopolskiej. Faceci mieli ochotę pogadać i gdybym wykazała tyle co trzeba zainteresowania, opowiedzieliby mi wszystko jeszcze raz. Nie chciało mi się jednak słuchać ich łzawej historii. Gdyby tu była mama, usiadłaby z nimi, zapaliła faję i wysłuchała lamentów. Twierdzi, że każdy człowiek ma potrzebę wygadania się, tylko rzadko trafia na taką okazję. Ludzie generalnie nie lubią słuchać innych. Ona to uwielbia i jeszcze zarabia na tym kupę szmalu.

Ładowacze opróżnili ostatni pokój, a mama wsiąkła. Zagapiłam się w okno. Widok na park z kawałkiem jeziora mógł zachwycać, ale niezbyt często patrzyłam, żeby się nie przyzwyczajać. Teraz cieszę się, że żadna łza nie kręci mi się w oku. To miłe mieszkanie zasługuje na lepszych lokatorów niż my.

Odczepiłam od tapety zdjęcie klasy, z którą wczoraj się pożegnałam. Nie zapamiętałam nawet połowy imion, bo po co? Nie zauważyłam, żeby mój wyjazd zrobił na nich jakiekolwiek wrażenie. W przeciwieństwie do mamy przychodzę, odchodzę i nigdzie nie zostawiam śladu. Jestem bezbarwna i niewidoczna jak szklana tafla na sklepowej wystawie.

Zaczęli hałasować w kuchni, a mnie ponownie ucieszyła myśl, że nie muszę tracić czasu na zmyślanie tradycyjnych wartości funkcjonujących w mojej rodzinie. Nie wiem, czy profesorce od polskiego spodobałaby się opowieść o babci, która chodzi do kościoła głównie po to, by spowiadać się ze swej młodzieńczej przygody z ruskim oficerem; o dziadku wyrabiającym dwieście procent normy przy budowie Nowej Huty; o rozwodzie rodziców; o ciotce Elce, która w wieku dziesięciu lat zapadła na chorobę psychiczną i dotąd leży w szpitalu dla czubków, i jeszcze o wielu ciekawost-

kach dziejących się w mojej rodzinie. Czy to są tradycyjne wartości? Wątpię! Ale to w końcu moja rodzina i moje wartości!

Ktoś powiedział, że to, jacy jesteśmy, jak postrzegamy świat,
jakie decyzje podejmujemy, ma swoje źródło nawet nie w dzieciństwie, ale na wiele lat przed naszym urodzeniem. To, jakim
człowiekiem był dziadek, prababka, stryjeczny wujek, ma pośred-
ni wpływ na nas. Przyznam, że poruszyła mnie ta teoria. Z jednej
strony to pocieszające, że jest ktoś odpowiedzialny za moje wady,
ale z drugiej przeraża myśl, że moi przodkowie mogli być głupca-
mi, tchórzami, mordercami. Cóż ja na dobrą sprawę o nich
wiem? Tyle co nic. No cóż, jeśli teoria o wpływie przodków na
mój charakter jest choćby częściowo prawdziwa, to z dziadkiem
komunistą, świrniętą ciotką i ojcem, który odszedł z powodu chomika, moje rokowania na przyszłość są raczej marniutkie.

Ciekawe, jaką rodzinę ma facetka od polskiego i ci z telewizji, którym od ust nie odklejają się wartości.

Dobrze, że nie muszę pisać tego wypracowania. Wątpię, czy
byłabym na tyle odważna, by ryzykować napisanie prawdy. Pewnie puściłabym w ruch wyobraźnię, która w końcu też ma niezłą
tradycję w mojej rodzinie. Wymyśliłabym religijną babkę, dziadka, który z góry wiedział, że ciężka praca nie popłaca, dozgonną
miłość rodziców i mnie samą – wdzięczną wszystkim pokole-
niom za ich mrówczą pracę na polu wartości.

Poczułam się beznadziejnie. Zauważyła to nawet mucha spa-
cerująca po ekranie telewizora. Usadziła okrągłą kupę na samym środku i odleciała, pobrzękując lekceważąco.

John Grisham! Przypomniało mi się. To o przodkach powiedział John Grisham, ten od „Klienta", „Firmy" i „Raportu Peli-
kana".

Faceci skończyli ładować nasze graty. Telewizor zabrali na
końcu. Czekając na mamę, zdążyliśmy obejrzeć teleturniej.

Umieliśmy odpowiedzieć na większość pytań, w przeciwieństwie do tego, który tkwił za szybą. Gdybyśmy byli na jego
miejscu, czerwone audi z bagażnikiem pełnym gum do żucia
byłoby nasze. Poczuliśmy się odrobinę okradzeni. Gdzie jest
mama?

Zjawiła się kilka minut później.

– Co tu tak cuchnie jak w knajpie? – spytała i na tym samym
oddechu kontynuowała: – Był jakiś telefon? Cały dzień nie mogę skontaktować się z tym dupkiem! Może tutaj dzwonił?

– Ktoś dzwonił, ale nie zdążyłam odebrać! – powiedziałam
zgodnie z prawdą.

Mama jeszcze raz podejrzliwie pociągnęła nosem i poszła
szukać aparatu, żeby przesłuchać taśmę z sekretarki. Zerknęłam krytycznie na pokój. Totalny chaos. Zmarnowałam całe
przedpołudnie; zamiast sprzątać, przesiedziałam z nogami na
ławie i głową w chmurach. Zaczęłam pospiesznie przesuwać fo-
tele na właściwe miejsca i niespodziewanie znalazłam winowaj-
cę. Zgnieciona puszka z resztką piwa utknęła pod fotelem i stąd
ten smród. Wyciągnęłam ją i przez chwilę trzymałam w ręku,
nie bardzo wiedząc, co z nią teraz począć. Stuk wyłączanej sekretarki przywrócił mi świadomość. Z miejsca, w którym stałam, cisnęłam puszkę przez okno. Trafiłam. Mama stanęła
w drzwiach, gdy na dole rozległ się brzęk i wrzask:

– Cholera jasna! Kto rzuca przez okno? Policję wezwę! Co
za chamstwo!

Serce stanęło mi w gardle. Mama miała dziwną minę. Widziała! Nim zdążyłam wymyślić jakieś usprawiedliwienie, usłyszałam:

– Ela umarła!

W głosie mamy więcej było zdziwienia niż smutku. Odetchnęłam z ulgą. Nie widziała! Piwo, papierosy, całodzienne le-
nistwo, bałagan w mieszkaniu ujdą mi na sucho. Umarła Elka.

Pojedziemy na pogrzeb, więc jeszcze przez parę dni nie będę musiała iść do szkoły. Ani do starej, ani do nowej. Hura! Omal nie podskoczyłam z radości. Spojrzałam na mamę i opanowałam się w porę. Z dołu nadal dobiegały wyzwiska, ale ona nie słyszała niczego. Nagle bezradna i zagubiona, oglądała swoje dłonie, jakby w nich szukała wsparcia. Zawstydziłam się swojej idiotycznej reakcji. Elka to siostra mamy. Bliźniaczka.

Podeszłam i objęłam ją. Przylgnęła do mnie i nagle pojęłam nieszczęście, jakie na nią spadło. Umarła jej siostra.

Krzyk na ulicy ucichł.

2

Nigdy dotąd nie miałam do czynienia ze śmiercią. Wiedziałam, że ludzie umierają, ale sądziłam, że dotyczy to tylko obcych. Umierali tacy, których nie znałam albo niewiele dla mnie znaczyli. Nigdy jeszcze nie zmarł ktoś, kto był mi bliski. Ciotka Elka też nie była mi bliska. Od wielu lat leżała, gapiąc się w popękany sufit jednej z sal szpitala psychiatrycznego.

– Co z przeprowadzką? – spytałam niepewnie, bo samochód był już załadowany, a kierowca czekał tylko na sygnał do odjazdu.

– Z przeprowadzką? – Mama była zbyt oszołomiona, by pamiętać o realiach.

– Wszystko gotowe!

– Nie wiem... Nie mam pojęcia... Musimy jechać na pogrzeb! A niech to szlag! Elka zawsze robiła wszystko nie w porę!

Powiedziała to z wyrzutem i nagle w pokoju pojaśniało, a mnie zrobiło się lżej na duszy. Już się bałam, że wpadnie w rozpacz i wszystko zostanie na mojej głowie.

– Ela umarła – powiedziała z zadumą. – Musimy jechać na pogrzeb. Dam im adres, niech sami zawiozą rzeczy!

Faceci zrozumieli powagę sytuacji i za niewielką dopłatą zgodzili się załatwić wszystko samodzielnie.

– Grunt to ludzka pomoc! Pani jest fajna kobita, to wszystko będzie okej! – orzekł szef, chuchając w dodatkowy banknot.

– My pojedziemy jutro! – zdecydowała mama, rozglądając się po rozbebeszonym pokoju.

Słońce wymalowało na gołej podłodze złote pasma. Patrzyłam na delikatne falowanie cząsteczek światła i odczułam coś w rodzaju zakłopotania na myśl, że przebyło miliony kilometrów, by zakończyć żywot pod moimi nogami. Przyłapałam się na tym, że bardziej mi żal gasnących plam słońca niż Elki. W dodatku poczułam głód. Od rana nic nie jadłam. Przez długą chwilę trwałam w rozterce, czy w obliczu śmierci wypada w ogóle mówić o jedzeniu, na przykład o kaszance z cebulką. Niemal czułam jej smak na języku, a kiszki grały marsza. Za oknem ciężarówka zawarczała i odjechała.

– Jest coś do jedzenia? – usłyszałam za plecami. – Jestem potwornie głodna. Pooootwornie!

– Co miałaś na myśli, mówiąc, że Elka wszystko robiła nie w porę? – spytałam, gdy późno w nocy padłyśmy ze zmęczenia.

Przez chwilę milczała, zbierając myśli, jakby segregowała, co można mi powiedzieć, a czego nie warto.

– Była taka... porywcza. Jak przyszło jej coś do głowy, musiała to zrobić już, natychmiast! Za wcześnie wstawała, za późno kładła się spać, wszędzie się spóźniała, bo chciała robić kilka rzeczy naraz, być jednocześnie w wielu miejscach. Jakby przeczuwała, że musi się spieszyć...

Mama zająknęła się, ale nie ponaglałam jej. Poczułam to samo, co z tymi plamami światła na podłodze: zakłopotanie.

– Pierwszego września zamiast do szkoły poszła obejrzeć buldożer, który przywieźli do budowy drogi. Musiałam iść sama i jeszcze zmyślać bajkę o skręconej nodze mojej siostry! Zachorowała na tydzień przed pierwszą komunią. Nie było dla mnie pary i przed ołtarz szłam sama. Byłam na nią wściekła i łykając opłatek myślałam tylko o tym, że jak wyzdrowieje, to sama ją uduszę! Długo podejrzewałam, że zrobiła mi na złość, bo sukienki miałyśmy identyczne, a ona nienawidziła, gdy mama kupowała nam takie same rzeczy!

Śmiałyśmy się i przez chwilę ogarnęła mnie absurdalna pewność, że Elka wcale nie umarła, tylko właśnie przebudziła się z długachnego snu i jedziemy na powitalną ucztę. Z opowieści mamy wynika, że musiała być z niej niezła artystka. Szkoda, że usnęła i spędziła życie w zakładzie dla psychicznych.

Po takim dniu sen powinien nadejść szybko, ale tak się nie stało. Było mi duszno i ciasno. Przewracałam się z boku na bok, patrzyłam na firankę, jak wydyma się i opada, poruszana podmuchami wiatru. Jak duch, pomyślałam i przeszedł mnie dreszcz. Wsunęłam się głębiej w śpiwór i zacisnęłam powieki. Powietrze przesiąknięte było cierpkim zapachem więdnących pelargonii. Lubiłam się nimi zajmować, ale teraz muszę je zostawić na pastwę losu.

Całe popołudnie mama spędziła przy telefonie, odwołując zaplanowane spotkania, umówione terminy. Zawiadomiła właściciela nowego mieszkania, że meble jadą same, a my zjawimy się później. Rozmawiała z wujem Wilkiem i krótko z babcią. Potem rzuciła się w wir sprzątania. Szorowała podłogę z taką zawziętością, jakby od czystości desek zależało jej dalsze życie.

– Ruszaj się, ruszaj! – popędzała mnie, gdy zbyt opieszale jej zdaniem myłam okna.

– To nie zawody! – próbowałam stawiać opór. – Przecież może to zrobić dozorczyni!

– Całe życie to jedne wielkie zawody! – oznajmiła, wymiatając dziady z kątów. Na temat ewentualnego wynajęcia sprzątaczki nie podjęła dyskusji. Wysiłek fizyczny potraktowała jak formę czarów do odpędzania myśli o czekającym ją pogrzebie. – Ale ja nie jestem typem sportowca! – mamrotałam, jednak na tyle cicho, by mogła udać, że nie dosłyszała. Moja bierność jest chyba jedyną rzeczą, jaka ją wkurza. Stara się jak może, by nie okazywać swego mną rozczarowania, ale ja zdaję sobie sprawę, że spodziewała się po mnie czegoś więcej niż tylko banalnej poprawności. Ale nic nie mogę na to poradzić, że jestem taka... nijaka.

Ostatecznie mieszkanie wyglądało o niebo lepiej niż w dniu, gdyśmy tu weszły rok temu. Po północy padałam z nóg, ale za zmęczoną twarzą łatwiej mi było skryć radosne myśli, że spędzę kilka dni z Wilkami. Może nawet wybierzemy się w góry, bo mamie nie wypada przecież uciekać natychmiast po pogrzebie.

Firanka wydęła się gwałtownie, a ja przestraszyłam się swego entuzjazmu. Przecież jedziemy na pogrzeb, a nie na wycieczkę! – strofowałam się, lecz bezskutecznie. Usiłowałam nie myśleć o wolnych dniach, które trafiły mi się jak ślepej kurze ziarno. Jak dobrze pójdzie, przeciągnę pobyt u babci nawet na tydzień. Życie jest jednak piękne!

Aby skierować myśli na właściwe tory, przez następne minuty odmawiałam pacierz i usiłowałam narzucić sobie nastrój smutku. Bezskutecznie.

Elka. Elka. Przywoływałam obraz ciotki, taki, który mógłby mnie wzruszyć, ale nic z tego. To, co przychodziło mi na myśl, było bardziej zabawne niż smutne. Dawniej odwiedzałyśmy ją często w szpitalu i nie powiem, żebym nie lubiła tych wizyt. Wprost przeciwnie, nie mogłam się doczekać, żeby znów tam pójść. Elka była dorosłą kobietą, a równocześnie dzieckiem, dziesięcioletnią dziewczynką. W tym wieku zapadła w śpiączkę i nigdy się już nie obudziła. Dla mnie była śpiącą królewną, tajemniczą i fascynującą, jak w bajce. Skoro nie po tej, to może istniała po drugiej stronie życia? Wierzyłam, że któregoś dnia się przebudzi i opowie, jak tam jest. Oglądałam kiedyś film, w którym lekarz podał nowe lekarstwo ludziom znajdującym się w stanie śpiączki i Robert de Niro się obudził. Mama cały czas ryczała, a gdy spytałam, czy nie można by tego leku wypróbować na Elce, powiedziała, że takie rzeczy zdarzają się tylko w kinie i żebym w te bzdury nie wierzyła. Miała rację, bo Robertowi de Niro też nie pomogło i pod koniec filmu zasnął na resztę życia.

Lubiłam Elkę. Można było do niej bezkarnie szczerzyć zęby, wywalać jęzor, robić małpie miny, skakać koło łóżka, podciągać sukienkę pod brodę i pokazywać goły brzuch, a nawet tyłek, a ona patrzyła na wszystko jednakowo pustym wzrokiem. Oczywiście robiłam to, gdy mama szła na rozmowę do lekarza, a ja zostawałam z ciotką sama. Przy niej po raz pierwszy odważyłam się wypowiedzieć słowa: „cholera" i „pieprzyć". Opowiedziałam jej o dzienniczku wrzuconym do rzeki i o tym, że Gruby mnie pocałował i pokazał, co ma w majtkach. Elka słuchała i brała na siebie moje winy. Wychodziłam od niej rozgrzeszona.

– Przestałabyś prowadzać dzieciaka do czubków! – mówił tata, a mnie było przykro, że dla niego Elka nie jest śpiącą królewną, tylko czubkiem. Najgorsze było to, że odbierał mi szansę zrzucenia z siebie kolejnej porcji grzechów.

Tata, taki nienagannie uprzejmy i zasadniczy w sprawach wychowania, o Elce zawsze wyrażał się grubiańsko. Nie cierpiał nawet rozmów o niej. Uczył mnie, jak kulturalnie zapytać o drogę do kibla i uprzejmie żądać papieru do podtarcia się, lecz gdy chodziło o Elkę, zapominał o manierach. Wariatka, debilka, świr – to tylko niektóre z jego określeń. Szybko nauczyłam się

przy nim nie mówić o ciotce, bo wpadał we wściekłość. Tak jakby osobiście mu czymś zawiniła, a przecież nie mógł jej znać. Kryłam mamę, a wyprawy do szpitala stały się naszą tajemnicą.
– Czy zawsze taka była? – pytałam niezmiennie, a mama za każdym razem tłumaczyła coś, czego nie mogłam pojąć.
– Była normalną dziewczynką, jak wszystkie inne. Tyle że w pewnym momencie czas się dla niej zatrzymał. A raczej to ona sama go zatrzymała! – mówiła zawsze z nutą pretensji w głosie.

To niepojęte. Ja też zazdrościłam Elce, że potrafiła to zrobić. Świat musiał być dla niej prostym mechanizmem z guzikiem „stop". Nacisnęła go i czas stanął w miejscu. Tyle że już nigdy nie ruszył, bo skamieniał i przyszpilił ją do tamtej chwili sprzed lat.
– Ale dlaczego to zrobiła? – pytałam milion razy. Mama rozkładała ręce, ale nigdy nie wierzyłam, że mówi prawdę.

Obudziłam się w środku nocy. Jedno skrzydło okna uderzało o jakiś zaczep, a ja dygotałam z zimna. Pod skórą przebiegały mi dreszcze, od czubka głowy do pięt, jeden po drugim, nie do opanowania. Powiał silniejszy wiatr; pachniał leśną ściółką i chłodną wilgocią. Metalowy haczyk opadł z trzaskiem i okno otworzyło się na oścież i to dopiero wyrwało mnie ze snu, w którym szłam jakimś korytarzem. Był wąski, ciemny i pełen zła – gorącego, oślizłego, o gorzko-słodkim zapachu. Wytrzeszczałam oczy i szłam wolno, chociaż napięte do granic możliwości nerwy ponaglały do pośpiechu. Powinnam biec w stronę bladego krążka światła w oddali, ale w ciemności ktoś stał i dyszał. Byłam świadoma, że nadejdzie chwila, gdy gorący oddech poczuję na swojej twarzy. Bałam się, ale wszystko, co mogłam zrobić, to iść jak najciszej, jak najwolniej. Powoli ogarniała mnie panika.

Okno wciąż tłukło o ścianę. Jeszcze trochę, a wyleci szyba. Wyrwałam się wreszcie z odrętwienia i pofrunęłam. Leciałam nad miastem i bluzgałam przekleństwami. Ludzie zadzierali głowy i uśmiechali się. Moja rozpacz na nikim nie robiła wrażenia. Szli dalej, uśmiechnięci i obojętni. Okiennica trzasnęła jak piorun i dopiero to na dobre wyrwało mnie ze snu. Usiadłam. Wciąż dygotałam, choć wiedziałam, że już nie śpię. Że jestem w swoim pokoju i nikogo prócz mamy tu nie ma. W głowie nadal klekotały przekleństwa, aż czułam od nich gorycz w ustach. Wypowiedziałam je na głos i wydały mi się dziwaczne. Jeszcze takich nie znałam. Po omacku napisałam je na gazecie, by jutro rozważyć ich znaczenie, a może nawet zapamiętać. Sny bywają przecież pouczające!

Zamknęłam okno i poczłapałam do kuchni, by przepłukać gorycz wodą z kranu. Nie wróciłam już na swój materac. Poszłam spać do mamy. Mruknęła coś przez sen i machinalnie otuliła mnie kołdrą. Do rana nic mi się nie śniło.

Zbudziła mnie cicha krzątanina. Spod uchylonych powiek patrzyłam na gołe ściany i nie wiedziałam, gdzie jestem. Czułam obecność mamy i tylko dlatego nie wpadłam w popłoch.

– Mamo, gdzie jestem?

– W moim łóżku! Masz siedemnaście lat i ciągle włazisz mi do łóżka! A jak będzie u mnie jakiś facet?

Pomyślałam, że jest atrakcyjna i nie byłoby w tym nic dziwnego, gdyby miała jakiegoś faceta. Powiedziałam to głośno, a ona roześmiała się. Zaraz jednak spochmurniała.

– Pamiętasz, gdzie jedziemy?

Kiwnęłam tylko głową.

– Śniło mi się coś okropnego! – Przymknęłam oczy, usiłując przypomnieć sobie, co to było.

– Ja miałam przyjemne sny. O Eli. Jak byłyśmy małe...

Uśmiechnęła się. Miała podkrążone oczy, a mnie przypomniał się niedawno oglądany program o bliźniakach. Podobno przeżywają wszystko tak samo i w tym samym czasie. Przestraszyłam się myśli, że mama też umrze. Tfu, tfu, tfu, plułam za łóżko, gdy wyszła do kuchni. Po chwili poczułam zapach jajecznicy i ulżyło mi. Jeśli ktoś smaży jajka na boczku, to ma mu się chyba na życie.

– Zjemy i ruszamy! Wszystkie ciemne rzeczy pojechały ciężarówką. Musimy kupić coś odpowiedniego po drodze!

Nie chciało mi się jeszcze wstawać, więc zaczęłam opowiadać swój sen. Szczególnie to o lataniu i sypaniu przekleństwami. I o ludziach, którzy mieli w nosie mnie, moje przerażenie i mój gniew. Co za znieczulica. Nawet we śnie!

Mama przyniosła patelę i ustawiła pośrodku stołu. Lubiłyśmy tak paskudnie jeść, gdy byłyśmy same. Tata tego nie znosił. Wpadał w furię, gdy nas na czymś takim przyłapał. W ogóle był facetem przekonanym o swej wyjątkowości. Szczerze wierzył w słuszność i niepodważalność swych poglądów. Nie miewał wątpliwości. Żeby odsunąć myśli o nim, wzięłam ze stolika gazetę, na której nabazgroliłam słowa ze snu. **BELZEBUB** i **MELBA**. Nic dziwnego, że ludzie uśmiechali się do mnie uprzejmie.

– Wiesz, co to za słowa? Idiotyzm! – Położyłam gazetę i zabrałam się do swojej połowy jajecznicy.

Mama zerknęła i jej ręka, ta z łyżką, zawisła w połowie drogi między patelnią a otwartymi ustami.

– Belzebub? Melba?

Była szczerze zdumiona. Popatrzyła na mnie i po długim namyśle wzruszyła ramionami.

– Musiałam ci kiedyś o tym opowiadać! – wymamrotała, kręcąc głową z niedowierzaniem.

– O czym? – zabulgotałam jajecznicą.

– Nie mów z pełnymi ustami! – Spojrzała na mnie z dezaprobatą, ale zanim dotarłyśmy do dna patelni, opowiedziała o melbie i belzebubie. – Lubiłyśmy bawić się słowami. Jak nie miałyśmy na coś odpowiedniego określenia, wymyślałyśmy własne. Kiedyś przestraszyłam się czegoś i nazwałam to belzebubem. Nie wiedziałam, co to słowo znaczy, ale samo w sobie było ohydne i brudne, jak przekleństwo. „Belzebub!" – klęłam na cały świat, gdy było mi źle. Belzebub! Tylko dla mnie to słowo miało szczególne znaczenie. Elkę śmieszyło. Nawet nie usiłowałam jej tłumaczyć sensu dźwięków wypluwanych przez zęby. Śmiała się, ale wierzyła, że jest parszywe. Ona też miała takie plugawe słowo – „melba". Zupełnie nie pojmowałam, co w poczciwej melbie może być obelżywego. Nie próbowała mi tego wyjaśniać, jak i nie wysilała się, żeby zrozumieć moje tłumaczenia. Wiedziałam, że mówi prawdę, bo przy wymawianiu słowa „melba" unosiła bezwiednie górną wargę, jak wtedy, gdy wąchała coś cuchnącego. Chodziłyśmy sobie ulicami i bluzgałyśmy na wszystko: „Belzebub! Melba! O belzebub! O melba!". Aż obrzydzenie wypełniało nam usta goryczą i musiałyśmy szukać ulicznego saturatora, by napić się wody sodowej z podwójnym sokiem i przepłukać tę ohydę!

Skończyłyśmy jajecznicę. Mama zamyśliła się, gryząc przylepkę. Dwie muchy dosiadły się do kapki jajek na ceracie. Zostawiłam je i poszłam szorować patelkę. Posprzątałam kuchnię i wróciłam do mamy. Zastałam ją w tej samej pozycji z nadgryzioną przylepką. Płakała.

Pogładziłam ją po plecach.

– Wiesz, nigdy dotąd nie przyszło mi do głowy, by kląć słowem, które dla innych jest normalne! To dlatego, że nigdy nie miałam siostry! – powiedziałam z nieoczekiwanym żalem. – Miałaś szczęście, że byłyście dwie!

Pomyślałam, że gdybym ja miała siostrę, może wszystko wyglądałoby inaczej, może...

Mama pociągnęła nosem i wytarła oczy rękawem. Spojrzała na mnie ze zdziwieniem, ale to zdziwienie dotyczyło poprzedniego tematu.

– Wydawało mi się, że to była nasza tajemnica, moja i Eli, i nigdy o tym nikomu nie opowiadałam. Nawet tobie. Ale skąd w takim razie mogłabyś o tym wiedzieć?

Ze snu! – pomyślałam, ale nie powiedziałam głośno. I tak by nie uwierzyła. Uświadomiłam sobie, że dotąd w ogóle nie opowiadała mi o swojej siostrze. Byłam przekonana, że się jej wstydzi. Teraz zrozumiałam, że wspomnienia o Elce były dla niej tak cenne, że nie potrafiła dzielić się nimi. Belzebub i melba. Nie, z pewnością nigdy mi o tym nie mówiła!

Spakowałam resztę swoich rzeczy i zniosłam do samochodu. Cieszyłam się z traperów i łyżworolek, które wczoraj udało mi się wydobyć z ciężarówki. Upchnęłam je na samym dnie bagażnika, żeby mama nie zauważyła. Pogrzeb pogrzebem...

3

Jazda z moją mamą robi wrażenie na każdym, a zwłaszcza na mnie. Jeździ jak szatan i pewnie żałuje, że zamiast dziennikarstwu nie poświęciła się karierze kierowcy rajdowego. A jakie niewinne robi miny, gdy zatrzymuje ją drogówka! Trzeba to widzieć. Komedia! I ani razu nie zapłaciła mandatu. Nie przepadam za tego typu emocjami, dlatego zwykle większość drogi spędzam z zamkniętymi oczami.

Dzisiaj wlokłyśmy się potwornie. Mama była przygnębiona i nie wyprzedzała nikogo, nawet facetów w kapeluszach. Po dwóch godzinach zahamowała i oznajmiła, że musimy wracać, bo nie oddała kluczy od mieszkania. Uspokoiłam ją, że sama to zrobiłam. Spojrzała na mnie z niechęcią, jakbym pokrzyżowała jej plany.

– Ale nie wyłączyłam gazu! – powiedziała z pretensją w głosie po upływie następnej godziny.

– Wszystko sprawdziłam! Trzy razy! Wodę, prąd i gaz! Nie martw się!

Łatwo powiedzieć! Nie tyle się martwiła, ile wręcz żałowała, że wyjechałyśmy tak wcześnie. W perspektywie miała nie tylko jutrzejszy pogrzeb, ale i dzisiejszy wieczór z babcią. Gdyby znalazła jakikolwiek pretekst, zawróciłaby natychmiast, by pojechać dopiero jutro. Przypomniałam sobie o muchach: nie wypuściłam ich z mieszkania. Powstrzymałam się jednak przed ujawnieniem tego zaniedbania, bo gotowa byłaby natychmiast wracać.

Zwolniła jeszcze bardziej. Pozwalała się wyprzedzać nawet małym fiatom. Przy jej możliwościach mogłybyśmy być już na miejscu. Chwilami miałam wrażenie, że płacze, ale gdy zerkałam, widziałam ją skupioną i wpatrzoną w drogę. Ta jej apatyczna koncentracja stawała się coraz bardziej przygnębiająca.

– Na co zachorowała Ela? – spytałam, zmieniając kasetę. Wybrałam Toni Braxton, bo jej tempo idealnie pasowało do naszego. Na odcinku kilkunastu kilometrów było ograniczenie do czterdziestki i tyle miała na liczniku. Nie do wiary! Wysłuchałam dwa razy „Un-break my heart", nie oczekując właściwie odpowiedzi. Zawsze, gdy o to pytałam, odpowiadała: „Zachorowała i już!". Teraz też nie spodziewałam się niczego innego. Przejechała w skupieniu przez opustoszałe miasteczko. Chodnikiem równolegle z nami szła dziewczynka. Podskakiwała w dziwnym rytmie, kilka razy do przodu, raz do tyłu. W jej ruchach nie było pośpiechu, a jednak dotrzymywała nam kroku. Dopiero gdy mnie to zdziwiło, została z tyłu. Przez mgnienie nasze spojrzenia się spotkały. We wstecznym lusterku zobaczyłam, jak uniosła rękę i uśmiechnęła się. Chyba do mnie. Jeszcze przez jakiś czas widziałam jej czerwone tenisówki.

Mama wreszcie wzruszyła ramionami i powiedziała:

– Zachorowała i już!

Chyba zapomniała, że to pytanie zadałam jej trzydzieści kilometrów wcześniej.

– Wiedziałam, że tak mi odpowiesz, ale nie mogłam cię o to nie zapytać!

Westchnęłam, rozczarowana, i włączyłam radio. Mówili, że na południu przeważać będzie zachmurzenie duże z niewielkimi przejaśnieniami. Cały czas mżyło i było to gorsze od prawdziwego padania. Od dawna podejrzewałam, że stan Elki miał jakąś nienaturalną przyczynę. Wokół jej osoby zbyt wiele było niedomówień i bacznych spojrzeń; musiałabym chyba niedowidzieć i niedosłyszeć, żeby tego nie zauważyć. Gdy pytałam, zbywano mnie byle czym. Przyznam, że nigdy nie nalegałam, w obawie, że to, co mogę usłyszeć, nie spodoba mi się. Tak naprawdę niewiele mnie to obchodziło. I nagle, na mokrej dwupasmówce bez pobocza, ogarnęło mnie pragnienie, by wydobyć od mamy prawdę. W każdym razie coś przekonującego. Nie było mi to wcale potrzebne do szczęścia, chciałam tylko wciągnąć ją w rozmowę, bo nie mogłam już znieść milczenia.

Na podjęcie tematu potrzebowałam pięćdziesięciu kilometrów.

– Taka choroba musi mieć jakąś przyczynę... czytałam o tym... zwykle jest skutkiem szoku... może ktoś jej zrobił krzywdę... przestraszył albo co? – snułam przypuszczenia. Właściwie nie zmierzałam do niczego konkretnego. Mogła to zignorować, jak robiła dotąd.

– Zgwałcił! – usłyszałam nagle.

– Co?

– Ktoś ją zgwałcił! – powtórzyła spokojnie, patrząc, jak traktor z przyczepą pełną buraków przymierza się do wyprzedzania nas.

Zablokowało mi płuca i minęło ze sto lat, zanim złapałam oddech. Tysiące razy pytałam i nic, a teraz nagle... Czyżby uznała, że jestem wystarczająco dużą dziewczynką, by otrzymać odpowiedź?

Żeby uniemożliwić mi zadawanie dalszych pytań, przyspieszyła, aż wcisnęło mnie w fotel. Rozpoczęła manewr wyprzedzania długachnego konwoju ciężarówek. Gdy po kilku milionach lat znalazłyśmy się na czele kolumny, wystawiła przez okno rękę z wyprostowanym środkowym palcem. Szef konwoju w wyrazie uznania zawył przeciągle klaksonem. Zaśmiała się i przez następną godzinę nie zdejmowała nogi z gazu.

Zamknęłam oczy i udawałam, że śpię. I tak nie miałam zamiaru o nic więcej pytać. Byłam zszokowana, a gdy jestem w takim stanie, odczuwam parcie na pęcherz. Musiałam się skoncentrować, by nie popuścić w majtki.

W jakimś mieście kupiłyśmy niezbędne rzeczy: czarne sukienki, buty i takie tam różności. Mama przebierała w spódnicach, bluzkach, kazała mi przymierzać buty z klamerkami. Wolałabym iść w spodniach i martensach, ale uparła się na sukienkę i czółenka. Udawała, że pochłonęła ją całkowicie sprawa tych cholernych łachów. Tak jakby tamte słowa w ogóle nie padły albo dotyczyły kogoś obcego. Czułam się podle, zakładając i ściągając kolejne sukienki w butikach. Przed oczami miałam ciotkę leżącą na szpitalnym łóżku, ze wzrokiem wbitym w przestrzeń. Ona właściwie nie spała, ale trwała w stanie odrętwienia. Patrzyła przeze mnie, przez ściany i skupiała się na czymś odległym.

– Wolałabym iść w tym, co mam na sobie! – mruknęłam w formie propozycji. – W takich butach będę wyglądała jak idiotka!

– Chyba oszalałaś! – Mama spojrzała na mnie zezem. – Chcesz, żeby powiedziała, że nie mamy się w co ubrać?

Nie. Nie chciałam, żeby babcia, bo ją mama miała na myśli, nawet tak pomyślała. Pozwoliłam się więc wystroić w sukienkę i buty na obcasach. Mój ty Boże! Będę wyglądała jak ciota, ale trudno, zrobię to dla Elki. Jeezu! Miała najwyżej dziesięć lat! Bolała mnie głowa i brzuch, i dałam sobie wmówić jeszcze żakiecik. I tak było mi już wszystko jedno.

Zgłodniałam i kusił mnie zapachami każdy mijany bar, ale mama się uparła: zjemy u Teresy! Byłam zbyt przygnębiona żakiecikiem, żeby dyskutować. Uspokoiłam swój rozburczany żołądek również ze względu na Teresę. Lubię tę knajpkę o pół godziny drogi od celu podróży. Biały domek w ogrodzie, drewniane stoły pod drzewami, rabatki z kwiatami, domowe jedzenie, pies czekający cierpliwie na kość i właścicielka, która zawsze ma czas, by przysiąść „na słówko". Nim minie dziesięć minut, będziemy wiedziały, co się działo, gdy nas tu nie było: kto się urodził, kto umarł, komu się powiodło, a kogo szlag trafił. Mama zwykle przedłuża odpoczynek, by bodaj o chwilę odwlec nieuniknione spotkanie z babcią. Dawno już poznałam się na jej sztuczkach.

Tym razem próżno szukałyśmy białego domku. Zniknął. Na jego miejscu piętrzyły się sterty metalowych konstrukcji i plastikowych płyt. Z niedowierzaniem łaziłyśmy wokół placu budowy, depcząc resztki astrów. Wypatrzyła nas jakaś babina. Wyszła z sąsiednich zabudowań i przywołała kiwaniem ręki.

– Szukacie Teresy? Ni ma! Do syna wyjechała! Tyn drań Tarwid ją tak urządził. Oszukał i za psie piniądze wykupił! Niech go diabli wezną! – pomstowała i z pasją pluła na plastikowe płyty. – Stawia tu jakieś fasfu!

– Fast food! – domyśliłam się.

– Tyż właśnie mówię! Fasfu! Brzmi obrzydliwie i pewnie tak samo smakuje! A żeby łobuz zdechł!

Wyczuwając nasz szczery żal, babina angażowała się coraz bardziej. Opowiadała barwnie historię Teresy, a mama wyciągała od niej coraz to nowe szczegóły. Ciekawe, do czego jej to akurat teraz potrzebne? Przecież jedziemy na pogrzeb. Robi to już chyba z nawyku. Zostawiłam je i poszłam nazrywać astrów dla babci. I tak nikomu nie są już potrzebne.

– Tarwid? – spytałam, gdy wreszcie ruszyłyśmy. – To ten dawny ważniak? Co pokazywał sztuczki z monetą?

– Ten sam! – Głos mamy był nieco ochrypnięty, jak zawsze, gdy jest zdenerwowana. Sprawa Teresy wytrąciła ją z równowagi bardziej, niż chciała to okazać. – Kiedyś był pierwszym partyjniakiem, a dziś to pierwszy biznesmen! A jaki z niego wzorowy katolik! Kościół podobno buduje i nikt już jakoś nie pamięta, jaki był z niego łajdak!

Mnie też szkoda było Teresy. I nadal burczało mi w brzuchu przez jakiegoś Tarwida. Mimowolnie poczułam do niego antypatię.

Tarwid... Pamiętam. Zaskakująco żywe wspomnienia pojawiły się pod powiekami bez żadnych starań z mojej strony. Spotykaliśmy go w górach. My chodziliśmy ze stadem Wilków, jemu zawsze towarzyszył syn, chudy ponurak, trzymający się na uboczu. Marek? Jurek? Alek? Mama traciła humor, gdy natykaliśmy się na nich. Tata był spięty, jakby oczekiwał na cios.

– Pokażę wam sztuczkę!

Tarwid musiał lubić dzieci, bo przywoływał nas, gdy tylko zatrzymaliśmy się na odpoczynek. Pokazywał ręce. Puste. Pstryknął i w czubkach palców ukazywała się moneta. Jedna, druga, trzecia. Żonglował nimi, a my chciwie śledziliśmy ich bieg. Potem nagle znikały i rzucaliśmy się, by szukać ich w trawie, a on, śmiejąc się, wyciągał je zza czyjegoś ucha. Mama nie spuszczała ze mnie wzroku. Może bała się, że palnę coś głupiego przy tym ważniaku?

Podobały mi się jego sztuczki. Tłumaczyły w prosty sposób, dlaczego facet jest bogaty. Obliczyliśmy kiedyś, że w jeden wieczór może wyczarować z tysiąc złotych. Nawet nie ośmielaliśmy się prosić, by pokazał nam, jak się to robi. I tak nie pokaże! Przecież to jego tajemnica. Gdyby ją zdradził, przestałby być bogaty. Wtedy każdy mógłby mieć tyle co on albo nawet więcej. Zazdrościliśmy jego synowi, że pozna kiedyś tajniki wytwarzania nowiutkich monet. Nasi ojcowie tego nie potrafili. Olek! Tak, Olek. Nigdy się nie śmiał, nie piszczał z radości, gdy z palców jego ojca spadały błyszczące złotówki. Nie pamiętam, żeby kiedykolwiek się uśmiechał. Stał pod drzewem i patrzył ponuro na nasze zabawy.

Nie bawi się z nami, bo jest za bogaty! – wyjaśnialiśmy sobie jego odosobnienie. My go nie potrzebowaliśmy, byliśmy przecież Stadem.

Gdy Tarwid odchodził, gwizdał jak na psa, Olek odrywał się od drzewa i szedł za nim. Bez entuzjazmu, ale posłusznie, jak pies.

– Wiesz, kiedyś myślałam, że Tarwid naprawdę potrafi wyczarowywać monety! – powiedziałam, kręcąc głową z niedowierzaniem.

Mama spojrzała na mnie zezem.

– I nie myliłaś się! Nadal robi to po mistrzowsku. A ilu ludzi przy tym oszuka! Prawdziwy z niego cudotwórca!

Ostatni odcinek drogi znowu jechała w żółwim tempie. Nie zależało jej na szybkim spotkaniu z babcią i wcale się z tym nie kryła. Byłaby wniebowzięta, gdyby złapała gumę i mogła przy zmianie koła stracić z godzinę. W przydrożnym barze zjadłyśmy przypalone kiełbaski.

– Rozprostujmy trochę nogi! – zaproponowała i ruszyła ścieżką równoległą do szosy.

Jeszcze piętnaście minut i byłybyśmy na miejscu, ale nie zamierzałam jej popędzać. Jeśli chce odpoczywać, proszę bardzo. Dobrze wiedziałam, że pragnie odwlec moment, gdy będą musiały stanąć z babcią naprzeciw siebie. Dla obu jest to za każdym razem trudne. Nie mam pojęcia dlaczego.

– No chodź! – machnęła ręką.

Posłusznie polazłam za nią. Biała tablica informowała, że to Sokołów czy też Sokolice, nie chciało mi się czytać. W oddali widać było pojedyncze zabudowania. Droga skręcała w las.

– Ze sto metrów dalej jest nasyp kolejki wąskotorowej. Już nie jeździ, ale nasyp pewnie jest nadal. Stamtąd jest przepiękny widok!

Udzieliwszy tych zdawkowych informacji, usiadła na zwalonym pniu i wystawiła twarz do słońca. Nie zamierzała udowadniać prawdziwości swych słów. Zostawiłam ją i poszłam sprawdzić.

Rzeczywiście, nasyp. Szyn już nie było, ale spod trawy wystawały drewniane podkłady. Tak czarne i spróchniałe, że nikomu nie opłacało się ich kraść. Zarosły zielskiem i powoli umierały. Nagle otworzyła się przede mną przestrzeń. Widok był porażający. Rozbiegany wzrok przez długą chwilę nie mógł znaleźć punktu oparcia, a świat wyglądał jak z lotu ptaka. Miałam przed sobą rozległą dolinę otoczoną falami wznoszących się coraz wyżej wzgórz. Każde kolejne pasmo wydawało się zabarwione o ton jaśniej, jak na dziecinnym obrazku. Na ostatnim planie jasnobłękitne szczyty zamykały dostęp do reszty świata.

W takim miejscu wszystko wydaje się możliwe, życie jest nieskomplikowane, a marzenia w zasięgu ręki. Zapragnęłam tu zostać. Nie na chwilę, ale na zawsze. Czułam, jak wzbiera we mnie determinacja i dzika zawziętość. Tu powinnam mieszkać, zamiast włóczyć się nie wiadomo gdzie.

Minęło sporo czasu, nim opanowałam rozbiegany wzrok i wbiłam go w ziemię, by uspokoić się i zapanować nad swoją wyobraźnią i nagłą niechęcią do mamy. Wśród opadłych liści zobaczyłam zdechłą mysz. Krzątały się wokół niej żuki i mrówki. Potrąciłam ją patykiem i poczułam gorzki odór zgnilizny. Patyk wszedł miękko w padlinę, a mnie przeszył dreszcz obrzydzenia. Powietrze za moimi plecami pulsowało. Jakiś rezonans dawno przebrzmiałego echa zbliżał się i oddalał, przenikał mnie i zmuszał do skupienia na czymś odległym. Słyszałam gwizd lokomotywy, śmiech, dziecięce głosy i w jednej spośród setek mijających sekund doświadczyłam przeczucia czegoś nieuchronnego.

– Pięknie! – potwierdziłam, siadając obok mamy. Starałam się, by mój głos brzmiał obojętnie.

Skinęła głową, zatopiona we własnych myślach.

– Lubiliśmy jeździć kolejką. Zbieraliśmy groszaki, które mama dawała nam na lizaki. Kupowaliśmy bilety na kolejkę i przyjeżdżaliśmy aż tutaj. Wysiadaliśmy przy czereśniowych sadach w Sokołowie. Chłopi dawali nam czereśni, ile tylko daliśmy radę zjeść. A na dodatek chleb polany wodą i posypany cukrem!

Miała rozjaśnioną twarz i zazdrościłam jej tych wypraw.

– My to znaczy kto?

– Ja, Elka i Wilk!

– Wujek Wilk? – upewniłam się, chociaż innego Wilka wtedy nie mogło być. Tyberiusz Wilk to stryjeczny brat mamy i przywódca Stada. Jego ojciec był zdrowo pijany, gdy podawał to imię w urzędzie. Cesarze mają takie imiona, tłumaczył. On przecież nie cesarz, tylko Wilk, śmiali się ludzie, ale zapijaczony szewc trwał przy swoim. To był jedyny luksus, jaki sprawił swojemu synowi: cesarskie imię.

– A on prał każdego, kto mówił mu po imieniu! – śmiała się mama. – Był Wilkiem i tylko tak można się było do niego zwracać!

– Wtedy Elka była jeszcze zdrowa? – spytałam.

Głupio spytałam, toteż w odpowiedzi mama tylko poruszyła ramieniem. Pewnie, że musiała być zdrowa, by jeździć kolejką, jeść u chłopów czereśnie i chleb posypany cukrem. Podniosła się, ale teraz mnie nie chciało się ruszać. Dzięcioł tłukł w pusty pień. Od czasu do czasu przejechał samochód. Poza tym było cicho. Za cicho.

– Kto to zrobił? – zaryzykowałam pytanie. Słowo „gwałt" nie chciało mi przejść przez usta.

Wzdrygnęła się, a po twarzy przebiegł jej skurcz. Minęła długa chwila, nim wydusiła:

– Nikomu nic nie powiedziała... dopiero potem... Lekarze powiedzieli mamie... ale wtedy nie można się było od niej już niczego dowiedzieć, bo zapadła w ten stan...

– A ty? – Zająknęłam się i już żałowałam, że w ogóle się z tym wyrwałam, ale nie miałam odwrotu. – O niczym nie wiedziałaś? Nie powiedziała ci? Nie zwierzyła się?

Spojrzała na mnie ze smutkiem, a potem odwróciła wzrok i patrzyła przed siebie, między drzewa. Na policzku pod okiem drgał jej mikroskopijny mięsień. O sekundę za późno zdałam sobie sprawę, jak mocno ją uraziłam. Wspomnienia i poczucie winy musiały jej towarzyszyć przez wszystkie te lata. Gdybym mogła, włączyłabym cofnij i wymazała swoje pytania, ale niestety, w życiu to niewykonalne.

– Pamiętam, że ciągle się bałam! – powiedziała z trudem.

– Czego?

– Niczego konkretnego. Myślę, że to ona się bała, a mnie tylko udzielał się ten strach. Tak wielki, że bałam się nawet zapytać, czego się boi! To przecież ona była ta odważna, decydująca o wszystkim. Ja zawsze stałam z tyłu i wykonywałam jej polecenia. Gdy ona się bała, bałam się razem z nią, a jednocześnie zyskiwałam pewną swobodę. Mogłam choć na parę chwil wyrwać się spod jej władzy. To mnie najbardziej męczy. Powinnam być przy niej!

– Byłaś dzieckiem!

– Była moją bliźniaczką! Powinnam zauważyć, że coś jest nie w porządku. Musiałam być gównianą siostrą, skoro mi nie zaufała! Dzięcioł tłukł jak automat bez wyłącznika i dobrze, bo mogłam skoncentrować się na jego pracy. Ta rozmowa wprawiła mnie w popłoch. Nie chciałam już niczego wiedzieć. Co było, minęło. Trzydzieści lat to przecież epoka. A teraz Elka umarła, więc trzeba postawić krechę i o wszystkim zapomnieć.

– Jedźmy już, babcia czeka!

4

Do domu babci dotarłyśmy późno, bo mama zatrzymywała się jeszcze kilka razy. Po prostu zjeżdżała na pobocze i siedziała nieruchomo z rękami na kierownicy. Wolałam się nie odzywać, by nie sprowokować jej do zwierzeń. Bałam się, że w odpowiedzi na jedno moje pytanie wyrzuci nagromadzone przez lata żale, wątpliwości, podejrzenia. Może i nie, ale wolałam nie ryzykować. Siedziałam spięta, przestraszona. Nie chciałam oglądać tego filmu sprzed lat. Gapiłam się na miasto w dolinie. Musiałam wyglądać jak nabzdyczona kwoka. Zachodzące słońce czerwieniło dachy i korony drzew. Ten piękny widok w połączeniu z pełnym napięcia milczeniem budził poczucie zagrożenia. Przejął mnie smutek. Nie dotyczył Elki ani mamy, ale mnie samej, lęku blokującego mi gardło, a zakorzenionego tak głęboko, że nie potrafiłam dotrzeć tam nawet myślami.

– Czekamy na coś? – spytałam z nagłą niecierpliwością.

– Bo ja wiem... Całe życie na coś się czeka... Na wakacje, na miłość, na sukces, na doprowadzenie czegoś do końca. Czasami czekanie trwa zbyt długo...

Przekręciła wreszcie kluczyk w stacyjce i po kilku minutach wjechałyśmy do miasta.

Najbardziej lubię moment, gdy skręcamy w wąską uliczkę pełną zieleni, ozdobnych furtek prowadzących w głąb ogrodów, psów szczekających za ogrodzeniami. Pod siedemnastką mieszka babcia. O każdej porze roku zaułek jest piękny i bajkowo nierealny. Już mi żal, że będę musiała stąd wyjechać.

– Nawet nie pamiętam, że tu mieszkałam! – powiedziała mama ze zdziwieniem.

Babcia czekała na nas zła jak wszyscy diabli. Przypuszczałam, że tak będzie, bo ona zawsze traci humor, gdy sprawy nie toczą się po jej myśli. Dom pachniał pastą do podłogi, jabłkami i gorącym rosołem. Z radia sączyło się radosne disco polo. Babcia nie wyglądała na przygnębioną, miała na sobie zieloną bluzkę w kolorowe piłeczki.

– Spodziewałam się was wcześniej! – powitała nas tonem pełnym urazy.

Mama usprawiedliwiająco rozłożyła ręce.

– Jesteśmy w trakcie przeprowadzki!

– Znowu?

Zabrzmiało to: znoooooowuuu i miało oznaczać nieopisane zdumienie. Wymieniły długie, milczące spojrzenia, jakby chciały zajrzeć sobie nawzajem w dusze, czy coś się w nich nie zmieniło od ostatniego razu. Toczyły grę, której nie rozumiałam. Nawet się nie dotknęły na przywitanie. Mama wykonała co prawda ruch, jakby zamierzała postąpić krok do przodu, ale babcia machnęła ostrzegawczo ręką i przystopowała jej zamiar.

– Siadajcie do stołu! Czekam z obiadem już od południa! – powiedziała z przekąsem. – Z mięsa zostały wióry, ale to wasz problem! Ja już jadłam!

Siedziałyśmy przy okrągłym stole, nakrytym lnianym obrusem. Jadłyśmy rosół, po którym pływały złote oka, a makaron był prawdziwy, robiony na stolnicy. Obgryzałyśmy kurze udka przyrumienione na jasnobrązowo i słuchałyśmy monologu o perypetiach z wątrobą, o złamanym zębie Hirka, o odpadającym tynku i kotach grasujących w ogrodzie, o tym, że naczelnik stacji rozszedł się z żoną, a stary Jakubek pchnął zięcia widłami, ale obaj zeznali, że to wypadek, a ten łobuz Tarwid wybudował sklep większy od lotniska...

Na komodzie paliła się lampa z witrażowym abażurem. Jej światło tworzyło na ścianach kolorowe pejzaże. Gdy byłam mała, chowałam się pod stołem i obserwując tańczące cienie, wędrowałam po wszechświecie. Tutaj miałam swoją bazę. Zauważyłam, że i mama wodzi wzrokiem za refleksami światła.

– No i umarła! – podjęła babcia tonem towarzyskiej konwersacji. W jej głosie brzmiała ulga.

Spojrzałam na mamę. Ona też słyszała to co ja, ale nie zareagowała. Widziałam, jak zacisnęła zęby, i byłam jej wdzięczna. Cóż mogła zmienić jeszcze jedna kłótnia?

„Nie wyrwij się z jakimiś kondolencjami! – uprzedziła mnie, gdy wjeżdżałyśmy do miasta. – Ona dawno wykreśliła Elkę z pamięci. Tylko przez pierwsze lata bywała w szpitalu i to tylko po to, by się upewnić, że się nie obudzi!".

Była rozżalona i dlatego jej nie uwierzyłam. Teraz odstawiła talerz i powiedziała, że idzie do Wilków. Kamień spadł mi z serca. Nie znoszę być świadkiem ich przepychanek słownych. Zawsze wtedy bolą mnie zęby. Już nawet poczułam pulsowanie w lewej górnej czwórce. Dotknęłam jej językiem. Usłyszałam trzaśnięcie drzwi i ból ustał.

– Babcia, babcia, babciababciababcia... – powtarzałam, by przyzwyczaić się do brzmienia słowa, którego nie używam tak często, jak powinnam.

– Co tam brzęczysz? – Postawiła przede mną ciasto z wiśniami. – Jak ci idzie w szkole?

– Której? – spytałam nieopatrznie, a ona prychnęła gniewnie i wiedziałam, że to komentarz do stylu życia mamy.

– Wasze życie to jeden wielki bajzel! – orzekła i wyciągnęła z kieszeni paczkę fajek. Wprawnym ruchem włożyła papierosa do ust. Z drugiej kieszeni wyjęła zapalniczkę i nim zdążyłam złapać oddech, zapaliła. Zaciągnęła się jak stary palacz. Czekałam, że może się chociaż zakrztusi, jak mnie się zdarzało, ale nic z tego. Zrobiła to z wprawą.

– Babciu, ty palisz? – jęknęłam.

– Palę! – przyznała z dumą. – Żałuję, że wcześniej nie zaczęłam. Przynajmniej mam co opowiadać księdzu. Już był znudzony moim romansem z oficerem!

– To jeszcze nie dał ci rozgrzeszenia? – wyraziłam uprzejme zdziwienie.

– Dał, dał, ale przyjemnie jest powspominać miłe chwile! – zachichotała.

Jeezu, ale żenada!

Dopisywał jej humor. Odkąd przyjechałyśmy, nie padło ani jedno słowo o jutrzejszym pogrzebie.

– Jesteś zgorszona? – spytała z błyskiem w oku.

Przytaknęłam. Byłam wstrząśnięta. Pomyślałam nawet, że zwariowała. Z papierosem w kąciku ust wyglądała jak czarownica. Strzepnęła okruszki ze stołu. Miała długie, ruchliwe palce i wystukiwała nimi rytm głupawej piosenki, którą ktoś w telewizji uparł się wylansować jako hit sezonu.

– Świetnie, że jesteś zgorszona. Sprawiasz mi prawdziwą radość! Całe życie starałam się postępować tak, by nie wzbudzać sensacji. Zawsze gotowa byłam na ustępstwa, byle tylko nie dać ludziom powodów do plotek. Wydawało mi się, że tak trzeba, że na tym polega życie uczciwej kobiety. Ależ byłam głupia! – mówiła niby żartobliwie, ale głos jej drżał. – Nie wiedziałam, że człowiek, który boi się ciosów, dostanie ich dziesięć razy więcej niż ten, kto z góry wliczył je w koszty własne!

Wypaliła faję do końca i wprawnym gestem wypstryknęła niedopałek za okno. Potem jakby zapomniała o mnie, zwiesiła głowę i zaczęła pochrapywać. Poczułam się dziwnie rozbita. Podeszłam do okna i otworzyłam je na oścież. Było jeszcze wystarczająco widno, bym mogła zobaczyć zarośnięty ogród i wiśnię, z której nikt nie zerwał owoców. Ogarnęły mnie niejasne wyrzuty sumienia, bardziej w stosunku do zaniedbanego drzewa niż do babci. Pewnie sądziła, że nic nie zrozumiem z jej monologu. Myliła się. Tam przy kolejce mama powiedziała mi, że babcia wyciszyła sprawę Elki. Nie przyjęła do wiadomości diagnozy lekarzy, że gwałt był przyczyną choroby dziecka. Dołożyła wszelkich starań, by sprawa nie nabrała rozgłosu. Tłumaczyła to dobrem drugiej córki.

„Właściwie nie zrobiła nic, by wyciągnąć ją z tej śpiączki – powiedziała mama. – Załatwiła miejsce w szpitalu dla przewlekle chorych i tam zostawiła!".

Nie chciało mi się w to wierzyć.

– Babciu! – dotknęłam jej ramienia. – Polecę na trochę do Wilków!

Popatrzyła na mnie ze zdziwieniem, jakby widziała pierwszy raz w życiu. Zmarszczyła czoło i przypomniała sobie. Trwało to ułamek sekundy.

– A idź, dziecko, idź! Tylko wróć do mnie na noc! – Spojrzała błagalnie, a ja z miejsca poczułam się winna. Uciekłam ze wzrokiem. Pracująca głośno lodówka zagłuszyła moje potakujące mruknięcie. Dopiero gdy zamykałam za sobą drzwi, poraziła mnie myśl, że musi być przeraźliwie samotna i robi wszystko, by nie dać tego po sobie poznać. Omal nie zawróciłam, ale pomyślałam o Elce i domknęłam je z lekkim trzaskiem.

Zdążył już zapaść zmrok. Idąc pustą ulicą, cały czas słyszałam zbliżające się i oddalające echo własnych kroków. Prawie nie oddychałam. Nie boję się ciemności, ale wczorajszy sen i jutrzejszy pogrzeb nastroiły mnie podejrzliwie do świata. Odetchnęłam dopiero na ganku u Wilków. W sieni śmierdziało kiszoną kapustą, a zza otwartego okna dobiegał zgiełk jak ze stadionu. Buty stojące rzędem w korytarzu dawały ogólne wyobrażenie o liczebności Stada. Oparłam się o ścianę, by wydyszeć zmęczenie.

Dawniej – Boże, jak dawno! – niezliczoną ilość razy stawałam tu, w kącie za drzwiami, zziajana od gonitw, wrzasków, słońca i wolności. Uciekałam i chowałam się, mając nadzieję, że szybko zostanę odnaleziona. Lata spędzone z Wilkami były najlepszymi w moim życiu. Zapewnili mi bezpieczeństwo i przynależność do grupy, z nimi nigdy nie czułam się samotna. Ich świat zawsze był jasny, bez tajemnic i niedomówień. I co ważniejsze – niezmienny. Czas wtedy płynął o wiele wolniej, a dnie były tak długie, że zapominaliśmy o istnieniu nocy. Jeden ranek był odległy od drugiego o całą wieczność.

– Kładź się spać! Już późno! – wołała co wieczór mama.

Co to znaczy późno? Nigdy nie było dość późno, by poddać się władaniu nocy. Zasypianie było jak umieranie.

– Nieee! Wilki jeszcze latają! – darłam się.

– W nosie mam Wilki! – denerwowała się. – Ty masz iść spać!

Każdego wieczoru powtarzały się te same awantury. Zwyciężała mama, a ja byłam zła, że nie mogę mieć tych samych praw co Stado. Oni bawili się do chwili, gdy słońce schowało się za Kaczą Górę. Dla ciotki Wilkowej był to czas odpoczynku. Nie walczyła z nimi. Czekała, aż sami padną. Uważałam za niesprawiedliwe, że mam innych rodziców niż reszta Stada.

– Malinaaaaaa! – Drzwi otworzyły się z hukiem i wypadła z nich Aśka. – Czemu nie wchodzisz, tylko sterczysz w sieni? – Patrzę na to! – wskazałam buty. – Przybyło was czy co? – Chodź, wariatko jedna! – Wciągnęła mnie do mieszkania pełnego ludzi, krzeseł, kryształów na półkach, olejnych landszaftów na ścianach i serwetek dzierganych własnoręcznie przez ciotkę.

Rzucili się na mnie i minął kwadrans, nim wyrwałam się z objęć, potargana i obśliniona. Jeeeezu! Poza ciotką i wujkiem Wilków jest sześcioro, w tym dwie pary bliźniąt. Sześcioro! W dodatku mają zwyczaj mówienia równocześnie i to o wielu różnych sprawach. W takim hałasie wydaje się, że jest ich dwa, trzy, cztery razy więcej!

– A babcia pali papierosy! – naskarżyłam, gdy zdołałam przebić się przez gwar.

Zamilkli. Myślałam, że to z powodu mojej rewelacji, ale myliłam się. Popatrzyli na mnie z pobłażaniem.

– Oj, dziecko! – machnęła ręką ciotka. – Żeby tylko!

I zaczęli opowiadać o rzeczach, przy których papierosy to tylko nieszkodliwe hobby starszej pani. Dowiedziałam się o nieustannych atakach wściekłości, które nie omijają nawet obcych ludzi. O awanturze, jaką urządziła księdzu podczas kolędy. O posądzeniu pielęgniarki o kradzież talerza. Można by się nawet pośmiać z tych historyjek, gdyby dotyczyły kogoś obcego. Całe dnie przesiaduje na cmentarzu, a do sklepu chodzi na drugi koniec miasta, bo w okolicznych jest skłócona ze wszystkimi ekspedientkami. W zeszłym miesiącu dostała jakiegoś ataku. Lekarz stwierdził, że to tylko nerwy, ale czymkolwiek było, napędziło Wilkom strachu. Wujek zainstalował brzęczyk w kilku miejscach mieszkania, by mogła go uruchomić jednym przyciśnięciem, gdyby potrzebowała pomocy. Chcieli, by czuła się bezpiecznie. Od tej pory stawia ich na nogi kilka razy dziennie, a jak nie może spać, to i w nocy. Wścieka się, gdy nie przybiegają tak szybko, jak by tego chciała. Jakby na potwierdzenie ich słów rozległ się świdrujący dźwięk brzęczyka.

– To chyba po mnie! – Wstałam od stołu. – Obiecałam, że zaraz wrócę!

– No! – warknęła, gdy weszłam. – Myślałam, że o mnie zapomniałaś! Pościeliłam ci w pokoju od ogrodu. Był fajny film o dzikich zwierzętach. Żałuj, że nie widziałaś! Jutro będzie druga część!

Czułam się nieswojo, rozmawiając o sprawach bez znaczenia. Obejrzałyśmy jeszcze program rozrywkowy i wiadomości. Jakaś migawka z końca świata wzbudziła w niej więcej emocji niż jutrzejszy pogrzeb własnej córki.

Mama została na noc u Wilków.

We śnie wędrowałam korytarzami jaskini. Właściwie to nie ja szłam, ale jaskinia krążyła, wchłaniała mnie w głąb siebie. Doznałam oszałamiających wrażeń, jakbym zjeżdżała po nieskończenie długiej, krętej pochylni. Wszystko wirowało, a ja nie musiałam się niczego bać. Jeszcze nie. Wewnątrz ktoś na mnie czekał, przynaglał, zachęcał, ale korytarze plątały się, supłały i w żaden sposób nie mogłam dotrzeć do celu. W końcu zrozumiałam, że nie może mi się udać, bo dzieli nas nieprzekraczalna granica czasu. Gdy dostrzegłam jakiś znany szczegół, otworzyłam oczy i nic nie pamiętałam. Jakby mimochodem przekroczyłam granicę światów.

Czasami po przebudzeniu mam trudności z ustaleniem, kim jestem. Dzisiaj rozpoznałam się bez trudu i sprawiło mi to drobną satysfakcję. Ziewnęłam szeroko, aż strzyknęło mi koło uszu. Skoro już się obudziłam, nie pozostało mi nic innego jak wstać. Przeciągając się, wylazłam przez okno do ogrodu. Było jeszcze ciemno, niebo miało barwę fioletowoczarną, a góry granatową. Wstrząsnęły mną dreszcze, ale zacisnęłam zęby i nie cofnęłam się do mieszkania. Czekałam na wschód słońca. Widywałam go wiele razy, ale zawsze zdumiewał mnie tak samo. Najpierw fiolet zamienia się w róż, a zza Pieniawy wylewa się światło. Powoli wyłaniają się wzniesienia, dolina, kościelna wieża, dachy domów. Ponownie ogarnęło mnie przeświadczenie, że jestem tu, gdzie być powinnam.

Była piąta rano, a mnie nie chciało się już spać. Wróciłam przez okno do pokoju tylko po to, by naciągnąć dres. Przez dziurę w płocie wyszłam na ulicę. Dookoła było jeszcze cicho i pusto. Za kilka godzin uliczki zapełnią się turystami, którzy teraz śpią i nawet nie podejrzewają, że ominęła ich właśnie największa atrakcja dnia: ponowne tworzenie świata. Nad Pieniawą wisiało kilka sinych chmur. Nie zapowiadały ładnej pogody. Ledwo o tym pomyślałam, zaczął siąpić deszcz.

Szerokimi, nierównymi schodami zeszłam w dół i dotarłam do głównej alei. Cieszyło mnie, że znam tu każdy zaułek i nie muszę nikogo pytać o drogę. Gdzieniegdzie rozlegał się zgrzyt podciąganych żaluzji i zdejmowanych krat. Zaraz otworzą sklepy i zacznie się zwykła, codzienna krzątanina. Co drugi dom to pensjonat. Tutejsi ludzie to szczęściarze: zarabiają na życie tym, co stworzył Bóg. Zaniepokoiła mnie myśl, że ten sam Bóg kazał Elce czekać nieruchomo trzydzieści lat na śmierć.

Doszłam do barierki, za którą zwykle rozpościera się widok na góry, ale teraz za ścianą mgły nic nie było widać. Świat jakby znieruchomiał w oczekiwaniu na pogrzeb Elki.

Gdy byłam dzieckiem, często wydawało mi się, że świat trwa w bezruchu. Owszem, Ziemia kręciła się i nie potrzebowałam o tym czytać w podręcznikach. Wystarczyło położyć się na plecach, by czuć, jak biegnie w kosmos, jak wiruje. Trzeba było trzymać się trawy, by nie pofrunąć. Ale świat wokół nie zmieniał się wcale. Mama, tata, Wilki, podwórko, kot sąsiadów, drzewo między komórkami, śmieciarka gruchocząca rano na ulicy, kulka smoły ulepiona sto lat temu i ukryta za rynną – wciąż to samo, bez zmian. Nawet dłubanie w nosie i gapienie się na srokę trwało tyle lat, na ile się miało ochotę. Dopiero lot chomika zmienił reguły. Przyspieszył bieg czasu i spowodował, że świat stał się nieprzewidywalny.

Zaczęły bić dzwony. Spojrzałam na wieżę kościoła. Już szósta. Ruszyłam w drogę powrotną. Coraz więcej ludzi przemykało pod ścianami. Z bramy niespodziewanie wybiegł chłopak ze skrzynką pełną bułek. Cofnęłam się, by na mnie nie wpadł, i nadepnęłam na coś miękkiego. To był psi ogon. Jego właściciel zaskomlał i wylazł z niszy piwnicznego okna. Chyba spędził tam noc, bo sierść miał mokrą od osiadającej mgły. Spojrzał na mnie z wyrzutem.

– Sorry! – bąknęłam.

Machnął ogonem, żebym już szła i nie zawracała mu głowy. Przeciągnął się i ruszył za oddalającym się chłopakiem. Uszłam zaledwie parę kroków, gdy usłyszałam skowyt. Jego zamiary spełzły chyba na niczym. Gdy za jakiś czas spojrzałam za siebie, szedł za mną w bezpiecznej odległości. Miałam nadzieję, że nie wini mnie za marny początek dnia. Na wszelki wypadek przyspieszyłam kroku. Mijało mnie coraz więcej ludzi, ale on utrzymywał stały dystans. Przystanęłam przed furtką.

– No, dobra! – mruknęłam. – Jestem ci winna śniadanie. Poczekaj w ogrodzie, przyniosę coś na ząb i będziemy kwita. Potem ruszaj w swoją drogę i nie rób sobie nadziei!

Nie wiem dlaczego, ale zrobiło mi się żal samej siebie. Pies machnął ogonem, dając do zrozumienia, że zna życie i na nic nie liczy. Przelazł przez dziurę w płocie bez specjalnego entuzjazmu. Chyba nie wierzył, że spełnię obietnicę.

Zajrzałam do kuchni przez okno. Babcia krzątała się, szykując śniadanie. Już na pierwszy rzut oka wiedziałam, że nie dam rady zjeść wszystkiego, ale uznałam, że nadwyżki przydadzą się dla kundla.

– Gdzie się włóczysz od samego rana? Boga w sercu nie masz? – zaczęła gderać, ale rozchmurzyła się, gdy grzanki jedna po drugiej znikały z talerza. Chciałam tym widowiskowym apetytem zrobić jej przyjemność, ale chyba trochę przesadziłam, bo pokiwała głową z politowaniem. – Ta twoja matka mogłaby zająć się czymś rozumniejszym! Powinna iść do biura, to miałaby czas i dla ciebie, i dla męża! A ona tylko lata jak kot z pęcherzem, i co z tego ma? Chłop poszedł sobie, a ty jesteś zamorzona!

Ostatnie stwierdzenie podniosło mnie na duchu. Tak właśnie mam wyglądać, jakbym miała dziesięć kilo niedowagi. A co do taty, nie miała racji. Mogłam darować jej te brednie, bo w sumie niewiele o nas wiedziała.

– Tata odszedł przeze mnie! – mruknęłam znad talerza.

– Co ty pleciesz – warknęła, ale moje słowa obudziły w niej chyba jakieś wspomnienia, bo znieruchomiała, a jej dłonie zacisnęły się gwałtownie, miażdżąc kromkę chleba. Na stół posypały się okruchy. Dałabym wiele, by dowiedzieć się, o czym pomyślała. Chociaż nie! Wystarczająco bolą mnie własne wspomnienia.

Przypomniałam sobie o kundlu. Wyszłam do ogrodu, ale już go nie było. Pewnie machnął łapą na mnie i moją łaskawość. Trudno! Zostawiłam jedzenie pod wiśnią i skrajem urwiska ruszyłam do Wilków. Miałam nadzieję, że już nie śpią.

Ogrody od tej strony są zapuszczone i cudownie dzikie. Jabłonie przemieszane z brzozami, śliwy z sosenkami i modrzewiami, wiśnie z leszczynami. Dopiero w pobliżu domów porządnieją, chociaż nie do końca. U Wilków brzózki dochodzą do samych okien. Deszcz ustał, tylko po liściach niespiesznie ściekały krople. Na modrzewiu niemal każda igiełka przystrojona była w srebrną kapkę wody. Szłam ostrożnie, by nie strząsnąć na siebie wodospadu. Usłyszałam szelest rozsuwanych gałęzi i zobaczyłam psią mordę. Śledził mnie, cwaniak.

– Idę do Wilków! – poinformowałam go w nadziei, że zrozumie i się odczepi.

Machnął lekceważąco ogonem, ale położył się, oznajmiając, że w takim razie poczeka. Specjalnie mi nie zależało. Nie przepadam za zwierzakami. Od czasów chomika nieustannie prześladuje mnie wrażenie, że jego duch chce mnie ugryźć w tyłek.

Kropla spadła mi na nos. Roztarłam ją, ale uczucie wilgoci pozostało. Wspomnienia o chomiku przyplątały się teraz na dobre. Mokra plama i chomik w moim umyśle stanowią od lat nierozłączną parę skojarzeniową.

Tata odszedł nie tyle przeze mnie, ile przez chomika, ale w sumie na jedno wychodzi. Futrzaka dostałam od Wilków, ale nie polubiliśmy się. Gryzł mnie, gdy brałam go do rąk. Mama chciała się go pozbyć, ale tata nie pozwolił. Obaj zakochali się w sobie od pierwszego wejrzenia i ta ich miłość trwała ponad rok; dla mnie całą wieczność. Spędzali ze sobą wszystkie wolne chwile. Tata, jak tylko wracał z pracy, wyciągał go z pudełka, szczotkował, głaskał, a potem zwijał dłonie i przekładając jedna za drugą, jedna za drugą, tworzył nieskończenie długi tunel, w którym chomik biegał. Mogli tak bawić się godzinami.

– Patrz, Malina, patrz! – wołał, pewny, że ucieszy mnie tym widokiem, ale to wcale nie było zabawne. Czekałam cierpliwie, by i dla mnie znalazł trochę czasu. Niestety, liczył się tylko ten śmierdziel. Wywracałam pudełko w nadziei, że skorzysta z wolności i pójdzie sobie, ale gdzie tam. Na cmokanie przybiegał natychmiast, za co tata go uwielbiał. Mnie nie kochał nawet w połowie tak, jak tego głupiego potwora. Może nie kochał mnie wcale? Często mnie bił. Właściwie nie tyle bił, ile poszturchiwał. Mówił, że gdy na mnie patrzy, ręka sama mu odskakuje. Raz po raz odskakiwała. Gdy zaczynałam płakać, przestawał natychmiast i może nawet żałował swej porywczości, ale wystarczyło byle co i ręka znów mu odskakiwała. Kłócili się ciągle o to z mamą: on wrzeszczał, ona płakała. Mimo wszystko był moim tatą i kochałam go, a cały gniew kierowałam na chomika. To on był winien! To przez niego tata był dla nas taki niedobry.

Kiedyś wypuściłam bydlaka na balkon. Łaził ospale tam i z powrotem, a gdy zbliżał się do krawędzi, patrzyłam z napięciem – spadnie czy nie? Chciałam, by spadł. Serce waliło mi jak oszalałe, gdy powtarzałam: Spadnij! Spadnij! Spadnij! Tak bardzo tego pragnęłam, że chomik rzeczywiście zsunął się z krawędzi i zleciał z czwartego piętra.

Zafascynowana patrzyłam, jak frunął. Trwało to wieki. Zdążyłam się zestarzeć, urodzić na nowo, urosnąć, nim wreszcie klapnął na asfalt. Przewieszona przez poręcz balkonu, wpatrywałam się w nieruchomą plamę na chodniku. Nie czułam wyrzutów sumienia, raczej ulgę. Teraz tata będzie bawił się ze mną. Urządzimy piękny pogrzeb, popłaczemy sobie i odtąd będziemy razem. Cały wieczór wymyślałam wiarygodne wersje wypadku, aż z przejęcia dostałam gorączki. Tata nie zjawił się jednak ani tego wieczoru, ani przez kilka następnych dni. Mama powiedziała, że wyjechał, a ja nie chciałam jej martwić, bo wiedziałam, że on już nie wróci. Jego chomik nie żył, więc nie miał po co wracać. Gdy przyszedł po swoje rzeczy, schowałam się w łazience. Bałam się oskarżeń, ale nawet o mnie nie zapytał.

Cóż babcia mogła wiedzieć o tych sprawach? Może jej kiedyś opowiem o tacie i jego ukochańcu, ale jeszcze nie teraz. Nawet z mamą o tym nie rozmawiam. Kiedyś nadejdzie odpowiednia pora. Boję się tej rozmowy. Mama wie i nie nalega. Znowu zaczęło mżyć.

5

Pogrzeb odbył się z półgodzinnym opóźnieniem. Zwykła sosnowa trumna spoczywała na katafalku, obok leżały dwa wieńce i kilka mizernych wiązanek od tych, którzy mieli jakieś towarzyskie zobowiązania wobec babci. Elka była w miasteczku kimś w rodzaju ufoluda. Otaczała ją aura tajemnicy i nie do końca wyjaśnionego skandalu. Ci, co przyszli, chcieli popatrzeć na martwego dziwoląga z domu wariatów. Niestety, przeżyli rozczarowanie, bo babcia kategorycznie zabroniła otwarcia trumny.

– Obejdzie się! – odburknęła skrzekliwie, gdy ktoś z obsługi o to spytał.

Szkoda. Sama byłam zawiedziona. Mogłabym zobaczyć, czy nadal jest podobna do mamy. Ujrzeć mamę w trumnie... brrr! Na myśl o tym serce podeszło mi do gardła i musiałam tak stanąć, by mieć ją żywą w polu widzenia.

Nie wiedziałam, czy powinnam płakać. Gotowa byłam przeżyć ceremonię pogrzebową z pełnym zaangażowaniem, bo Elce należała się ode mnie chociaż taka rekompensata za te wszystkie wygłupy przy jej łóżku. Kto wie, czy gdzieś w pobliżu nie fruwa uwolniona z ciała jej dusza? Po cichu liczyłam, że muśnie mnie skrzydłem czy czymś, co służy jej do latania, doznam łaski i bezpośrednio od niej dowiem się prawdy o wydarzeniach sprzed lat. Albo nie! Nie jestem aż tak ciekawa.

Grubo ubrany organista po raz kolejny rozpoczynał tę samą frazę. Usiłowałam nie słyszeć fałszywie brzmiących dźwięków w czwartym takcie, ale fałsz odbity od ścian dudnił w uszach.

Korciło mnie, by wstać i uderzyć we właściwy klawisz, ale powstrzymały mnie miny świętych wymalowanych na ścianie. Siedź i cierp, jak i my cierpimy! W miejscu, gdzie chciałam widzieć tatę, siedział jakiś łysy gość. Tata nie przyjechał, mimo że ciotka Wilkowa wysłała telegram. Gdy za jakiś czas się spotkamy, powie: Taaak? Przyjechałbym, ale niestety, nie otrzymałem na czas wiadomości! To jego zwykła taktyka: unikanie. Odkąd pamiętam, niewiele chciał mieć ze mną wspólnego. Zawsze był zajęty własnymi sprawami, do których bronił mi dostępu. Nawet gdy nic nie robił, jego myśli błądziły gdzie indziej, jakby odchodził o jeden krok za daleko, jakby dokładał specjalnych starań, by między nami powstała pustka. Tam, gdzie między ojcem a dzieckiem jest zwykle miejsce na radość i porozumienie, między nami panowała cisza. Czasem brał mnie na kolana. Opowiadałam o konikach, on kiwał głową z zainteresowaniem, ale oczy skierowane miał w głąb siebie. Gdy robiłam pauzę, by sprawdzić, czy słucha, powtarzał ostatnie słowo tonem zachęcającym do dalszych zwierzeń. Długo nabierałam się na tę sztuczkę. Potem zaczęłam go sprawdzać, mówiąc coś paskudnego i robiąc przerwę. Powtarzał bezmyślnie. Przestałam opowiadać.

Z mamą rozmawiał w podobny sposób, dlatego wróciła do swojej gazety. Powiedziała, że inaczej zwariuje. Wolałam, żeby nie wariowała, i zgodziłam się iść do przedszkola. I wcale się tym nie zmartwiłam, bo to było wspaniałe przedszkole, opanowane przez klan Wilków. O wiele lepsze niż dom, gdzie zamykało się za sobą drzwi i zanurzało w atmosferze przymusowego wyciszenia.

Wilki stały w karnym szeregu. Julek z Julką – ciemnowłosi i poważni jak wujek, Milek z Milką – nie do odróżnienia, Aśka – chuda jak tyka i najmłodszy Hirek, wyższy już od Aśki i cały w pryszczach. Ciotka dała mu na imię Hieronim, żeby zniechęcić wujka do dalszych działań reproduktywnych. Teraz wystrojony w garnitur, gładko przylizany, stał nieruchomo, miłośnie wpatrzony w świętego wymalowanego na ścianie. Wiedziałam, że w kieszeni ma paczkę kondomów, które ukradł braciom, i zastanawia się pewnie, gdzie je ukryć, zanim się zorientują. A oni już wiedzieli i patrzyli na niego znacząco, że jak tylko stąd wyjdą... Hirek przezornie ustawił się blisko swojej mamy i kombinował, w którym momencie zwiać. Dla niego Elka też nie była nikim ważnym.

Ksiądz wciąż się nie pojawiał.

Mama zapatrzyła się w jakiś punkt przed sobą. Może przebywała w krainie dzieciństwa, gdy z Elką, ubrane w jednakowe fartuszki, szły do szkoły. Na plecach klekotały im kredki w tekturowych tornistrach. Były identyczne. Różnił je tylko ów klekot: u Elki rytmiczny, zdecydowany, odmierzany równymi krokami, u mamy szybki, chaotyczny, jak jej podskoki. Na nogach miały czerwone tenisówki. Elka zdążyła już swoje wybrudzić i namalować atramentem kropki, żeby się odróżniały. Popchnęła siostrę i kazała jej iść przodem. Sama zatrzymała się przy kiosku i kupiła zeszyt; zwykły, niebieski, w trzy linie. Schowała go do tornistra i pobiegła za Ewą.

Ocknęłam się, przestraszona realnością ujrzanej w wyobraźni scenki. Widziałam w albumie zdjęcie bliźniaczek w szkolnych mundurkach. Były nie do odróżnienia, ale ja na pierwszy rzut oka wiedziałam, która to mama. Uśmiechała się samymi kącikami ust, a w oczach już wtedy miała tę iskrę, którą znam doskonale. Na twarzy Elki widoczny był grymas pogardy. Miała smutne oczy i może przez to cała postać wydawała się rozmyta. Pewnie zdjęcie było marnej jakości i wyblakło, ale dlaczego właśnie po stronie Elki?

Wreszcie zjawił się ksiądz. Wyglądał na mocno niezadowolonego. Czyżby miał wątpliwości co do ostatniej posługi wobec kogoś, kto niemal całe życie przebywał w zaświatach? Wujek Wilk stał za jego plecami w postawie bojowej. Zgięta ręka świadczyła, że gotów jest przytrzymać za sutannę, gdyby pleban cofnął się bodaj o krok. Wszystko wskazywało na to, że stoczyli przed chwilą pojedynek. Atmosfera, jaką wnieśli do kaplicy, rozbudziła obecnych. Nikt nie miał wątpliwości, że ksiądz jest wściekły, a wujek jeszcze bardziej.

Elka miała niezły ubaw, jeśli skądś oglądała cały ten cyrk. Poczułam na twarzy lekki powiew. Wiedziałam, że to tylko chłód od zamykanych drzwi, ale wolałam wierzyć, że dotknęła mnie odchodząca dusza ciotki.

Stojąc nad zasypywanym grobem, cały czas czułam dotyk zimnego powietrza na policzku. Chłód powoli przesunął się za ucho, potem spłynął na kark i w dół po plecach. Nie było to przykre doznanie, wprost przeciwnie – poczułam, jak wypełnia mnie energia, dodając sił i wiary w siebie. To zadziwiające, zważywszy okoliczności, zwłaszcza przygnębiający łomot grud ziemi spadających na trumnę. I jeszcze coś. W jakimś ułamku sekundy prześnił mi się ten sam sen co w nocy i przeniknęła mnie pewność, że wszystko się zmienia i od tej pory nic nie będzie takie jak dawniej. Zaczęła się jakaś gra, a ja otrzymałam w niej rolę. I gdybym trochę się wysiliła, wiedziałabym, co będzie dalej. Ale po co? Będzie, co ma być! Szpadel zazgrzytał o kamień, myśl uleciała, ale wrażenie było tak przejmujące, że włoski na ręku stanęły mi dęba. A może to tylko wiatr?

Babcia przez cały czas stała z tyłu, jakby pogrzeb nie dotyczył nikogo z jej bliskich, a przyszła tu tylko z ciekawości. Gdy mama wzięła ją pod rękę, fuknęła ze złością. Podeszła bliżej, ale już rozdrażniona, nie kryła złego humoru. Z ponurą miną wysłuchała słów księdza. Widać było, że się niecierpliwi. Być matką wariatki przekraczało chyba jej siły. Swą niecierpliwością i widocznym zażenowaniem zwracała na siebie uwagę. W spojrzeniach ludzi, którzy przyszli tu gnani ciekawością, nie było aprobaty dla jej zachowania. Odetchnęła z ulgą, gdy grabarze uklepali piaskowy wzgórek i ułożyli na nim kwiaty.

– No! Możemy już iść! – szepnęła mi do ucha i zrobiła energiczny zwrot, pociągając za sobą.

Spojrzałam na mamę. Kiwnęła głową, że mam zająć się babcią i nie protestować, cokolwiek by robiła.

Za bramą cmentarną zwolniła nieco, odprężyła się, rozpogodziła i jak gdyby nigdy nic, zaczęła opowiadać o doskonałym smaku pomidorówki, którą ugotowała rano.

– Wolisz z ryżem czy z kluskami? – dopytywała się natarczywie.

Było mi wszystko jedno. W ogóle nie chciało mi się jeść, a zachowanie babci wprawiało mnie w zakłopotanie. Dusza ciotki wciąż łaskotała mnie za koszulą, więc powiedziałam, że wolę z kluskami.

– Wilki zaraz przyjdą! Pomożesz mi smażyć schaby! – ożywiała się coraz bardziej.

Zanim doszłyśmy do domu, otrząsnęła się całkowicie. Była niemal radosna. Pamiętała, by wejść do spożywczego po śmietanę i oliwę do surówki. Przylepiony do pleców chłodek nie pozwalał mi reagować na poczynania babci. Śmietanę władowałam do kieszeni, a oliwę niosłam w ręku.

Kotletami zajęła się ostatecznie mama. Zdążyła przyjechać wcześniej i razem z Julką urzędowały w kuchni. Babcia znów wpadła w paskudny nastrój. Nakrzyczała na Milka, bo przyłapała go na wyjadaniu ogórków z sałatki. Julce miała za złe, że tłuszcz pryska na podłogę – i kto to będzie potem sprzątał? A schaby są za bardzo spieczone i ona nie zje takich suchych wiórów, bo będzie ją potem paliła zgaga. A w ogóle, do cholery, kto pozwolił im rządzić się w jej własnej kuchni? Wynocha!

Podczas obiadu rzucała ostre, karcące spojrzenia, uciszając w zarodku każdą rozmowę, choć i tak nikt nie miał ochoty na pogawędki. Wilki zmyły się zaraz po obiedzie. Miałyśmy z mamą chęć pójść w ich ślady, ale głupio było zostawić babcię samą. A ona miotała się po mieszkaniu, szurała krzesłami, trzaskała drzwiami od szaf, wyciągała i chowała ubrania. Wystroiła się wreszcie w kwiecistą bluzkę i rozsiadła przed telewizorem. Oświadczyła, że zaraz będzie film, na który czekała cały tydzień, i nie zamierza go przegapić.

Przez godzinę oglądałyśmy bzdet, w którym dwóch facetów goniło trzeciego, zabijając przy tym setkę innych. Babcia emocjonowała się ponad miarę. Mama przysiadła obok i położyła rękę na jej ramieniu.

– Połóż się i odpocznij! To nie był przyjemny dzień!

Babcia strząsnęła jej dłoń ze złością.

– Zostaw mnie w spokoju! Już po pogrzebie! Możesz wsiadać w swoje nowe auto i jechać tam, gdzie teraz mieszkasz! Nie jesteś mi potrzebna!

Od razu zaczął boleć mnie ząb, dolna lewa trójka. Podeszłam do okna z nadzieją, że dojrzę w krzakach psią mordę. Potrzebowałam jakiegoś punktu odniesienia, który nie miałby nic wspólnego z moją rodziną.

– Wcale nie pragnę tu zostać ani chwili dłużej niż to konieczne! – usłyszałam.

Trzepnęły drzwi. Miły chłodek wędrował po kręgosłupie, uspokajał i zmuszał do rozwagi. Rozpłaszczyłam nos na szybie i patrzyłam, jak szpaki dziobią wiśnie.

Zmęczona własną drażliwością babcia zasnęła w fotelu. Bałam się głośniej odetchnąć, by jej nie zbudzić. Na jej twarzy nawet podczas snu widoczny był cień grymasu. Pochrapywała lekko. Rozchylone usta odsłaniały szereg zdrowych zębów. Gęste włosy miała zaczesane w kok. Przyglądałam się zachłannie rysom, zmarszczkom, krzywiźnie uszu, pieprzykowi na szyi. Musiała być kiedyś piękną kobietą, silną i energiczną. Mama też jest taka – piękna i pełna życia. Mnie brak jednego i drugiego. Mam syfy na czole, jestem nieufna, zamknięta w sobie i ciągle przestraszona. Zupełnie jak tata. Ciągle mam sobie za złe, gdy odkrywam w sobie jego cechy, i to te, które najbardziej mnie irytują.

Wykrzywiłam się do swoich myśli.

Postanowiłam wykorzystać sen babci i zajrzeć do dolnej szuflady. Dawniej pełna była fotografii. Może trafię na tę z bliźniaczkami w szkolnych mundurkach. Intrygowały mnie szczególnie czerwone tenisówki, które ni stąd, ni zowąd pojawiły się w mojej głowie podczas pogrzebu. Może widziałam je wcześniej na jakimś zdjęciu? Szuflada skrzypnęła i babcia zbudziła się. Jeszcze oszołomiona snem spojrzała na mnie z nadzieją, jak na kogoś, kto jest w stanie rozwiać dręczące ją skrupuły. Musiała być rozczarowana, gdy zorientowała się, że to tylko ja, bo warknęła ze złością:

– Po co tam grzebiesz?

Zatrzasnęłam gwałtownie szufladę, jakbym została przyłapana na czymś nieprzyzwoitym.

– Szukam zdjęć! – wymamrotałam.

– Nie ma żadnych zdjęć! – fuknęła. – Wszystkie spaliłam! Były moje, więc zrobiłam z nimi, co mi się podobało! A co, może źle zrobiłam?

Przybrała zaczepny ton. Kiwnęła nawet głową, dając do zrozumienia, że teraz moja kolej, powinnam mieć zastrzeżenia, ale źle trafiła. Nie miałam żadnych. Chciała, to spaliła, jej strata. W sumie niezbyt mnie to zabolało. Bardziej przestraszyłam się jej agresywności. Nie cierpię takich sytuacji; gdy ktoś podnosi głos, paraliżuje mi wnętrzności. Kiedy tacie nabrzmiewała żyła na czole, co znaczyło, że gotów jest do kłótni, chowałam się za zasłonkę, zatykałam uszy i pragnęłam przestać istnieć. Babcia sprawiała wrażenie rozczarowanej brakiem mojej reakcji na jej wyzwanie, a ja bałam się poruszyć, żeby nie wywołać kolejnego ataku.

– Idź do kuchni i przynieś parę kartofli! – rozkazała po chwili milczenia.

Nie chciało mi się pytać, po co. Skorzystałam z okazji, by wyjść. Uchyliłam drzwi do ogrodu i zamknęłam je za sobą po cichu. Powietrze pachniało suszonymi śliwkami. Wciągnęłam je głęboko, aż zakręciło mi się w głowie. Usiadłam na podmurówce. Może zapomni o mnie.

W krzakach darły się koty jak opętane. Okno nade mną otworzyło się szerzej i w stronę krzaków poleciał ziemniak. Koci wrzask ucichł. Już nie musiałam o nic pytać; poznałam nowe zastosowanie kartofli.

– Nie zapomnij o pyrach, bo skończyła mi się amunicja! – usłyszałam. – Jak już tam jesteś, pozbieraj te, co leżą!

Podniosłam ze trzy, pogapiłam się na wiewiórkę i wróciłam dopiero, jak zrobiło mi się zimno. Babcia wzdychała boleściwie, ale powstrzymała się od komentarza. Może pomyślała, że jestem ślamazarna, a może nie chciała i we mnie mieć przeciwnika. Wyjęła z paczki papierosa i zapaliła. Trzymała go w kąciku ust i delektowała się smakiem. Wypuszczała całkiem zgrabne kółeczka i sprawdzała, czy to widzę.

– Księdzu powiem, że nauczyłam się od ciebie! – oznajmiła, ale już bez zaczepnej nuty.

Roześmiałam się; nie tyle szczerze, ile z ulgą. Zauważyłam, że babcia swoje przygnębienie skrywa pod wybuchami gwałtownego gniewu lub równie gwałtownego entuzjazmu. Gdy tak paliła tego papierosa, zaciągając się zachłannie i za wszelką cenę starając się coś mi udowodnić, emanowała z niej bezradność. Patrzyłam na jej dłonie pokryte brązowymi plamami i ogarnęła mnie chęć, by wykorzystać tę jej słabość, zarzucić pytaniami i zmusić, by opowiedziała o Elce, o mamie i o tym, co się stało, że tak się znienawidziły. Nie przeczuwała, że puszcza z dymem szacunek, jaki do niej żywię; szacunek wynikający z tego tylko powodu, że jest moją babcią. Każde kolejne kółko obdzierało ją z tej ochronnej warstwy. Gdybym chciała, mogłabym zapomnieć o szacunku, doprowadzić do furii i wydłubać z niej te cholerne tajemnice. Mogłabym, ale nie chciałam. Nawet nie tyle ze względu na nią, ile na samą siebie. Poza nią i mamą nie miałam nikogo, kto mógłby mnie kochać.

Zaczęłam przerzucać kanały w telewizorze i kombinować, jak wyrwać się do Wilków. Chyba zauważyła.

– Idź, dziecko, trochę na spacer, bo ja muszę odpocząć!

Patrzyła z zadowoleniem, jak wyciągam z torby trapery. Buciory świadczyły, że przyjechałam z myślą nie tylko o pogrzebie. Uświadomiłam sobie, że torba mamy wciąż stoi koło łóżka nierozpakowana, a większość rzeczy nadal jest w bagażniku. Mokrej szczoteczki do zębów nie zostawiła w łazience, ale wrzuciła do kosmetyczki. Dom babci traktowała jak hotel na trasie. Ciekawe, czy babcia zwróciła uwagę na tę szczoteczkę i ubrania wyciągane i wrzucane do bagażnika? Musiała zauważyć, nie jest przecież ślepa.

Podeszłam i cmoknęłam ją w policzek. Nie odsunęła się.

– Weź mięso, co zostało z obiadu!

Pomyślałam o psie i zabrałam dwa spore kawałki. Już miałam wychodzić, gdy coś uderzyło w parapet. Drgnęłam.

– To nie duchy! – Babcia z miejsca zaprzeczyła moim myślom. – To tynk odpada ze ściany! Tu wszystko jest stare jak ja!

6

Poszłam do ogrodu. Usiadłam pod drzewem, a mięso położyłam obok. Jeśli kundel kręci się gdzieś w pobliżu, znajdzie je.

Nawet specjalnie się nie zdziwiłam, gdy niemal natychmiast wylazł z krzaków, jakby tam na mnie czekał. Ruszył w moim kierunku leniwie i łaskawie. Położył się obok, by mieć mięso w polu widzenia, ale udawał, że wcale mu nie zależy.

– Przyniosłam dla ciebie. Jedz i przynajmniej przede mną nie zgrywaj ważniaka. Myślisz, że tylko psy mają problemy? Mnie też nie jest lekko.

Uderzył o ziemię ogonem i zabrał się do jedzenia. Gryzł powoli, statecznie, jak ktoś, kto lepsze rzeczy jada codziennie kilogramami, ale z grzeczności zje i to. Potem przysunął się i położył mi łeb na kolanach. Posiedzieliśmy, pomilczeliśmy o żywych i umarłych, i o tym, że los psi czy człowieczy niewiele się w sumie różnią. Po jakimś czasie wstał, przeciągnął się i machnął ogonem, że musi lecieć, bo ma sprawy do załatwienia.

Ja też nie zamierzałam siedzieć tu do wieczora. Poszłam przez sad w stronę urwiska. Takie tam urwisko! Kilkanaście metrów piaszczystej stromizny. W dole strumień. Zjeżdżaliśmy stąd na tyłkach do jego brzegów. To była zakazana zabawa. Zdziwiłam się, gdy zobaczyłam mamę. Siedziała na skraju ze zwieszonymi nogami. Przysiadłam obok.

Przez jakiś czas gapiłyśmy się na wzgórza. Jest na co popatrzeć. Gdyby to ode mnie zależało, wolałabym mieszkać tutaj niż gdziekolwiek indziej. Byłam już w wielu miejscach, ale nigdzie nie było piękniej. Pomyślałam, że człowiek powinien mieszkać tam, gdzie dobrze jest jego duszy. Westchnęłam. Mama też westchnęła, ale wolałam nie wiedzieć, do czego to się odnosiło.

– I co? – spytałam. – Kiedy jedziemy?

W moim głosie pojawiła się nuta niezamierzonej zaczepki i mama tak to chyba odebrała, bo spojrzała na mnie zezem. Tak naprawdę rozumiem ją. Kilka dni spędzonych z babcią wprawia ją w długotrwały stan przygnębienia. Od lat nie potrafią się porozumieć, niszczą się, zachowują jak wrogowie. Jak daleko sięgam pamięcią, zawsze tak było. W zasadzie powinnam już uznać to za rzecz normalną, ale jakoś nie potrafię. Mają wzajemnie do siebie o coś pretensje, ale czy żal do drugiej osoby może być aż tak głęboki, by uniemożliwić przebaczenie? Czy one nigdy się nie pogodzą?

– Chyba nie tak prędko! – powiedziała mama z wyraźnym ociąganiem. Dopiero po chwili zorientowałam się, że to odpowiedź na pytanie, które zadałam sto lat temu. – Wilki mają jej dosyć i wcale im się nie dziwię. Chcą, żebym trochę została i dała im wytchnąć, bo wszyscy się wykończą! Ostatecznie to mój obowiązek, bo to moja matka, nie ich!

Spojrzała na mnie i westchnęła. Widziałam, z jakim trudem przychodzi jej podjąć decyzję. Patrzyłam na nią i czułam, że ogarnia mnie fala tkliwości. Zdałam sobie sprawę, jak bardzo ją kocham. Nie potrafię nawet wyobrazić sobie, że mogłybyśmy z jakiegoś powodu stać się dla siebie tak odległe i obce. Nie mam wylewnego charakteru i rzadko nachodzą mnie chwile, gdy potrafię wyartykułować to, co czuję. Teraz taka chwila nadeszła.

– Kocham cię, mamo!

Uśmiechnęła się, pociągnęła nosem i objęła mnie ramieniem.

– To dobrze, że mam kogoś, kto mnie kocha!

I wtedy przyszło mi to do głowy. Aż się zdziwiłam, jakie to proste.

– Może ja zostanę z babcią? Wiesz, że lubię tu być! Wilki odsapną, ty pozałatwiasz spokojnie swoje sprawy, a potem się zobaczy!

Na twarzy mamy odbijały się kolejno: zdziwienie, niepewność, nadzieja. Długo milczała, rozpatrując mój pomysł. Widać było, jak bije się z myślami, jak toczy walkę między pokusą przyjęcia wygodnego dla siebie rozwiązania a poczuciem obowiązku. Na szczęście nic nie mówiła, a walkę toczyła po cichu, sama ze sobą. Wiedziałam jednak, że decyzja, jaką podejmie, będzie nieodwołalna.

– Mamo! – jęknęłam. – Mam siedemnaście lat. Jestem już prawie dorosła. A to jest dobre rozwiązanie. Przynajmniej na razie!

– A szkoła? – Mama się łamała, skoro przytaczała tak mało istotne argumenty.

Szkoła! Też wymyśliła! Jako jej córka prowadzę życie nader urozmaicone, co polega głównie na ciągłej zmianie szkół. Przez ostatnie cztery lata trzy razy! A szkoły wszędzie są takie same. Tutaj przynajmniej są Wilki.

– I tak miałam się przenieść – przypomniałam. – A w tej przynajmniej są Wilki – wypowiedziałam na głos ostatnią myśl.

Mama położyła się na plecach, z nogami wciąż zwieszonymi nad urwiskiem. Gapiła się w niebo, a ja czekałam na jej decyzję. Nie potrafię walczyć, nawet z mamą. Gdy dochodzi do jakiejś konfrontacji, następuje we mnie blokada: robię się sztywna, ślepa, głucha, jakbym przestawała istnieć. W duchu liczę na to, że sprawy rozwiążą się same, i to po mojej myśli. A jeśli nie, trudno. Wystarczy mi świadomość, że próbowałam. Coraz częściej zdaję sobie sprawę, jakie to beznadziejne, ale nie potrafię się przełamać. Chociażby teraz... Siedzę i wgapiam się smętnie w iglicę na szczycie Pieniawy, zamiast podać mamie sto argumentów nie do zbicia.

– Może to i dobra myśl... – powiedziała w końcu niepewnie.

– Moja obecność tylko ją rozdrażnia. Mam kilka rozpoczętych spraw i podpisanych umów, i będę niespokojna, póki ich nie załatwię do końca. I to nowe mieszkanie... Ty jedna potrafisz nawiązać z nią jakiś sensowny kontakt! – wymieniała punkt po punkcie, jakby przekonywała samą siebie. Co chwila zawieszała głos, oczekując sprzeciwu. Była zawiedziona, gdy potakiwałam z entuzjazmem.

Znowu westchnęła. Nie była do końca przekonana.

– No dobrze. Spróbujmy. W miesiąc powinnam sobie poradzić z najważniejszymi sprawami, a wtedy postanowimy, co dalej.

– Hura! – powiedziałam jej do ucha i pocałowałam w policzek. Odprężyła się nieco, pokiwała głową do swoich myśli, potem wychyliła się i popatrzyła w przepaść.

– Zjeżdżałyśmy tu z Elką na tyłkach! – powiedziała z miną, jakby zdradzała nie wiem jaką tajemnicę. – Dobrze, że wy nie wpadliście na ten głupi pomysł!

Roześmiałam się.

– Naprawdę w to wierzysz? – spytałam i zsunęłam się poza krawędź. Nie wolno w tym momencie patrzeć w dół ani myśleć o tym, co się robi. Poczułam pod plecami sypki piach, kępki traw i pojechałam w dół. Niebo, ziemia, niebo, niebo, ziemia, przestrzeń. Przeturlałam się kilka razy, nim znalazłam się na dnie wąwozu. Słyszałam za sobą pisk mamy: sunęła w ślad za mną. Trochę nieporadnie i ze strachem w oczach, ale jechała. Piszczała i jęczała na przemian. Niebo i ziemia wymieszały się ze sobą w tej zwariowanej chwili. A potem znowu było już tylko niebo, gdy leżałyśmy na plecach, z trudem łapiąc oddech.

– O rany! – westchnęła, gdy znów mogła wzdychać. – Tak jak dawniej!

Leżałyśmy i patrzyłyśmy w niebo.

– Czy wiesz, jakie to niebezpieczne? – zaniepokoiła się, gdy przypomniała sobie, że jest matką.

– Ale za to jakie fascynujące! – odpowiedziałam.

Przyznała mi rację i leżałyśmy tak jeszcze ze sto lat. Potem oparła się na łokciu i popatrzyła na mnie z odległości kilkunastu centymetrów.

– Wiesz, kiedy się urodziłaś, przeżyłam przedziwną chwilę. Wiedziałam, po co przyszłaś na świat. Było to coś ważnego i potrzebnego nie tylko mnie. Świadomość tego uszczęśliwiła mnie i uspokoiła. Zasnęłam, a gdy się zbudziłam, nic nie pamiętałam. Pozostało tylko wrażenie czegoś niezmiernie ważnego. Wiedziałam, że będę cię kochać od pierwszej sekundy twego życia i dbać o ciebie w każdej następnej, bo znaczysz wiele dla wielu osób. Gdy jest mi źle, przypominam sobie tamto doznanie – jakby na ułamek sekundy otwarła się przede mną cała mądrość świata!

Nad nami zatrzymał się jastrząb. Trwał w bezruchu, a potem runął w dół bez żadnego ostrzeżenia. Miałam wrażenie, że leci wprost na mnie. Ale nie. Upolował mysz po drugiej stronie strumienia i natychmiast odfrunął, unosząc zdobycz w szponach. Przypomniały mi się czerwone tenisówki z pogrzebu. Nie mogłam się oprzeć ciekawości. Spytałam. Mama zmarszczyła czoło i przypomniała sobie, że rzeczywiście miały takie. Elka swoje zaraz wypaprała, a jedną zgubiła. Wilk ściągał ją potem z drzewa, bo ktoś powiesił ją na gałęzi. Elka oberwała, bo o buty wtedy nie było łatwo.

– To były jej ostatnie buty. Potem już nigdy żadnych nie potrzebowała... A ty skąd o nich wiesz? – dopiero teraz się zdziwiła.

– Od babci! – skłamałam.

Aby wrócić do domu, musiałyśmy wdrapać się na stok. Wyszukałyśmy najmniej strome podejście, ale i tak mama nie mogła się wskrabać, w swoich marnych butach ciągle zsuwała się w dół. Popłakałyśmy się ze śmiechu. W dodatku wyszłyśmy ze trzy przecznice za daleko. Ludzie patrzyli na nas ze zdziwieniem, bo w wypapranych błotem ubraniach nie wyglądałyśmy na pogrążone w żałobie. Dziwne, jak łatwo przychodziło nam zapominać o tej śmierci. Tak jakby Elka, jej krótkie życie i długa śmierć były fragmentami dawno obejrzanego filmu. Spojrzenia obcych ludzi przywoływały nas do porządku. Jak na rozkaz zwolniłyśmy kroku i starłyśmy z twarzy swoje sobą rozradowanie.

– To miasto nie jest miejscem dla alternatywnych zachowań! – szepnęła mi do ucha mama. – Wcale nie żałuję, że stąd nawiałam!

Czy chciała dać mi do zrozumienia, że i dla mnie nie jest to odpowiednie miejsce? Myliła się. Mnie potrzeba było czegoś stałego, trwałego, konserwatywnie bezpiecznego. Chyba wyczuła upór w moim milczeniu, bo spochmurniała. Wzięłam ją pod rękę, żeby nie pomyślała, że moja decyzja skierowana jest przeciw niej.

Z wąskiej uliczki wypadł kundel, pomachał ogonem i pognał dalej. W pysku trzymał z pół kilograma kiełbasy. Z głębi ulicy dobiegał wrzask rozwścieczonego rzeźnika. Nie przyznałam się, że znam złodzieja. Kilka przecznic dalej czekał jednak na nas. Oblizywał się i merdał ogonem, wyraźnie oczekując pochwał. Pachniało od niego wędzonką i czosnkiem.

– Nie wolno kraść! – pouczyłam go, czując na sobie zdziwione spojrzenie mamy.

Przewrócił ślepiami, że wie o tym doskonale, ale takie jest życie. Trzeba w nim sobie jakoś radzić.

– Znasz go? – spytała podejrzliwie.

Musiałam się przyznać.

– No to w niezłym towarzystwie cię tu zostawiam! – pokiwała głową z dezaprobatą.

Wszystkie formalności związane z moją osobą mama załatwiła telefonicznie w godzinę. W tej kwestii jest zawodowcem. Przedtem jednak z dziesięć razy spytała, czy aby jestem pewna, że chcę zostać. Gdybym się zająknęła przy którejś z tych dziesięciu odpowiedzi, natychmiast wrzuciłaby moje rzeczy do bagażnika i nie chciałaby nawet słuchać tłumaczeń. Niemal czekała na to wahnięcie. Sama siebie podziwiałam, że głos mi nie drgnął ani razu.

– A co na to babcia?

To była jedyna kwestia budząca moje obawy. Akurat tutaj mama nie widziała problemu.

– Postawimy ją przed faktem dokonanym i nie będzie miała wyjścia!

Powiadomiłyśmy ją o naszej decyzji dopiero wieczorem. Słuchała z nieprzeniknioną twarzą. Rozchmurzyła się dopiero, gdy dotarło do niej, że mama wyjeżdża, a tylko ja zostaję.

– Chyba że tak! – mruknęła, wpatrując się we wzorek na dywanie.

Nie sprawiała wrażenia niezadowolonej. Myślę, że spodziewała się takiego rozwiązania. Może nawet na nie liczyła.

Po kolacji poleciałam do Wilków. Aśka nie uwierzyła, że będę z nią w jednej klasie. Piszcząc, dzwoniła do mamy i piszczała nadal, gdy się przekonała, że nie bujam. Musiałam ją walnąć, żeby przestała. Odtańczyłyśmy taniec dzikich wielbłądów, aż Hirek popukał się w czoło:

– Ale wariatki, cieszą się, że idą do szkoły!

– Nie cieszymy się ze szkoły, tylko z siebie, ty ośle! – wyjaśniła Aśka.

– I tak się zaraz pokłócicie! – krakał i byłyśmy zmuszone poddusić go, żeby wypluł swoje wredne słowa. Wypluł, ale na nas, więc nie mogło obyć się bez rewanżu.

Ciotka Wilkowa załamała nad nami ręce. Posadziła całą trójkę nad wiadrem ziemniaków, byśmy obrali je na kolację. Nie mogłam wyjść z podziwu nad tą ilością; nam z mamą tyle wystarczyłoby na całą zimę. Zapach smażonych placków przyciągnął do domu całe Stado i okazało się, że za mało obraliśmy. Jeeezu! Hirek pożarł ze dwanaście. Julek z Milkiem jeszcze więcej! Sama tak się opchałam, że ledwo wstałam od stołu. Wracałam do domu oszołomiona dymem, wrzawą i zadowoleniem, że zostaję.

Wróciłam dość późno, ale jak się okazało, nikt za mną specjalnie nie tęsknił. Nawet nie usłyszały mojego wejścia, chociaż trzepnęłam drzwiami dość mocno. Kłóciły się. Wzięłam serdelka z lodówki i usiadłam w kuchni. W końcu to nie było żadne podsłuchiwanie. Obie mówiły podniesionymi głosami.

– Pewnie, wolałam, żeby umarła, niż żyła z poczuciem winy, ale to już się skończyło! Zapomnij o tym. Jej już nie ma. Umarła. Nikt nie będzie jej o nic pytał i ona nie musi niczego wyjaśniać – mówiła babcia monotonnym głosem, jakby powtarzała to tysiące razy. – To już się skończyło. Trochę późno, ale skończyło. Zachorowała i umarła. Może wcale jej nie było? Może nic się nie zdarzyło?

– Nie! Nie! Nie! – Mama płakała. – Pozwoliłaś jej zachorować! Pozwoliłaś jej odejść! Tyle lat czekałaś i nic nie zrobiłaś, żeby jej pomóc! Bałaś się tylko, że któregoś dnia odzyska świadomość i wszystko się wyda! Kazałaś mi wierzyć, że ona nie ma świadomości, ale co ty mogłaś o tym wiedzieć! Nienawidzę siebie samej za to, że ci uwierzyłam!

– Najczęściej nie mamy wpływu na to, co się wydarzy. – W głosie babci słychać było znużenie. – Doszukujemy się swoich win, oskarżamy siebie i innych, szukamy wyjścia, miotamy się, a życie i tak podsuwa najlepsze rozwiązania. I u nas kara się dokonała i nastąpiło ułaskawienie. Teraz pora zapomnieć i odpocząć!

– O takich sprawach nie da się zapomnieć! Zawsze zostanie jakiś okruch, który wróci do nas jak odbita piłeczka. Każda sprawa musi być doprowadzona do końca. Inaczej będzie nas prześladować. I kiedyś nas dopadnie!

– Może już do tej pory umrę!

Nic z tego nie rozumiałam. Znowu nic nie rozumiałam. A już myślałam, że poznałam rodzinną tajemnicę. Okazuje się jednak, że nie do końca. Co ma się odbić i powrócić? Jaka kara, jakie ułaskawienie? O czym one mówią? Że śmierć Elki niczego nie zakończyła i to je wkurza, tylko każdą z innego powodu? Poczułam się beznadziejnie, jak szczyl, któremu mówią: To nie jest film dla ciebie! I wyłączają telewizor w chwili, gdy zdążył rozsiąść się wygodnie i otworzyć paczkę chrupków. Do diabła! Nagle ogarnęło mnie pragnienie, by wejść i zażądać wyjaśnień. Prostych, jasnych, bez krętactw i ogólników. Zacisnęłam zęby i wstałam. I nie wiem jakim sposobem, ale znalazłam się w drzwiach prowadzących do ogrodu. Zupełnie jakby tych kilka kroków zrobił za mnie ktoś inny i nawet się nie wysilił, by mnie o tym poinformować. Bolały mnie wszystkie zęby, ale na taki ból nie można nic poradzić. Po jakimś czasie sam przejdzie. Oparłam się plecami o szorstki pień, resztki rozpapranego serdelka położyłam na ziemi, a ręce wytarłam o trawę. Nawet gwiazd nie było, żeby się na nie pogapić. Szajs.

W nocy mama przyszła do mnie spać. Pochrząkiwała, a to oznaczało, że czuje się podle. Ja też nie mogłam zasnąć.

– Mamo?

– Mmm – mruknęła niechętnie, ale po oddechu wiedziałam, że nie śpi.

– Czy ja się kiedyś dowiem, co się stało? O co chodzi tobie i babci?

Wciągnęła powietrze, jej ciało znieruchomiało; na chwilę przestała oddychać.

– Chcesz usłyszeć prawdę czy jakąkolwiek odpowiedź? – spytała.

– Oczywiście prawdę.

– To poczekaj, aż przyjdzie na to pora!

– Boooże! Mamo! – jęknęłam. – Myślałam, że już jestem duża!

– Na to nigdy nie jest się dość dużym!

– Przesadzasz!

– Może! Ale nie mam ochoty o tym mówić! Jeszcze nie! Minęło parę wieków. Mama oddychała równo, udając, że śpi.

– Mamo!

– Nie męcz mnie chociaż ty! Śpij już!

– Czy wiesz, że mózg człowieka w ciągu dnia produkuje płynną substancję powodującą sen? Kiedy nazbiera się wystarczająca jej ilość, człowiek zasypia. W czasie snu substancja się zużywa, a gdy jej zabraknie, człowiek się budzi. Podobno jakiś profesor z Harvardu uzyskał tę substancję, tyle że kozią!

– À propos czego to szkolenie?

– Tak mi się przypomniało! Gdy ktoś wytworzy jej za dużo, cały czas śpi i nie może się obudzić!

– Więc wytwórz ją sobie i śpij, bo sobie pójdę!

– Dobra już, dobra!

Ledwo zasnęłam, otoczyły mnie ciemności; jakby tylko czekały, by mnie dopaść i wciągnąć w otchłań. Nie mogłam oddychać. Chciałam się obudzić, bo wiedziałam, że śnię, ale nie potrafiłam znaleźć tego miejsca, które trzeba przekroczyć, by zmienić światy. Tkwiłam zablokowana między ścianami, a one z każdą sekundą zaciskały się jak szczęki. Nie mogłam nic zrobić, by odzyskać swobodę ruchów. Byłam bezsilna. Jakie to upokarzające! A potem ktoś zaczął mnie dotykać. Gorące dłonie błądziły po mojej skórze. Nie chciałam tego. Krzyczałam, ale gęsta czerń wypełniała mi usta. Dusiłam się, umierałam, ale ruchliwe palce wdzierały się we mnie. Mamo!

Obudziłam się z przeświadczeniem, że mnie nie ma. Po upływie miliona lat zorientowałam się, że jednak jestem i już nie śpię. Więc co jest? Umarłam czy zwariowałam? Ogarnął mnie paniczny strach, taki, od którego pocą się stopy i dłonie, a wewnątrz ciała płonie ogień. Nie znałam ani tego okna, ani ścian, ani łóżka. Gorzej – nie mogłam nawet przypomnieć sobie słów na ich określenie. Pustka. Wsysająca próżnia. Jeszcze trochę, a sama przestanę istnieć. Potem gdzieś szczeknął pies i wszystko wróciło. Malina. Jestem Malina! Co za głupie imię! Powoli wracałam do rzeczywistości, ale wciąż lepiłam się od potu i obezwładniającego strachu. Czy Elka czuła to samo? Może to dziedziczne i zwariuję tak jak ona? Do rana nie pozwoliłam sobie na sen.

7

Mama wyjechała wcześnie rano. Obiecała, że natychmiast wyśle książki, zeszyty i ubrania. Przyszło mi na myśl, że w plecaku zostawiłam pamiętnik. Jak go znajdzie, dowie się różnych niepotrzebnych rzeczy. Ociągała się. Po minie poznałam, że oblazły ją wyrzuty i gryzą sumienie. Żałowała zgody na moje pozostanie tutaj. Musiałam chyba z tysiąc razy zapewniać, że wszystko będzie dobrze: dopilnuję babci, ona mnie, a pod bokiem mamy przecież Wilków. W zamian udzieliła mi trzech tysięcy rad na temat, jak radzić sobie w sytuacjach ekstremalnych. Nawet nie próbowałam udawać, że słucham. Wreszcie odjechała, a ja odetchnęłam głęboko. Jestem pewna, że w ciągu miesiąca znajdzie rozwiązanie wygodne dla wszystkich. Jeśli ma czas do namysłu, potrafi wybrnąć z najtrudniejszej sytuacji.

Ulica była już pusta, mimo to posłałam jej całusa i pomachałam na pożegnanie. Zdecydowanie za szybko jeździ.

Zerwał się wiatr i uderzył mnie zimnem po gołych nogach, ale nie chciało mi się ruszyć z miejsca. Doznałam pełnego spokoju zadowolenia. Taką chwilę wewnętrznej lekkości przeżyłam dawno temu w dzieciństwie: siedziałam na trawie, tata mył samochód, a mama stała w oknie i patrzyła na kota włażącego na drzewo. Dlaczego tak rzadko doznaje się chwil pełnego szczęścia? I dlaczego akurat ta, a nie inna utrwala się w pamięci?

– Maaliiiiinaaaaaa!!! – rozdarła się babcia. – Chodź do domu! Co tak sterczysz? Będziesz płakać za mamunią czy co? Chwila ciszy minęła. Poczułam, że mi zimno.

– Jedz i szykuj się! Nie wiem, jak jest gdzie indziej, ale tu szkoła zaczyna się o ósmej! – komenderowała babcia z zapałem.

A niech to szlag! Nie miałam ochoty nigdzie się dzisiaj ruszać. Wolałabym posiedzieć, pogapić się w telewizor i powoli przywykać do myśli o kolejnym życiowym zakręcie. Babcia była w dobrym humorze i aż grzech byłoby go nie wykorzystać.

– Może jeszcze dzisiaj zostanę w domu? – zagadnęłam. – Mama, jak odjeżdżała, powiedziała, że mogę nie iść!

Ledwo przebrzmiał szelest ostatniej głoski, już wiedziałam, że nic z tego nie będzie. Źle zaczęłam. Niepotrzebnie użyłam słowa „mama".

– Twoja mama może sobie rządzić w swoim domu, jeśli go gdzieś ma! Bierz się za jedzenie, bo Aśka zaraz po ciebie przyjdzie!

A niech to diabli! Znów będę tą nową, wobec której wszyscy są mili i obojętni. Znów będę miała do czynienia z ludźmi, którym muszę przypominać, jak mi na imię. Jakie to deprymujące! Zaczął mnie boleć brzuch.

– Boisz się? – zdziwiła się naiwnie babcia.

– Jestem przerażona! – wyznałam, ale potraktowała to jako żart.

Ostatnio zaczęłam uświadamiać sobie, że moje życie jest jakieś powierzchowne. Zamiast żyć, prześlizguję się obok tego co istotne. Nie wiem, co jest istotne, bo nie mam czasu, by się temu przyjrzeć, dotknąć, dopasować do siebie. Ciągle jestem w biegu. Mój świat to jedna wielka karuzela i od jazdy na niej szumi mi już w uszach i robi się niedobrze. Udaję, że wszystko jest OK, choć w rzeczywistości jest do kitu. Mama wypytuje o wrażenia, o nowe koleżanki, a cóż ja jej mogę powiedzieć? Pobieżne rozmowy, protekcjonalne gesty podpatrzone w telewizji i udawany pośpiech: No, to cześć! Muszę lecieć! Że niby mam ciekawsze zajęcia, do których mi pilno. A przecież to lipa i maskarada spowodowana nieśmiałością i strachem przed bliższymi znajomościami. Uciekam, kryję się w pustym mieszkaniu i przed telewizorem czekam na nadejście następnego dnia, tak samo gównianego i szczelnie wypełnionego byle czym.

– Nie ma się co przejmować. – Musiałam mieć niewyraźną minę, bo babcia zaczęła łagodzić moje podenerwowanie. – Szkoła jak to szkoła. Siedź cicho, słuchaj nauczycieli i ucz się, czego każą, to będzie ci jak u Pana Boga za piecem!

Akurat!

Aśka za plecami babci przewracała oczami. Całe szczęście, że przyszła, bo bez niej chybabym się porzygała. Jak zwykle w takich okolicznościach boli mnie brzuch, a nogi mam jak z gumy. Jestem przeraźliwie nieśmiała. Sama przed sobą wstydzę się tego. Ból brzucha, miękkie nogi, słodycz w ustach... chyba sobie rzygnę...

– Idziemy? – Aśka już stała w drzwiach.

– Moment, muszę do łazienki!

Ledwo zdążyłam.

Po drodze Aśka przedstawiła mnie tuzinowi ludzi: to Ciołek, Żebro, Zyzol, Magda, Ziele, Rambo... Drugie tyle znałam z wakacji albo jeszcze z przedszkola. Zanim minęliśmy rynek, zapomniałam o chwili słabości.

– Oto nasza buda! Niech od dzisiaj i tobie po nocach się śni!

– wyrecytował pompatycznie piegowaty chłopak, Ciołek chyba, wręczając mi bukiet zeschłych liści. Wyraźnie lepił się do Aśki. Pociągnęłam nosem.

– Niech będzie, co ma być!

Pod jednym względem babcia miała rację: szkoła jak to szkoła, pewnie ani lepsza, ani gorsza od innych. Z zewnątrz nie różniła się niczym od kilku, w których się uczyłam. Za komuny władze wybudowały tysiąc szkół na tysiąclecie, wszystkie takie same. I chwała im za to, bo przynajmniej nie mam problemu z odnalezieniem kibla, gdy mnie przyciśnie. Szok, jaki przeżywam, jest chociaż o ten drobiazg mniejszy. Ostatnio stare budynki nabierają indywidualnych cech dzięki malunkom na ścianach. Tutaj przyciągał wzrok wielki napis: SZKOŁA ÓCZY, a obok innym charakterem GUPOT i kilka mniej cenzuralnych uwag. Przeczytałam, przetrawiłam i od razu, jakby ktoś przekłuł balon, całe napięcie ze mnie uszło. Nie będzie źle!

Zanotowałam w pamięci numer obskurnej szatni z niskimi ławeczkami, na których można znaleźć przeróżne informacje: kto z kim, gdzie i czy było warto. Jak w internecie: wystarczy usiąść, przestudiować i już człowiek czuje się swojsko. W klasach firanki w winogronka, a z pracowni fizycznej widać nawet wodospad.

– Panie psorze, mamy nową!
– Co?
– Nową!
– Co nową?
– Uczennicę nową, koleżankę, skądś przyszła! Nowa!
– I co z tego?
– Trzeba by ją zapytać, skąd się wzięła, co umie! Dowiedzieć się, jak ma na imię, ile ma lat, jaki ma obwód biustu...
– Po co?
– Żeby nie czuła się obco!
– To gdzie jest ta nowa?

Wstałam.

– Co miałaś z fizyki?
– Trzy!
– Eeee...
I stracił całe mną zainteresowanie.

Nauczyciele też są podobni. Co to jest, że wszędzie są tacy sami? Od razu zgadłam, który uczy matematyki, a który polskiego. Mają chyba coś w oczach.
– Uczyłam twoją mamę, jeszcze w podstawówce! – poinformowała mnie polonistka.
Uśmiechnęłam się, bo nie miałam pojęcia, czego ode mnie oczekuje.
– Czy popularność przeszkadza jej w odwiedzaniu starych nauczycieli?
– Nie sądzę. Nie jest specjalnie przewrażliwiona na punkcie swej popularności.
– Czy mogę z tego wnosić, że zechce kiedyś przyjść i opowiedzieć o swojej pracy?
– Zapytam.
– Będę zobowiązana!

– Dupa blada! – wrzeszczy matematyk do delikwenta pod tablicą. – Albo dzida, albo będziesz zrzucał węgiel do piwnicy, bo dzisiaj mi przywieźli!
Dzida to tutaj jedynka. Chłopak wybrał węgiel.
– Dobry wybór! – chwali brodacz. – Musisz się wprawiać, bo tylko do tego się nadajesz!
– Ty, nowa, znasz się na tym?
Traf chciał, że akurat na tym się znam. Nauczyłam się w poprzedniej szkole, bo byli trochę do przodu z materiałem, więc mogłam zaszpanować. Gwizdnął przez zęby.
– Patrzcie, osły! Ledwo przyszła, a już jest lepsza od was!

– Gwiazda! – zawołał ktoś z końca. – Będzie pan psor miał z niej pociechę, a nas będzie można zostawić w spokoju!
– Do węgla dwóch potrzeba! Chodź, Rambo, do tablicy!

Wśród uczniów pełna unifikacja: czarne spodnie, rozciągnięte swetry albo bluzy z głupimi napisami i obowiązkowe martensy. I, jak wszędzie, woźna machająca ścierą za tymi, co nie zmienili butów. Od pierwszej chwili poczułam się jak u siebie, niepotrzebnie się bałam. Nikt nie zwracał na mnie uwagi. Pasowałam. W czarnych sztruksach, rozciągniętej bluzie z reklamą amerykańskiego przemysłu naftowego i w martensach, których nie zmieniłam, bo nie miałam na co, wmieszałam się w tłum takich samych jak ja.

– Chrzczona? – pyta facet w czarnej sukience z fryzką pod brodą.
– Chyba tak! – mówię. – Nie pamiętam!
– U spowiedzi kiedy była?
Usiłuję sobie przypomnieć, ale wszyscy się drą:
– W piątek!
Kiwam głową, że tak, w jakiś piątek to było.

W kiblu dziewuchy kopcą fajki, aż czarno od dymu. Za sedesem stoi butelka piwa, do połowy opróżniona. Siedzę i sikam sobie w najlepsze, a tu drzwi się otwierają:
– Co jest, kur.., działkę dałaś? – wrzeszczy na mnie farbowana małpa.
– Spadaj! – mówię i sikam dalej, bo co niby mogę zrobić innego z opuszczonymi majtkami?
Na szczęście weszła Julka.
– Zostaw ją, to moja kuzynka!

– Aaaa, to inna inność! Tylko nie nalej do flaszki! – spasowała ruda i wpakowała się do mnie, zanim zdążyłam się oporządzić.

– Pani psor, nie mam kostiumu, bo mama zostawiła mnie tu niespodziewanie!

Wuefistka popatrzyła na mnie ze współczuciem.

– Tak to dzisiaj jest z tymi matkami. Nie stosują prezerwatyw i nie wiedzą potem, co począć z niechcianym przychówkiem. Nawet na trampki i koszulkę nie dadzą! A ty chociaż wiesz, do czego służy prezerwatywa?

– Wiem!

– No to ściągaj te buciory i dołącz do drużyny z szarfami! I pamiętaj, że tylko raz mogłaś liczyć na moje współczucie. Wyczerpałaś limit! Jutro masz mieć czarne spodenki, białą koszulkę i tenisówki. Inaczej dostaniesz jedynkę! Do roboty, laleczki, bo ruszacie się jak cielne krowy!

Wszystko w normie. Wyglądam tak samo i umiem to samo, jak ze sztancy. Nikt nie miał do mnie specjalnych pytań. I nikt nie kazał mi pisać wypracowania o tradycyjnych wartościach rodzinnych, co przyjęłam z prawdziwą ulgą. Za jakiś tydzień czy dwa wywalę Ciapę z trzeciej ławki pod oknem, bo bez względu na miasto, do którego zawlecze mnie mama, trzecia ławka pod oknem to moje miejsce na ziemi. Gdy je odzyskam, będę mogła powiedzieć, że jestem przystosowana do nowych warunków. A może nawet polubię tę budę? Jeśli będę miała na to czas, oczywiście!

Na przerwie kupiłyśmy sobie z Aśką po hamburgerze i siedząc na parapecie, gapiłyśmy się na deszcz. Owinięci pelerynami turyści snuli się niemrawo po rynku. Z którejś bramy wyszła dziewczynka w czerwonych bucikach. Od razu skupiłam na niej uwagę. Nie oglądając się na boki, przebiegła jezdnię i nim zniknęła za rogiem, pomyślałam, że zaraz się odwróci i spojrzy na mnie. Rzeczywiście – odwróciła się i spojrzała. To był przypadek, to nie mogło być nic innego, ale gdy jej wzrok spotkał się z moim, zamarłam w głębokim przeświadczeniu, że to, co się wkrótce zdarzy, zburzy mój spokój.

Aśka walnęła mnie w plecy, bo myślała, że zadławiłam się bułą. Zanim zleciałam z parapetu, zdążyłam zauważyć, że zza rogu wyjechał czarny sportowy samochód i z piskiem zahamował przed szkołą. Wysiadł z niego chłopak, wziął plecak i trzasnął drzwiczkami. Przez następne minuty tak manewrowałam, by znaleźć się przy wejściu i zobaczyć, co to za jeden. Udało się. Akurat wchodził. W śnieżnobiałej koszuli pod szarą marynarką, w spodniach w kant! Aż smuga światła rozjaśniła korytarz, a byle jak umundurowany tłum rozstępował się przed nim. Sunął środkiem korytarza z rękami w kieszeniach i wzrokiem wbitym w posadzkę. Książę, kurczę!

– Ty! – szarpnęłam Aśkę za rękaw. – Kto to jest?

– Gdzie? – Rozglądała się, a ja nie mogłam uwierzyć, że nie widzi tego blasku. Musiałam pokazać palcem.

– Aaaa, to Tarwid junior! – Zobaczyła wreszcie, o kogo mi chodzi. – To tutejsza święta krowa! – dodała, i uznawszy temat za wyczerpany, pociągnęła mnie do sali gimnastycznej.

Minął mnie o centymetry, skoncentrowany i skryty za nieruchomą twarzą. Dobrze, że znalazło się wolne miejsce na ławce, bo nagle opadłam z sił.

– Co jest? – przestraszyła się Aśka.

– Chyba się zakochałam!

– Niezłe masz tempo! – kiwnęła głową z uznaniem. – A w kim?

Najpierw nie chciałam się przyznać, a gdy wydobyła to ze mnie, oznajmiła, że jestem stuknięta.

– Nie zauważyłaś, jaki był naćpany?

Pokręciłam głową, że nie, chociaż coś jakby mi świtało. Miał dziwny wzrok, zbyt skupiony na własnych butach.

– Ale jaki przystojny! – jęknęłam i spojrzałam błagalnie, żeby mi przytaknęła.

– Przystojny może i jest, ale to jedyna jego zaleta! – stwierdziła i wychlapała na mnie pół butelki cytronety, żebym oprzytomniała. Chwilowo podobała mi się myśl, że mogę być zakochana w kimś tak przystojnym.

Otrzeźwienie przyszło chwilę później, gdy stanęłam przed lustrem, oko w oko sama ze sobą. Odsunęłam włosy i przyjrzałam się pryszczowi na czole. Dotknęłam. Bolał.

– Nie wyglądam najlepiej! – stwierdziłam ze smutkiem i wykrzywiłam się do własnego odbicia.

Aśka stanęła za mną.

– Wyglądasz całkiem do rzeczy! – orzekła. – A Tarwida wybij sobie z głowy. To dupek, w dodatku niebezpieczny! Tu jest masa fajniejszych chłopaków. Już zrobiłam listę tych, co chcą cię poznać. Zastanawiam się, ile mogę zarobić na pośrednictwie.

– Pewnie dlatego, że znają mamę z telewizji! Możesz im powiedzieć, że w przeciwieństwie do niej jestem nudna i nieśmiała – wyznałam z goryczą.

Aśka roześmiała się, aż chwyciła ją czkawka.

– Nie bądź głupia! Tobie naprawdę musiało pokręcić się w głowie od tej nagłej miłości do juniora, ale to nawet lepiej! Od razu daj sobie spokój i zapomnij o nim. To kawał chama! Chodź, poznam cię z jednym takim. Sama mam na niego oko, ale ci go odstąpię!

– Dziękuję za szczodrość, ale obejdzie się! Dlaczego cham?

– Zobaczysz!

W milczeniu kontemplowałam pryszcz; wycisnąć czy jeszcze nie. Nie do końca wierzyłam Aśce. Dawniej, jak chciała zeżreć największy kawałek ciasta, mówiła, że opluła go już w trakcie pieczenia. Wtedy byłam głupia i dawałam się nabierać. Teraz też pewno ściemnia! Wycisnę w domu.

– No i jak tam w szkole? – rozdarła się babcia przez okno, ledwo otworzyłam furtkę. – Podobało ci się?

Podobało? Też coś! Jedyny jaśniejszy punkt Aśka z miejsca mi obrzydziła.

– Może być! – mruknęłam, a jej chyba nie zależało na mojej odpowiedzi, bo była już w kuchni i brzęczała sztućcami.

– Może być! – powtórzyłam, zaglądając do garnków. Pierogi z jagodami! Kurczę, co za frykasy. Pewnie, że może być! Kiwnęła głową, że tego właśnie się spodziewała.

– No widzisz! Nie było się co denerwować! Zjedz i idź się przewietrzyć. Przestało padać, to szkoda siedzieć w domu. Ja też pójdę na godzinkę do przyjaciółki. Nie byłam u niej już kilka dni. Aha, dzwonił ojciec! – przypomniała sobie. – Z kondolencjami. Nie przyjechał, bo za późno dostarczono mu telegram! – Patrzyła na mnie zbyt uważnie, by mogło to być naturalne.

Usta miałam zapchane pierogiem, więc tylko uniosłam brwi. No tak, tego właśnie się spodziewałam. Raz na miesiąc dzwoni i pyta, co słychać. W jego głosie nie ma nawet odrobiny zaciekawienia, natomiast często wyczuwam ponaglenie. Mówię, że świetnie, opowiadam coś zabawnego i marzę o chwili, gdy będę mogła odłożyć słuchawkę. To okropne, ale nawet podczas telefonicznej rozmowy czuję na sobie jego uważny wzrok. Zawsze obserwował mnie jak kogoś obcego, po kim spodziewać się można najgorszego. Bywały chwile, gdy miałam pewność, że mnie nienawidzi.

Ogarnęła mnie nagła wrażliwość na przeszłość: to, co wydawało się odległe i już nieważne, smagnęło mnie realnym bólem.

– Tato, zobacz, gdzie jestem!

Zajęty własnymi myślami znów nie patrzył, co robię. Wskrabałam się na skalną ścianę. Kamienie drżały mi pod nogami, ale stąpałam po nich z niezachwianą pewnością, że jestem nieśmiertelna. Gdy one runą, ja zostanę w górze i sfrunę powoli jak motyl. Zdenerwował się, gdy zobaczył mnie na chybotliwej ścianie.

– Złaź natychmiast!

Ani mi się śniło. Przypomniałam sobie, jak wczoraj paskudnie odezwał się do mamy, i teraz udałam, że nie słyszę.

– Co mówisz? – zawołałam i przechyliłam się do przodu.

– Nie ruszaj się! – W jego oczach ujrzałam strach; chciałam, żeby bał się jeszcze bardziej. Kiwałam się w przód i w tył, że niby tracę równowagę.

– Zaraz po ciebie wejdę! – krzyknął groźnym tonem, ale to była tylko pogróżka, której ciąg dalszy znałam na pamięć: A wtedy popamiętasz!

– Nie wchodź! – ostrzegłam. – Tu wszystko się kiwa!

Zatrzymał się pełen wątpliwości.

– Łaaa, zaraz zlecę!

Czułam się cudownie. Byłam królewną z bajki i pragnęłam, by tata stał się rycerzem i udowodnił, że mnie kocha i gotów jest na wszystko. Chciałam, by był odważny, nawet jeśli później miałby mnie zbić. Miotał się tam w dole, ale nie wszedł. Zeszłam, gdy znudziło mi się czekanie. Zbił mnie, oczywiście. Udawałam, że nie boli. Śmiałam się i tym śmiechem doprowadzałam go do furii, ale było mi wszystko jedno. Po raz kolejny przekonałam się, że mnie nie kocha.

– Fajnie tam było! Chciało mi się pofrunąć w dół! – powiedziałam, gdy przestał mnie szarpać.

Szczypał mnie tyłek i naprawdę miałam ochotę wleźć tam jeszcze raz. Może spróbowałabym, jak to jest, gdy się frunie.

Zauważył to w moich oczach. Złapał mnie za ramię i trzymał, póki nie zeszliśmy na dół.

– I tak kiedyś tam wejdę! – powiedziałam przy drzwiach. Ścisnął mi rękę. Do wieczora miałam czerwoną pręgę. Bawiło mnie, że bał się moich słów.

– O czym myślisz?

Wydawało mi się, że babcia już dawno wyszła.

– O ojcu! – wymamrotałam z pełnymi ustami.

– Powinnaś do niego zadzwonić! – mruknęła, a ja kiwnęłam głową, że owszem, może zadzwonię.

Nie powiem, miewam wyrzuty sumienia, że nie tęsknię za nim. Od czasu do czasu. Raczej rzadko.

8

Przed południem padał deszcz i na ulicach było mokro, ale wyciągnęłam spod łóżka łyżworolki. Wyjrzałam do ogrodu i gwizdnęłam na psa, ale moja uprzejmość pozostała bez odzewu. Może spotkam łazęgę na mieście. Wciągnęłam powietrze głęboko, po kres płuc, aż dla mnie samej brakło we mnie miejsca; przez ułamek sekundy czułam błogość nieważkości. Potem wróciłam na ziemię, wetknęłam w uszy słuchawki walkmana i ruszyłam. Droga obok domu była wprost wymarzona do jazdy. Gładka powierzchnia ciągnęła się aż do centrum i tarasów widokowych. Wiatr świszczał mi w uszach. Uwielbiam to uczucie wyzwolenia od wszystkiego. Nic nie istnieje prócz mnie i ściany powietrza, przez którą muszę się przebić.

Pokręciłam się trochę między starymi willami, a potem skręciłam do centrum. Nie do wiary, jak wszystko się zmieniło! Piękny osiemnastowieczny rynek zabudowano kramami i plastikowymi budami. Wszędzie połyskiwały kolorowe płachty reklamujące coca-colę, papierosy, hamburgery i piwo. Partery zabytkowych kamieniczek przeobraziły się w luksusowe sklepy. Wybito dodatkowe wejścia, poszerzono okna, wstawiono plastikowe drzwi. Potworność! Zbrodnia! Ale nie zauważyłam nikogo, komu by to przeszkadzało. Zadowoleni z siebie mężowie prowadzali swoje żony od budki do budki i wydawali ciężko zarobione pieniądze na ciupagi, kierpce i wełniane swetry z domieszką waty. Z krzykliwym entuzjazmem całe rodziny skupiały się nad szklanymi pudłami, usiłując wyciągnąć szczypcami pluszowe zwierzaki. Zza chmur wyłonił się szczyt Pieniawy, ale nikogo to nie wzruszyło. Radosny jazgot oznaczał tylko to, że komuś udało się wyciągnąć pomarańczowego miśka. Jeeezu! Kapitalistyczna papka wypełnia już nie tylko żołądki, oczy, uszy, ale i umysły. Ludzie potulnie godzą się na tandetę, a ona jak powódź zalewa wszystko.

Zatrzymałam się przed dawną apteką i patrzyłam na ogon gryfa wystający spod planszy reklamującej pomidory w puszce. Jeszcze w zeszłym roku sympatyczny smok ze skrzydłami przyglądał się spacerującym tłumom. Pomidory okazały się jednak silniejsze od jego szponów i zakrzywionego dzioba. Biedak. I tak miał szczęście, bo jego sąsiada w całości odłupali znad secesyjnej bramy. Został po nim tylko jaśniejszy ślad.

Szerokimi schodami zjechałam na dno wąwozu. Kiedyś wiodła tędy kamienista ścieżka; zbiegaliśmy nią, kto prędzej, na złamanie karku. Zawsze któreś wracało z rozbitym kolanem. Najczęściej Adaś. Adaś, rety! Z mgieł niepamięci wydobyłam obraz nieporadnego grubasa. Nie należał do naszej bandy, ale przyczepił się jak rzep do psiego ogona. Łaził za nami, chociaż wybieraliśmy najtrudniejsze trasy i opowiadaliśmy horrory o zarżniętych dzieciach, znajdowanych w ruinach podzamcza. Adaś, utuczony jak prosiak przez babkę, był jednak niewzruszony. Sapał, rzęził, ale człapał za nami uparcie. Z czasem zaakceptowaliśmy go, bo zawsze miał ze sobą mnóstwo jedzenia. Wyżywiliśmy się tym wszyscy. Potem wyjechał do Anglii.

Nie mogłam wyjść ze zdumienia, z jaką bezwzględnością pamięć eliminuje zbędne wspomnienia. O ilu jeszcze rzeczach i ludziach zapomniałam?

Jakiś dzieciak siedział na murku i grzebał patykiem w słoiku. Zaglądał do środka i znowu grzebał. Był tłusty jak wtedy Adaś i chyba dlatego zahamowałam i podjechałam bliżej. Za murkiem ziała kamienista rozpadlina, z dziesięć metrów pionowej dziury, a on siedział jak gdyby nic i grzebał w słoiku.

– Co tam masz? – spytałam. Chciałam, by zabrzmiało przyjaźnie, żeby bachor nie przestraszył się i nie zleciał.

– Gówno! – wrzasnął i wykrzywił do mnie szczerbaty pysk.

Dobrze mi tak! Po co się wtrącam do czegoś, co nie powinno mnie interesować? Nawet nie zabrzmiało to arogancko, ot taka tam odpowiedź na zbędne pytanie. Zasłonił słoik, ale zdążyłam dostrzec jaszczurkę. Miałam jeszcze czas, by ruszyć swoją drogą.

– Lepiej ją wypuść, bo rzuci na ciebie klątwę i wypadną ci zęby! – powiedziałam ostrzegawczo.

– Dobra! – mruknął. Wyciągnął rękę ze słoikiem za murek i patrząc mi prosto w oczy, puścił. – Głupia dupa! – dodał.

Pociemniało mi w oczach. Ogarnęło mnie szaleńcze pragnienie, by go zepchnąć. Nie było nikogo, a on siedział na samym skraju. Przejechać obok i pchnąć, by poleciał w ślad za jaszczurką. To takie proste, jeden ruch ręki. Zrobiłam koło i zawróciłam. Jakiś nerw zaciął się i podpowiadał mściwie: pchnij! Zmysły z obojętnością automatu rejestrowały każdy szczegół otoczenia: nadal jest pusto, a ja za trzy sekundy będę nad strumieniem. Należy się gnojowi kara! Ruszyłam. Szczyl chyba pojął, co chcę zrobić, bo wczepił się palcami w beton. Próżny wysiłek, gdybym wystawiła łokieć... Zobaczyłam w jego ślepiach paniczny strach. Minęłam go o centymetry. Nie odwróciłam się. Wyobraziłam go sobie lecącego w dół z rozpostartymi ramionami i zaschło mi w gardle. Chomik wtedy też tak leciał. Chwilami mam wrażenie, że ten lot trwa do dziś. To nieprawda, że sam wtedy spadł. Zepchnęłam go kijem od szczotki.

Ścieżka była pusta. Na szeroko rozstawionych nogach pojechałam w dół, do brzegów strumienia. Wyobraziłam sobie, że to ja spadam. Cały czas w dół i w dół, bez możliwości zatrzymania. Co czuje człowiek, gdy spada? Czy ma czas, by myśleć? Boi się, czy od początku jest pogodzony z tym, co nastąpi? A może jeszcze ma nadzieję? Zamknęłam oczy. Woda z wściekłością uderzała o kamienie wystające z dna. „Jesteś złym dzieckiem!". Głos ojca przedarł się przez huk wody i dźwięki Metaliki. Zakręciło mi się w głowie. W momencie gdy unosiłam powieki, dostałam w twarz. Chlast! Gałąź przejechała mi po policzkach i nosie. Uchyliłam się zbyt gwałtownie i straciłam równowagę. Noga zsunęła się z krawędzi nabrzeża. Nie pomogły akrobatyczne wygibasy. Wiedziałam, że już po mnie. Najpierw usłyszałam chlupot, a dopiero potem poczułam, że jestem w wodzie. Niech to szlag!

Równie szybko jak wpadłam, tak stanęłam na nogi. Wody nie było dużo, trochę powyżej kolan, ale miałam ją nawet w uszach.

– Cholera! Cholera! Cholera! – wrzeszczałam z wściekłością. Niepotrzebnie wychodziłam z domu. Niepotrzebnie zatrzymałam się przy tym gówniarzu. Niepotrzebnie myślałam o tym, co mogłabym zrobić, gdybym była odrobinę bardziej wściekła. Zrobiło mi się niedobrze na samą myśl, że mogłabym się potknąć w momencie, gdy mijałam szczyla.

Stromy brzeg stanowił nielichą pułapkę, szczególnie dla nóg w łyżworolkach. Większość stromizny pokonałam na brzuchu.

I tak nie miałam nic do stracenia. Ze złości nie czułam nawet zimna. Ta kąpiel to kara. Od lat dotyka mnie szczególny rodzaj łaski: wina i kara następują po sobie niemal natychmiast. Ledwo zrobię coś złego, zaraz muszę to odpokutować. Mama twierdzi, że tak jest dobrze, bo każdy i tak odpowiada za swoje grzechy i lepiej, jeśli ma to szybko z głowy. Może naprawdę jestem zła? Podobno niektórzy ludzie są genetycznie predysponowani do popełniania zbrodni, a czy ja wiem, co mam w genach? Mama robiła kiedyś reportaż o młodych ludziach, którzy popełnili poważne przestępstwa. W większości byli normalnymi dziećmi swoich rodziców, uczniami swych nauczycieli, kolegami swoich rówieśników. I sami nie wiedzą, dlaczego właśnie ich dopadła ta chwila szaleństwa. Pamiętają, co czuli, ale nie pojmują, dlaczego rozum zasnął, a zasady wpajane przez rodziców zawiodły. Czy gdyby żądza odwetu trwała sekundę dłużej, mogłabym podjechać parę centymetrów bliżej i wystawić łokieć? Nie wiem. Przeraził mnie fakt, że nie potrafiłam kategorycznie zaprzeczyć. Niech to diabli! Może ojciec miał rację?

Usiadłam, odpięłam buty i wylałam z nich wodę. Dla dodania sobie otuchy puściłam niezłą wiązankę, ale niewiele mi pomogła. Musiałam się pozbierać i zasuwać do domu. Najlepiej starą drogą, bo choć trochę dłuższa, rzadko kto z niej korzysta. Może mi się uda nie wywołać sensacji. Ledwo o tym pomyślałam, rozległ się pisk hamulców. O kurczę! Trochę mnie to zdziwiło, bo samochody jeżdżą obwodnicą, a nie tymi wertepami. Wspięłam się na palce i zobaczyłam fioletowego malucha. Gramolił się z niego jakiś facet. No, tylko tego brakowało, żeby zboczeniec albo wariat! Stałam bez ruchu i patrzyłam, jak idzie w stronę drzew i po drodze rozpina rozporek. No, no, ciekawe! W ostatniej chwili coś musiało mu podszepnąć, że nie jest sam, bo rozejrzał się i stanął w pół kroku. Zatkało go. Stał i gapił się na mnie z otwartymi ustami. Miał na co popatrzeć, ale i ja nie mogłam sobie odmówić przyjemności głupawego uśmieszku. Pospiesznie grzebał przy ekspresie, tym razem usiłując go zapiąć. Wreszcie machnął ręką i poleciał w krzaki. Nie wyglądał na bandytę. Wrócił po minucie i wlepił we mnie gały. Nie był wiele ode mnie starszy.

– Napatrzyłeś się? – warknęłam odważnie. Starałam się wyglądać groźnie, a w myślach kombinowałam, czym mu przywalić, gdyby się zbliżył. Butami! Cały czas trzymałam je w ręku.

– Maliiinaaaaaa!!! – zawył, aż zaświdrowało mi w uszach. Nie! Niemożliwe!!! Adaś??? Nie wierzyłam własnym oczom. Adaś! Ten sam, o którym pomyślałam parę minut temu. To intuicja! Nic innego. Przecież nie pamiętałam o nim całe wieki. A tu proszę!

On był nie mniej zaskoczony. Przyglądał mi się z niedowierzaniem. Wreszcie doskoczył i zaczął mnie ściskać, nie zwracając uwagi, że jestem lepka od błota.

– Malina! Żabo upaćkana, nie wierzę, że to ty! – Odsunął mnie na długość ramienia. – Kąpać się można trochę dalej, tu jest grząskie dno. Pamiętam doskonale, od starej wierzby w lewo – zakaz kąpieli!

– To był wypadek! – wyjęczałam. Z zimna zaczęłam już szczękać zębami. Wypadek! Dobre sobie. Raczej kara boska!

– No tak! – walnął się dłonią w czoło. – Zapomniałem, że jesteś specjalistką od komplikujących życie wypadków!

Spochmurniałam. Nawet nie przypuszczał, jak wiele miał racji. Zostawił mnie i pobiegł do samochodu. Po chwili wrócił z naręczem ubrań.

– Nie do wiary! – śmiał się, patrząc na moje zmagania z mokrymi dżinsami. – Co mnie tknęło, żeby jechać na skróty? Aaa, już wiem. Zachciało mi się siku!

Cały Adaś. Szczery aż do bólu, ale sprawiający radość. Gdy się uśmiechał, w policzkach robiły mu się takie fajne dołki. To jedna z rzeczy, które w nim lubiłam, poza bułkami z szynką i ciastem jagodowym oczywiście, które targał na każdą wycieczkę.

– Odwróć się! – Cisnęłam w niego mokrymi spodniami. Nie widzieliśmy się od kilku lat, ale wcale tego nie czułam. Miałam wrażenie, że kontynuujemy sprzeczkę rozpoczętą wczoraj. Uchylił się i portki wylądowały na drzewie. – A wiesz, że niedawno przypomniałam sobie o tobie? Takie rzeczy podobno się zdarzają. Myślisz o czymś i to się materializuje. Kurczę! W takim razie to jakaś seria. Zaledwie wczoraj pomyślałam, że mogłabym tu zamieszkać, i proszę, stało się. A teraz z Adasiem to samo. Może otarłam się o złotą rybkę i nawet o tym nie wiem. Warto byłoby skierować myśli na coś bardziej pożytecznego.

Adaś obchodził mnie dookoła, oglądając ze wszystkich stron.

– Podrosłaś! – stwierdził z uznaniem.

Rzeczywiście, siedem lat temu musiałam być trochę mniejsza. Ostatni raz widzieliśmy się, gdy miałam dziesięć lat. Gruby Adaś! Nie do wiary!

– A ty schudłeś! – odwdzięczyłam się równie wyszukanym komplementem.

– No cóż! Wyrosłem na przystojnego młodzieńca! Czego nie można powiedzieć o tobie! – Wykrzywił się zabawnie. – Pomijając fakt, że jesteś dziewczyną, to nadal niezbyt ponętną. Przynajmniej teraz nie wyglądasz zachęcająco!

Musiałam go palnąć. Nic się nie zmienił w tych dalekich krajach.

– Gdzie mieszkasz? – spytał.

– U babci!

Wtedy, w tych odległych czasach, gdy byliśmy dziećmi, Adaś mieszkał w najpiękniejszym domu w okolicy, starym dworku pełnym cudowności. Z czterema kominami i gankiem na czterech kolumnach. Dom był wielki, miał tyle pokoi, że nie dało się ich obejść za jednym zamachem. Tyle tam było zegarów, lamp, kolorowych pieców i obrazów, że nawet będąc dziećmi, docenialiśmy piękno tam zgromadzone. Nikt nie miał takiego domu jak on. Ale cóż z tego, skoro jego pokręcona babka szczuła nas psami, ilekroć weszliśmy na teren posiadłości. Posiadłość – to słowo nas urzekało. Nasza jedyna posiadłość to było podwórko i ewentualnie jaskinia, do której nie wolno nam było chodzić, ale chodziliśmy. I zabieraliśmy Adasia. On w zamian przemycał nas do swego domu, ale babka, której brakowało piątej klepki, tak go raz za to sprała, że przez kilka dni chodził z podbitym okiem. Doceniliśmy jego poświęcenie i więcej tam nie poszliśmy. Baliśmy się tej jędzy.

Zresztą, nie tylko babka, ale cała rodzina była sfiksowana. Ojciec Adasia wyjechał za granicę i nie zamierzał wracać do tego pięknego domu. Mama zachorowała i nie chciało jej się wyzdrowieć. Tak powiedział lekarz i Adaś to słyszał – że umarła, bo nie chciało jej się wyzdrowieć! Babka próbowała utrzymać dom i mimo komunistycznych czasów dokonała tego. Dla Adasia! Rozpieszczała go i przekarmiała. Gdy było z nią już całkiem źle, o Adasiu przypomniał sobie ojciec i po prostu go zabrał. Przed wyjazdem dała wnukowi akt własności dworku i sporego kawałka ziemi. Przynajmniej tak mówiła, gdy ktoś chciał od niej odkupić dom. Pamiętam, że było mi żal, gdy Adaś wyjeżdżał. Skończyły się bułki z szynką i jagodowe ciasto. A teraz wrócił!

Zdumienie ogarnęło mnie w pobliżu sklepu meblowego.

– Adasiu, co ty tu robisz?

– Prowadzę coś, co udaje samochód! I wiozę cię do domu! – wyjaśnił, szczerząc zęby.

Gapiłam się na niego, jakbym ujrzała ducha.

– Ale tu, w Polsce!

– Wróciłem! W Anglii było mi zbyt zimno i nudno! A najgorsze jest tam jedzenie. Przypomina siano, co widać po mnie! No jesteśmy! – Zahamował z fantazją przed domem babci.

– Naprawdę? – Nie bardzo wierzyłam w to, co mówił.

– Tylko zerknij! To dom twojej babci. Przecież nie zapomniałem! – kpił ze mnie.

– Pytam, czy naprawdę przyjechałeś? – Plątałam się i gadałam głupstwa, bo zbyt wiele pytań chciałam mu zadać. – Nie podobało ci się w Anglii?

– Nigdy nie chciałem tam jechać! I zwiałem, jak tylko pojawiła się taka możliwość!

– Nie wierzę własnym oczom! – Kręciłam głową, przyglądając mu się z boku. Naprawdę wyprzystojniał.

– Ciebie też tu nie powinno być, a jednak jesteś! Jakim cudem? – Teraz on się dopytywał, a mnie zaczęły szczękać zęby.

– To długa historia! Wejdź do domu, to ci opowiem!

– Sprawdzę jedną rzecz i zaraz przyjadę! – obiecał.

Wysiadłam. W jego dresie, boso, z łyżworolkami w jednej ręce i mokrymi ciuchami w drugiej, musiałam wyglądać uroczo. Widziałam to w jego oczach.

– Dzięki za pomoc!

– E tam! – Uśmiechnął się. – Daj mi lepiej buzi!

Cmoknęłam go w policzek, pomachałam mokrymi portkami i wpadłam do domu, chcąc jak najszybciej opowiedzieć babci, kogo spotkałam. Ale się zdziwi!

– Matko Boska! – załamała ręce. Myślałam, że to na mój widok, ale okrzyk był reakcją na wieść o przyjeździe Adasia.

– Biedny chłopak! Jak się dowie o swoim domu, to mu serce pęknie!

– A co się stało? – spytałam, ale bardziej interesował mnie zapach wydobywający się z wielkiego gara, w którym bulgotała brunatna masa. Babcia zanurzyła w niej łychę, a ja poczułam, jak kiszki skręcają mi się z głodu. Wzięłam łyżkę i oblizałam. Pycha marmolada!

– Co na kolację? – zainteresowałam się.

– A ty co tak wyglądasz jak nieboskie stworzenie? – Babcia skoncentrowała wreszcie wzrok na mnie. – W błocie się taplałaś czy co? Opowiedziałam, co mi się przytrafiło, licząc na odrobinę współczucia, ale gdzie tam. Pokiwała tylko głową z politowaniem.

– Ale cię matka wychowała! – podsumowała z satysfakcją. – Idź się wykąpać, a ja naszykuję coś do zjedzenia. I soku malinowego na rozgrzewkę!

– Zostaw trochę jedzenia, bo przyjdzie Adaś! Pewnie będzie głodny! – zawołałam z wanny.

– Już ty się nie martw! Ode mnie jeszcze nikt głodny nie wyszedł! On nadal jest taki gruby? – konwersowała przez zamknięte drzwi całą mocą płuc.

– Już nie tak bardzo! – usłyszałam i z pewnością nie była to moja odpowiedź.

– Aaaadaś! – pisnęła babcia. – Chodź tu prędko! Ale nie przez okno! No dobrze, już dobrze, niech będzie przez okno! Chryste Panie! Adaś, co cię przygnało? Głodny jesteś, biedaku? Nie tak dobrze w tych obcych krajach, skoro tak zmizerniałeś! Siadaj i jedz! Zanim Malina oskrobie się z błota, wszystko wystygnie!

Zanurzyłam głowę w wodzie, żeby nie słyszeć piskliwych okrzyków wydawanych przez babcię. Ojojojoj! Myślałby kto, że sam książę Walii zjechał na nasz dwór!

Dobrze, że wyszłam w porę z wanny. Zdążyłam jeszcze złapać kilka marnych knedli ze śliwkami. Tak się zagadali, że zapomnieli o mnie. Adaś opowiadał o Anglii, a babcia o perypetiach jego domu.

Moje myśli krążyły między dzieciństwem a dniem dzisiejszym. W przeszłości odległej tak bardzo jak życie przed życiem z Adasiem łączyło mnie coś więcej niż z innymi. Nawet więcej niż z Wilkami. Wyspowiadałam mu się nawet ze swej największej tajemnicy. „Jeśli chcesz, to ci coś opowiem!" – usłyszałam słowa wypowiedziane niegdyś. Pamiętam nawet szelest liści i zapach dymu z palonych na kartofliskach ognisk.

Opierał się, nie chciał słuchać. Szedł przodem i uderzał kijem o pnie drzew, żeby zagłuszyć moje słowa. Udawał, że słucha echa i liczy, ile razy mu odpowiedziało. Machał ręką, żebym mu nie przeszkadzała. Nie dałam za wygraną. Musiałam powiedzieć komuś o swej zbrodni, żeby nie zwariować. Wilkom nie mogłam, bałam się, że wykluczą mnie ze Stada. Tylko Adaś mógł mnie zrozumieć, a jeśli nie, to niewielka strata, grubas jeden.

– Nic mi nie mów, i tak zmyślasz!

Zatrzymał się, nadział na patyk gąsienicę i machał mi nią przed nosem. Chciał mnie zbić z tropu i zniechęcić. Nic z tego.

– To coś okropnego. Nikt o tym nie wie. Gdyby wiedzieli, zamknęliby mnie do ciupy na milion lat, może nawet do końca życia!

Wyrwałam mu patyk i ukłułam w tłusty pośladek, żeby przestał mnie lekceważyć. Uciekł, nim mu wsadziłam gąsienicę w majtki. Zdążyłam zauważyć, że są w różowe kaczuszki. Mogłam się z nich pośmiać, ale zrezygnowałam. Wtedy na pewno nie chciałby mnie słuchać.

– No to gadaj! – Musiał wreszcie zwolnić, był mniej wytrwały w marszu.

– Zabiłam kogoś! Zepchnęłam i spadł! – Chociaż tego nie chciałam, w moim wyznaniu więcej było satysfakcji niż skruchy. Skruchy nie było wiele; chyba nawet wcale. Nie żałowałam tego, co zrobiłam, i do tego najtrudniej było mi się przyznać.

Adaś patrzył na mnie niepewnie.

– Bujasz!

– Nie bujam! – Jąkałam się, dygotałam, głos mi drżał. Mówiłam szczerą prawdę i na dodatek miałam świadka, własnego ojca. Chociaż był środek upalnego dnia, trzęsłam się z zimna. – Przyrzeknij, że nie powiesz nikomu!

– Przyrzeknę, ale najpierw powiedz, kogo zabiłaś! Jego rzeczowy ton przywrócił mi rozsądek. Niepotrzebnie mówiłam, ale nim zdołałam się powstrzymać, już wyklepałam.

– Chomika! Zrzuciłam go z balkonu!

Głos z trudem przebił się przez flegmę wypełniającą usta. Splunęłam nią w ślad za słowami i wyglądało to tak, jakbym zabijała chomika jeszcze raz.

Adaś znieruchomiał, a po chwili zaczął się śmiać. Zwijał się, uderzając dłońmi o tłuste uda, aż plaskało. Echo niosło plaski daleko ponad przełęczami i wolałam im się przysłuchiwać, niż patrzeć na Adasia. Wyglądał, jakby oszalał. Jakaś część jego umysłu musiała przyjąć na serio początek mojego wyznania, a ten śmiech był wyrazem ulgi, którą przyniósł jego koniec. Żeby nie było mu tak wesoło, wyznałam, dlaczego to zrobiłam, i dopiero wtedy się uspokoił. Położył się na trawie i zagapił na chmury. Czekałam cierpliwie na wyrok. Diabli wiedzą, dlaczego jego zdanie było dla mnie tak ważne. Wreszcie doczekałam się.

– Nie wsadzą cię do więzienia, ale więcej tego nie rób!

Kiwnęłam głową i do zmierzchu leżeliśmy na polanie, kręcąc się razem z Ziemią wokół Słońca. Żałowałam, że mu powiedziałam. Różowe kaczuszki wylazły mu całkiem na wierzch, ale nie mogłam się pośmiać, bo jakoś nie wypadało. W ogóle czułam się skrępowana – wiedział o mnie tak dużo, więcej niż Wilki, więcej niż mama.

Przez następne tygodnie omijałam go z daleka, chociaż nawet jednym mrugnięciem nie dał do zrozumienia, że pamięta tamtą rozmowę. Gdyby wygadał, wszyscy odsunęliby się ode mnie, tak jak tata. Ulżyło mi, gdy wyjechał do Anglii. A teraz wrócił. Ciekawe, czy pamięta o mojej zbrodni?

– Nie! – powiedział, a ja przestraszyłam się, że potrafi czytać w myślach. Aż zabrzęczałam łyżką o talerz. Oboje zmierzyli mnie podejrzliwym wzrokiem. – Myślałem, że znajdę go w miejscowym urzędzie! Uspokoiłam się. Rozmawiali o domu i akcie własności, który Adaś powinien mieć, ale nie miał. Zjadłam marnych pięć knedli i nałożyłam sobie miskę marmolady. Już zaczynała krzepnąć. Musiałam stoczyć wojnę z osą, której smakowało to samo co mnie.

– Po powodzi zginęło wiele dokumentów, szczególnie tych ważnych! – powiedziała babcia i prychnęła, dając do zrozumienia, że nie tyle woda, ile ludzie narobili szkód.

Adaś popatrzył na mnie i też nałożył sobie na talerz górę brązowej mazi. Czuł się jak u siebie w domu. Nie żałowałam mu, bo wyglądało na to, że z domem miał jeszcze większy problem niż ja.

Z opowieści, którą łowiłam między naszymi mlaskaniami i ciumkaniami, wynikało, że przed śmiercią babcia Adasia uregulowała wszelkie formalności, uiściła opłaty aż do uzyskania pełnoletności przez wnuka, a na straży majątku osadziła jakąś kuzynkę. Nie przewidziała tylko tego, że zmieni się ustrój, a w nowym znowu racja będzie po stronie silniejszego. Dworek był zbyt łakomym kąskiem, by pozostawiono go w spokoju. Władze wpadły na pomysł poszerzenia parku narodowego kosztem ziemi Adasia. Protesty kuzynki nie zdały się na nic, a listy wysyłane do Anglii pozostawały bez odpowiedzi. Może wcale tam nie docierały? Potem była powódź, część dokumentów popłynęła do morza, a gdy je odtwarzano, dziwnym zbiegiem okoliczności ten kawałek ziemi nie należał już do parku, ale stał się nieużytkiem wystawionym na sprzedaż. Łapę na majątku położył Tarwid; jako nieużytek wykupił za grosze. Gdy opiekunka dworku umarła, rada miejska postanowiła wystawić go na licytację.

– Czyli tak, jakby już należał do Tarwida! Dobrze, że wróciłeś! Ale źle, że bez aktu własności! Może ojciec go ma? – dopytywała się babcia z przejęciem, jakby sama miała w tym jakiś interes.

– Nie sądzę!

Adaś przyglądał mi się spod oka i nie wydawał się specjalnie przejęty swoim problemem.

– No to klapa! – Babcia rozłożyła ręce w teatralnym geście rozpaczy. – Tarwid cię wyrąbie! W urzędzie wysmaży taki dokument, jaki będzie mu pasował. Zostaniesz na lodzie!

Zabrzmiało to tak melodramatycznie, że parsknęłam śmiechem. Adaś posiedział jeszcze trochę i ruszył odwiedzać innych znajomych. I szukać noclegu, bo jak się okazało, jego dom nie należał już do niego. Szkoda!

– Co ten Tarwid taki zachłanny? – spytałam, gdy Adaś już sobie poszedł. – Teresie zabrał bar, teraz dom Adasia!

– Oj, dziecko! On okradł pół miasta! – uświadomiła mnie babcia. – Takich barów jak Teresy przejął blisko dwadzieścia. Do niego należą i budki z lodami i hamburgerami, i piekarnia, i cegielnia, i kto wie co jeszcze! I ciągle mu mało. Teraz buduje supermarket na placu, gdzie od początku świata był rynek. Wykupił teren od dawnego właściciela, przedstawił władzom świstek i sprawa załatwiona. Jeszcze w piątek wieczorem ludzie handlowali, a w nocy wjechały spychacze i zepchnęły budy na stertę. Do rana wykopany był już dół na fundamenty!

– Nie!?

– Tak, tak! Jak na filmie: silniejszy wygrywa, a słabszy może go pocałować w zadek!

– Kurczę! Jak powiem mamie, zrobi z tego fajny reportaż! – wypaliłam bez zastanowienia, a babcia z miejsca się obruszyła.

– Broń cię Bóg! Niech robi sobie te reportaże daleko stąd! Z Tarwidem lepiej nie zadzierać! To kawał drania, a prawo i władze są po jego stronie! – zaczęła z irytacją i niezwłocznie poinformowała mnie o wszystkim, co powinnam wiedzieć na temat Tarwida i tych, którzy się go boją. Nadawała i nadawała, wyrzucała z siebie słowa i przeplatała je przekleństwami, a ja zrozumiałam, że ta nerwowa opowieść jest tylko tłem czegoś, co naprawdę ją gryzie. Ciekawe co? Moja obecność dawała jej szansę rozładowania nadmiaru emocji. Gadała i gadała, spieszyła się, gubiła wątki, opowiadała po raz kolejny to samo... Starałam się skoncentrować na wykonywanych czynnościach. Napełniałam słoiki marmoladą, wycierałam nakrętki, odkładałam te, na których widać było ślady rdzy, potem jeszcze pozmywałam, wyszorowałam zlewozmywak, wygoniłam osy, a trzy najbardziej oporne zabiłam ścierką. Mimo starań nie potrafiłam pozbyć się ogarniającego mnie uczucia zagrożenia i rozczarowania. Nie mogłam przypomnieć sobie, skąd wzięło się we mnie wcześniejsze przekonanie, że w tak pięknym otoczeniu ludzie powinni być lepsi. Okazało się, że świat tutaj jest tak samo gówniany jak wszędzie.

Włączyłam telewizor i tym zmusiłam babcię do zamilknięcia. Udawałam, że zainteresował mnie program o wojnie w byłej Jugosławii. Na ekranie waliły się domy, a ludzie z szaleństwem w oczach szukali drogi ucieczki. Nadmiar agresji wprawił mnie w apatię. Na drzewie przed spalonym domem wisiał czerwony trampek. Znużona jednostajnością toczącej się na ekranie wojny, zasnęłam. Nie wiem, czy trampek dyndający na gałęzi był obrazem z filmu czy z mojego snu.

Znów śnił mi się sen, w którym krążę po jaskini, zagłębiam się w mroczne korytarze, dotykam ścian, wyczuwam pod palcami zagłębienia, wybrzuszenia, nisze. Czasami czułam obecność kogoś obcego i wtedy się bałam. Innym razem wiedziałam, że jestem zupełnie sama. Nie martwiłam się, że zabłądzę, bo miałam świadomość, że to sen. Jeśli się zgubię, mogę się obudzić i znów zasnąć, by zacząć wędrówkę od początku. Jak w grach komputerowych, gdzie tylko od cierpliwości zależy, jak daleko się zajdzie. Co jakiś czas budziłam się, patrzyłam na zegarek, stwierdzałam, że to głęboka noc, i zasypiałam. Przepełniało mnie przekonanie, że o to właśnie chodzi, bym poznała jaskinię lepiej niż ktokolwiek inny. Nie zastanawiałam się po co, bo to przecież tylko sen.

9

Obudziłam się przesiąknięta zapachem jaskini. Wciągnęłam do płuc woń nietoperzych siuśków i utknęłam na pograniczu jawy, gdzie sen rozrywa się na strzępki. Przez chwilę miałam wrażenie, że przebywam gdzieś z dala od swego życia. Obwąchiwałam się jak zwierzę i odwlekałam moment całkowitego rozbudzenia, by móc tam jeszcze pobyć. Ni stąd, ni zowąd ogarnęła mnie tęsknota. Tak silna, że aż usiadłam. Gwałtowny ruch rozproszył senną mgłę i musiałam użyć siły woli, by przypomnieć sobie, za czym zatęskniłam. Gdzieś na skraju patrzenia pojawił się zamazany obraz polany i wejścia do grot. Zaledwie to sobie uświadomiłam, postanowiłam, że pójdę tam jeszcze dzisiaj. Tak, pójdę! Bez względu na to, czy ktoś zechce dotrzymać mi towarzystwa czy nie.

Decyzja podjęta w półśnie wprawiła mnie w radosne podniecenie, choć nie wierzyłam, że dotrzymam słowa. Rozbudziłam się na dobre, zupełnie jak wieki temu; gdy wybieraliśmy się w góry, zawsze budziłam się skoro świt. Wstawałam i wędrowałam po mieszkaniu, zawiadamiając rodziców, że już pora.

– Połóż się jeszcze! Tatuś weźmie cię na wycieczkę dopiero po śniadaniu! – jęczała mama, nakrywając się kołdrą.

– Nie chce mi się jeść! – próbowałam przyspieszyć bieg czasu, ale zirytowane: „Wynocha!", rzucone przez ojca, pozbawiało mnie mocy czynienia cudów.

– Wilki też! – negocjowałam, choć czułam się już jak przekłuty balon.

– Tę zasmarkaną bandę? – protestował, a mama zakrywała mu usta, by nie powiedział czegoś niepotrzebnego. Wtedy jeszcze wierzyła, że wystarczy taki gest, by zapobiec nieuniknionemu.

– Bez Wilków nie idę! – darłam się, bo nie znałam jeszcze innych sposobów walki.

– To i lepiej!

Tata nie lubił Stada, ale wiedziałam, że on nie lubi nikogo, nawet mnie. Miał zwyczaj czekać do ostatniej chwili, a na kilka minut przed wyjściem łapał się za głowę, że niby o czymś zapomniał, i podawał przyczynę, dla której nie mógł z nami, niestety, iść. Dość szybko zorientowałam się, że moje rozgoryczenie bawi go. Odgrywał tę komedię na tyle często, że wyrobiłam w sobie odruch ograniczonego zaufania. Przestałam okazywać złość, gdy łamał obietnicę. Starałam się być na coś takiego zawsze przygotowana. I tak nie lubiłam, gdy z nami szedł, bo wtedy nic się nie kleiło. Wyprawa ograniczała się do męczącego marszu pod górę i w dół, a jedynym urozmaiceniem były nasze kłótnie. Tata nie umiał przewodzić grupie, nawet takich szczyli, jakimi wówczas byliśmy. Wracaliśmy zmęczeni, zniechęceni i źli na cały świat. Woleliśmy, gdy szła z nami mama. Z nią już od pierwszych minut czekaliśmy na to, co się wydarzy. Po drodze wskazywała jakiś szczegół – pęknięty głaz, drzewo z odciętym konarem – i na poczekaniu zmyślała opowieść, od której włosy stawały dęba. Zawsze wierzyliśmy, że mówi prawdę. Nawet i później, gdy już wiedzieliśmy, że to bujdy, fajnie było myśleć, że wszystko na świecie ma jakieś wyjaśnienie. Jedna tylko historia nie miała zakończenia, ta najstraszniejsza i najprawdziwsza, o zamordowanym włóczędze. Zmasakrowane zwłoki znaleziono w jaskini wiele lat przed naszym urodzeniem, ale niewyjaśniona zbrodnia nadal tkwiła w pamięci mieszkańców miasta. Morderca mógł wciąż tu mieszkać, być sąsiadem, znajomym, czyimś ojcem. Mogliśmy spotykać go na ulicy, ocierać się o niego w sklepie. Brrr. Coś takiego rozbudzało wyobraźnię. Za każdym razem zmuszaliśmy mamę do opowiedzenia tej makabry. Nie chciała, opierała się, ale byliśmy bezwzględni. Siadaliśmy i nie chcieliśmy się ruszyć, póki nie usłyszeliśmy szczegółów krwawej jatki. Uwielbialiśmy moment, gdy można było zadawać kłopotliwe pytania:

– Miał całkiem oderżniętą głowę, czy wisiała na skórze?
– I wydłubane oczy? Znaleźli je czy leżą gdzieś jeszcze?
– I wywleczone flaki? I odcięte jaja?

Pierwszy raz opowiedziała tę historię w formie ostrzeżenia, by zniechęcić nas do samotnych wypraw. Nic nie mogło nas jednak powstrzymać od spędzania w jaskini każdej wolnej chwili, gdy byliśmy trochę więksi i na tyle sprytni, by uśpić czujność rodziców.

Zza okna dobiegło psie posapywanie i natychmiast przestraszyłam się pomysłu, by iść samotnie w góry. Niemal czułam gorący, obcy oddech na szyi i już wiedziałam, że nigdzie nie pójdę. Znów wystarczył byle cień, żebym zmieniła plany. Jak zwykle.

W tej chwili cieszyło mnie, że pies wiercił się w krzakach, bo mogłam na nim skupić myśli. Z niewiadomego powodu postanowił zostać moim ochroniarzem. Gdziekolwiek szłam, natykałam się na jego kudłatą mordę; niby załatwiał swoje psie sprawy, ale zawsze był w pobliżu. Może w ten sposób odpracowywał śniadania, które mu codziennie wynosiłam do ogrodu? Jeśli tak, to powinien być raczej wdzięczny babci, bo to ona szykowała mi porcje jak dla zapaśnika. Zbyt dramatycznie potraktowała moją niedowagę i obiecała sobie, że w ciągu miesiąca doprowadzi mnie do normy.

– Twój organizm tyle właśnie potrzebuje! – twierdziła kategorycznie i nieodmiennie, stawiając przede mną porcje dla dziesięciu takich jak ja.

Mój organizm na sam widok dostawał czkawki, toteż apetyt kundla był dla mnie prawdziwym wybawieniem. Ostrzegłam jednak, że grozi mu kalectwo, gdyby dostał się pod kartoflany obstrzał. Zrozumiał, co mam na myśli, bo obwąchał amunicję, obsikał ją i jak dotąd zachowywał ostrożność.

– Już zjadłaś? – zdziwiła się babcia. Zauważyłam, że wszystko, co mnie dotyczy, albo ją dziwi, albo oburza. Na zmianę.

– Tak, dziękuję! Już lecę, bo się spóźnię!

– Idziesz w tym? – zająknęła się nad moim czarnym rozwleczonym swetrem. W jej głosie słychać było przewagę oburzenia nad zdziwieniem.

Kiwnęłam głową i żeby nie wdawać się w zbędną dyskusję, naciągnęłam kurtkę. Buty miałam jeszcze niezawiązane, ale to już rzecz drugorzędna. Chciałam jak najprędzej wyjść. Za późno. Babcia stanęła w drzwiach i przyglądała mi się z politowaniem.

– Wstajesz za późno, jesz za szybko, zostawiasz bałagan w pokoju i w łazience, ubierasz się jak dziadówa... – zaczęła wyliczać moje wady.

Wolałam jej nie uświadamiać, że mam ich więcej i będzie naprawdę rozczarowana, gdy pozna mnie bliżej. Cmoknęłam ją w policzek, wyminęłam i zamknęłam za sobą drzwi.

Jeśli liczyłam, że w szkole znajdę trochę spokoju i zrozumienia, to się przeliczyłam.

– Malina, napisz polecenie na tablicy!
– Malina, przeczytaj swoją notatkę!
– Malina, spróbuj odpowiedzieć na to pytanie! Malina to, Malina tamto! Wszyscy od razu zapamiętali moje imię i na setki sposobów wypróbowywali jego brzmienie. Malina! Dlaczego Malina? To jedno z pytań, na które nigdy nie otrzymałam jednoznacznej odpowiedzi. Mama za każdym razem opowiada inną bajkę. Ostatnio przekonywała mnie, że miała być Róża, ale ojcu w ostatniej chwili pomyliły się rośliny. Jeśli tak, to chwała Bogu! Na chemii zaczęło siąpić, a na matmie lało już jak z cebra. Przyjęłam to z ulgą. Poczułam się usprawiedliwiona; nie będę w taką pogodę wlec się w góry.
– Malina, podziel tablicę na pół i rozwiąż przykład B! Chodź, chodź, przecież nie gryzę! No cóż! Tu nie mogłam powiedzieć, że mi się nie chce iść. Przykład B musiał być trudniejszy od innych, bo gdy dobrnęłam do końca, byłam bardziej mokra od asfaltu na miejskim deptaku. Dosłownie płynęło ze mnie.

Aśkę na ostatniej lekcji zgarnął dentysta i do domu wracałam sama. Nie spieszyłam się, bo cieszył mnie deszcz. Zmywał smród snujący się między atomami tlenu i azotu. Potrzebny był mi głęboki oddech po tym, co się stało. Gdy po wuefie zeszłam do pubu, żeby napić się coli, zobaczyłam Olka Tarwida. Siedział z nogami założonymi na stolik i pił piwo. Na odległość cuchnęło demonstracją. Jeśli liczył na czyjś podziw, to musiał być zawiedziony. Poza nim w pubie nie było nikogo. Ci, co byli, wyszli; ci, co wchodzili, zawracali. Jakbym miała odrobinę oleju w głowie, zrobiłabym to samo, ale zawiodła mnie intuicja. Chciało mi się pić, a automat na piętrze był pusty. Stałam i patrzyłam, jak brunatna ciecz krzywym sikiem wypełnia kubek. Słyszałam za sobą trzask zgniatanej puszki i zdawałam sobie sprawę, że to próba nawiązania kontaktu. Twarz ubrałam w zdziwioną minę, a w myślach miętosiłam różne warianty odpowiedzi: Tak? Niemożliwe! Znamy się? Od tak dawna? Rzeczywiście! Jak mogłam zapomnieć! Sama nie wiedziałam, czy tego chcę. Trzasnęły drzwi i ktoś wszedł. Nawet się ucieszyłam.

– Ty, Tarwid, zamierzasz zdać maturę? – usłyszałam niespodziewanie głos matematyka.

Przez chwilę cisza niczym sprężone powietrze wypełniała małe pomieszczenie. Słychać było tylko bulgot sączącej się coli. Dopiero pół kubka. Gdybym mogła coś nacisnąć i zatrzymać, wystarczyłoby mi tyle.

– A po cholerę mi matura. – Głos chłopaka był rozwlekły. – I w ogóle gówno to pana obchodzi.

To czysty przypadek, że tam byłam. Czułam na plecach spojrzenia obydwu, w gardle kluchę. Wiedziałam, że Olek powiedział to z premedytacją, by mieć świadka swego chamstwa. Zostawiłam colę i wyszłam. Odechciało mi się pić.

Wdeptywałam w kałuże i obserwowałam wąskie strumyki cieknące po jezdni; przemykały pod zaparkowanymi samochodami i wyszukiwały miejsca położone niżej. Już dawno odkryłam, że deszczowa woda spływa zawsze w stronę dworca. I ja ruszyłam w tamtym kierunku, bo gdy nie wiem, co ze sobą zrobić, idę na dworzec. Pasuje mi atmosfera niepewności i wyczekiwania, która panuje w dworcowych poczekalniach. Siadam na ławce i przyglądam się ludziom; w każdej z lekka wystraszonej twarzy rozpoznaję cząstkę samej siebie.

Minęłam stary kościół i nową stację benzynową, jedno i drugie obwieszone transparentami, które do czegoś zachęcały, ale nie miałam ochoty sprawdzać, do czego. Wszystko było napuszone, rozdęte, bezmyślne. Tylko w zaułkach, gdzie zalegał cień, czaiła się jeszcze przeszłość, obserwowała mnie i czekała na ciąg dalszy mojego życia. Ogarnęły mnie złe przeczucia. Mimo że tego nie chciałam, zaczęłam myśleć o ojcu. Machinalnie zatrzymałam się i rozejrzałam wokół. Przystopowałam strumień idących za mną ludzi, ktoś mnie potrącił, ale następni omijali mnie już sprawniej. Wszyscy pędzili w stronę stojącego na peronie pociągu. Wrzucali bagaże i w ślad za nimi znikali we wnętrzu wagonów. Robili to nerwowo i pospiesznie, jakby przerażała ich myśl, że mogliby nie zdążyć i zostać tu na zawsze. Ponownie poczułam na plecach zimny dotyk niepokoju. Chciałam o tym pomyśleć, ale ktoś spytał mnie o pensjonat Buffi. Nie miałam pojęcia.

– Ja też jestem tu przejazdem! – powiedziałam i nie poczułam, żeby to było kłamstwo.

Słońce rozmazywało się na brudnych szybach przeszklonego dachu, ale gdzieniegdzie igły światła przebijały się przez nie, w postaci złotych strzał przenikały halę na wskroś. Jedna utkwiła w głowie chłopaka opartego o filar. Dopiero po chwili rozpoznałam Olka. Nie widział mnie, bo ja, jak wszystko inne, znajdowałam się poza jego patrzeniem. Cały zwrócony był w głąb siebie. Zaskoczyło mnie, że z bliska wygląda inaczej, niż myślałam. Mętne światło wydłużało i wyostrzało rysy jego twarzy, pogłębiało bruzdy wokół ust. Miałam przed sobą zgorzkniałego, starego faceta. Wokół niego falował smutek. Patrzyłam chwilę, a potem odwróciłam się i uciekłam. Przestraszyłam się. Poczułam, że jestem głodna, a babcia już pewno się niepokoi. Zrobiło mi się przykro, jakbym została ukarana za coś, czego nie zrobiłam.

Babcia w butach i płaszczu stała w korytarzu, gotowa do wyjścia.

– Chryste Panie! Gdzie się do cholery włóczysz? Ja tu odchodzę od zmysłów! Aśka już od dwóch godzin jest w domu, a ciebie nie ma i nie ma! Właśnie szłam cię szukać! – rozwrzeszczała się na mnie.

Szukanie jakiegokolwiek usprawiedliwienia mogło tylko pogorszyć sytuację. Była naprawdę wkurzona. Cmoknęłam ją w policzek i pomogłam ściągnąć płaszcz.

– Przepraszam, babciu! Nie wiedziałam, że będziesz się denerwować. Zwykle nikt na mnie nie czeka – z premedytacją skierowałam jej myśli gdzie indziej.

Udało się.

– Twoja matka była, jest i będzie nieodpowiedzialna, ale to jej sprawa! Tutaj ja za ciebie odpowiadam! Masz przychodzić do domu zaraz po lekcjach, a jak cię coś zatrzyma, to mamy tutaj takie urządzenie, które wynaleziono ponad sto lat temu i jak dotąd jest niezawodne. Te-le-fon! Słyszałaś o czymś takim?

Przyznałam, że owszem i że na pewno będę z niego korzystała. Korciło mnie, by przypomnieć, że mam siedemnaście lat i nie powinna traktować mnie jak małego Jasia, ale dałam spokój.

– Co ja bym powiedziała twojej matce, gdyby ci się coś stało?

– Pogłaskała mnie po głowie, gdy już siedziałam przy stole i pożerałam drugie danie.

– A co mi się może tu stać? – próbowałam zbagatelizować sprawę, ale bezskutecznie.

– Łobuzów nigdzie teraz nie brakuje! Mało to ich pokazują w telewizji? Może i u nas jakiś po ulicach łazi i po pańskiej mordzie nie poznasz, że bydlak!

Zerknęłam na nią z ukosa. Czy miała na myśli kogoś konkretnego?

– Wiesz, dziwny jest ten Olek! – zwierzyłam się Aśce wieczorem, gdy siedziałyśmy nad matmą. – On tylko sprawia wrażenie pewnego siebie drania, a tak naprawdę jest bardziej zakompleksiony niż my wszyscy razem!

– Ty lepiej daj sobie spokój z jego kompleksami! Dzisiaj na polskim wywalił pięścią szybę w oknie i powiedział, że ojciec daje dość pieniędzy, by szkołę stać było na czyściejsze okna! I co ty na to? – fuknęła na mnie ze złością.

Wzruszyłam ramionami.

– Nie ma sprawy! Już mi minęło!

– Dzięki Bogu! – westchnęła z ulgą i dziabnęła ołówkiem w miejsce, gdzie się pomyliłam. Znów się pomyliłam! Trochę było mi żal, że wystarczyło parę dni, by minęło mi zakochanie.

– To czemu nie wywalą go ze szkoły?

– Bo to Tarwid, a on jest na innych prawach niż ty i ja! To książę na włościach, a kto takiemu zechce się narazić? Nauczyciele wolą udawać, że są ślepi. Stary sponsoruje zachcianki dyrektora: komputery, centralki i inne duperele. Daje forsę, by młodzian bez przeszkód skończył szkołę. A junior wszystkich ma gdzieś i wcale się z tym nie kryje. Na szczęście rzadko pokazuje się w szkole. Lepiej trzymaj się od niego z daleka!

Z oporami, ale opowiedziałam o pubie. Aśka pokręciła głową nad moją głupotą i pouczyła mnie, że w takim razie powinnam rozwiązać jeszcze z pięć takich równań, bo jutro może być ze mną krucho. Facet od matmy jest pamiętliwy i czuły na punkcie swej ważności. A niech to licho!

Babcia oglądała telewizję, ale od czasu do czasu odrywała wzrok od ekranu i przyglądała mi się z niemym zdziwieniem, jakby nie pamiętała, co ja tu właściwie robię. Po sekundzie zaczynała kojarzyć, twarz jej się rozpogadzała i znów wracała do świata fikcji. Bohaterowie telenowel byli jej bliżsi niż ja. O nich wiedziała wszystko, o mnie nic.

– Babciu, w piątek pójdziemy z Wilkami w góry. Wrócimy dopiero w niedzielę. Nie masz nic przeciwko?

Odwróciła się do mnie połową ciała, tak żeby nie stracić wątku brazylijskiej opowieści o wielkiej miłości.

– A idź, dziecko, idź, tylko ostrożnie, bo w górach trzeba chodzić głową, a nie nogami! Ale jak z Wilkami, to w porządku. Oni cię nie zgubią! A ja sobie posiedzę i przypomnę, jak to jest być samemu!

Mówiła do mnie, a jednocześnie kontrolowała każdy ruch warg telewizyjnych amantów. Za parę minut odcinek się skończy, ale dylemat, z jakim ją zostawią, będzie do jutra zaprzątał jej myśli. Gdybym opowiedziała o swoich problemach, też miałaby o czym rozmyślać, tyle że mnie nie przychodzi tak łatwo wywalać wszystkiego na wierzch jak tamtym dupkom zza szybki. Podejrzewam zresztą, że gdybym nawet spróbowała, nie chciałaby słuchać. Problemy tamtych są czysto teoretyczne i rozwiązują się same, w dodatku bezboleśnie. Co najwyżej można w fotelu uronić łzę. Z moimi jest gorzej. Są prawdziwe.

– Babciu, co takiego zrobiłam, że ojciec mnie...

– Czekaj, czekaj, zaraz się skończy! Jeszcze dwie minuty!

No właśnie! Nie miałam zamiaru czekać, nie miałam ochoty się zwierzać. Przeprowadziłam tylko próbę, zakładając reakcję. Nie pomyliłam się.

– No? Co chciałaś? – Zaczęły się reklamy i babcia mogła na chwilę zainteresować się światem ubocznym, czyli mną. Miała dokładnie trzy i pół minuty do następnego serialu.

– Eee, nic, zapomniałam!

Nie nalegała.

Poszłam przymknąć okno, bo koty w ogrodzie dostały świra. Będę musiała ustawić nowy zapas pyrów, bo tamte babcia już wystrzelała. Przez całe świadome życie zdawałam sobie sprawę, że mam w sobie coś, co drażni ojca. Mówiło o tym jego spojrzenie, potwierdzały słowa i jawna niechęć, z jaką się do mnie odnosił. Tkwił we mnie jakiś grzech pierworodny, jakieś zło, o którym wiedział, a ja nie byłam na tyle odważna, by spytać. Nawet teraz na myśl, że mogłabym podnieść słuchawkę i zażądać wyjaśnień, robiło mi się słodko w ustach. Wzięłam się do matmy. Po filmie babcia wyciągnęła mnie na spacer. Odcinek telenoweli nie skończył się tak, jak chciała, i musiała jakoś rozładować emocje.

– A to sukinsyn! Załatwił ją!

Idąc powoli i bez określonego celu, dotarłyśmy na Pochyłość Stocką, która kiedyś była jednym wielkim maliniakiem. Teraz obrosły ją świeżutkie domy należące do nowej elity – sklepikarzy, rzeźników, ogrodników. Jest na czym oko zatrzymać, bo budowane są na pokaz. Nawet układ uliczek jest niekonwencjonalny, istny labirynt. Na dobrą sprawę zupełnie jak w dawnym maliniaku; wtedy też wędrowaliśmy krętymi ścieżkami, objedzeni słodkimi owocami. Naprawdę byłam zadowolona, że dałam się odciągnąć od równań. Od razu polubiłam to miejsce.

Pobłądziłyśmy z godzinę, póki babcia nie ochłonęła i nie wybaczyła sukinsynowi z telenoweli.

– A ona też cholerę warta! – uznała i zdecydowała, że wracamy, bo musi zdążyć na magazyn sensacji, czyli wiadomości.

– Jak już tu jesteśmy, to pokażę ci supermarket Tarwida! – oznajmiła nagle. – Niech go diabli wezmą!

Nie była odosobniona w swych sądach, bo otaczający budowę parkan pokrywały napisy świadczące o braku aprobaty mieszkańców dla przedsiębiorczości Tarwida. Na miejscu swojskiego targowiska z odrapanymi straganami, barszczem w kamionkowych garnkach, kiszoną kapustą w beczkach i oskubanymi kaczkami w papierowych torbach w ekspresowym tempie wyrósł nowoczesny supermarket. W zasadzie był gotowy i robotnicy rozebrali już nawet część ogrodzenia. Układali nawierzchnię z kolorowych płyt. Zostawiłam babcię i poszłam zerknąć na to, co ją tak wkurzało.

Zaskoczyło mnie to, co zobaczyłam. Magazyn przypominał bajkowy zamek z czarnego szkła, z ceglanymi wieżami na każdym rogu. Disneyland! Disco polo, ale takie, co przyciąga wzrok i przywołuje wspomnienia z dzieciństwa. Szmira, ale przecież centrum zaklejone plastikiem i krzykliwymi reklamami było już wystarczająco zapaskudzone, żeby ten zabawny budynek mógł w czymkolwiek zaszkodzić miastu.

– Widziałam gorsze! – powiedziałam do nabzdyczonej babci. Tymi słowami wywołałam istną furię.

– To złodziej! Bandzior! Oszust! Pokazał jakiś świstek, ale czy ktoś sprawdził jego wiarygodność? Skąd! Tym, którzy przez lata mieli tu stragany, kazał się wynieść w ciągu doby. I prawo było po jego stronie, bo miał w ręku papier, że ziemia jest jego!

Już to słyszałam, ale bałam się odezwać, by nie wywołać nowej lawiny słów. Nie bardzo chciało mi się wierzyć, że tak rzeczywiście było. Ludzie zawsze trochę dodają i tworzą współczesną bajkę o złym bogaczu i dobrym biedaku. Ale swoją drogą ten Tarwid to niezły bonzo. Musi mieć kupę forsy, żeby wybudować coś takiego. Jeszcze trochę, a odkryję, że należą do niego również otaczające nas góry!

Babcia dreptała obok mnie wściekła jak osa. W domu trzepnęła drzwiami tak, że omal nie wyskoczyły z futryny. Nie podejrzewam jej o zazdrość. Jedni mają pieniądze, inni nie, i nie ma się o co wkurzać, bo to i tak na nic. Ona też ma ładny dom z ogrodem, wysoką emeryturę i będzie miała za co robić zakupy w supermarkecie. O co więc chodzi? O tych ludzi, którzy stracili stragany? Może to jej znajomi? Jeśli są obrotni, postawią je w innym miejscu i będą sprzedawać pamiątki turystom. Moda i wygoda. Kupisz wszystko – mydło i powidło, a na dodatek telewizor i drzwi do garażu. Weź wygodny wózek i nie spiesz się. Popatrz, policz i kup sobie coś, bo w końcu ile masz w życiu przyjemności? I to, i to, i jeszcze to! Ogłupiające, jak wszystko w tym naszym dziwnym świecie. Za dużo wydałaś? A, to już twój problem!

Naprawdę nie mam nic przeciw supermarketom. Raz na jakiś czas robimy z mamą wielkie zakupy, przeżywamy chwile euforii nad wypełnionym po brzegi wózkiem, a potem mijają tygodnie, nim zdecydujemy się na kolejną wyprawę.

– Idź odrabiać lekcje, a ja sobie odpocznę! – zarządziła babcia, kiedy znalazłyśmy się w domu.

Zeszłam jej z oczu, bo wyglądała na kogoś, kto szuka zaczepki. Włączyła telewizor i przez zamknięte drzwi słyszałam, jak kłóci się z facetami zza szybki.

– Ty jełopie, kto cię tam wpuścił? Przecież ty nawet nie wiesz, o czym mówisz!

Założyłam słuchawki i włączyłam Doorsów. Nawet w połączeniu z matmą byli mniej denerwujący od mojej babci.

10

Śniło mi się, że idę ścieżką między dwiema przepaściami. Rozłożyłam ramiona, ale ledwo utrzymywałam równowagę. Droga była tak wąska, że mieściła się tylko stopa. Na nogach miałam czerwone tenisówki i przez gumową podeszwę czułam ostre krawędzie kamieni. Jakiś pojedynczy kamyk stoczył się w dół, za nim poleciały inne. Bałam się. Po co właściwie szłam? I dlaczego sama? Ktoś mnie wołał i lazłam posłusznie jak cielę na rzeź. Denerwowało mnie to, ale nie mogłam się zatrzymać, bo nie miałam władzy nad tą, którą byłam w swoim śnie. Jakiś cień przesunął się za drzewem. Wielka ręka zakryła mi oczy i usta. Bałam się poruszyć. Gdyby nie sygnał telefonu, nie wyszłabym stamtąd żywa, bo ręce zsunęły się na szyję. Dusiły mnie i jednocześnie podnosiły w górę. Straciłam grunt pod nogami. Piżamę miałam zupełnie mokrą. Zwlokłam się z łóżka i podniosłam słuchawkę. Bolała mnie szyja.

– Malina? Gdzie ty łazisz? Wczoraj cały wieczór próbowałam się dodzwonić!

– Oj, mama! Jak to dobrze, że mnie obudziłaś, bo śniło mi się coś okropnego! Wczoraj byłyśmy na spacerze i babcia teraz śpi, a ja muszę iść do szkoły. Mogę nie iść?

– Nie zawracaj głowy! Bądź dzisiaj po południu w domu, bo wysyłam samochód ze sprzętem! Z babcią nie masz kłopotów?

– Nie!

– Uważaj na siebie! Ciągle śni mi się Elka. Nie wiem jeszcze, czy to dobrze czy źle!

Miałam ochotę poskarżyć się na swoje sny, ale zawahałam się, a mama wykorzystała przerwę i zasypała mnie gradem informacji o tym, że spała w jakimś zapchlonym hotelu, bo robi reportaż o dzieciaku porzuconym na śmietniku pół roku temu, i że, wyobraź sobie, żadna z rodzin czekających na adopcję nie chce tego zdrowego, ślicznego chłopaczka tylko dlatego, że bocian zostawił go w śmietniku, a nie w czyściutkim łóżeczku, masz pojęcie? Że była w ośrodku adopcyjnym i okazało się, że dziesiątki dzieci czekają na rodziców, ale każde ma jakąś wadę, a wystarczy pieprzyk koło oka i już jest odpadkiem, paranoja!

– A co u ciebie? – spytała, gdy już odechciało mi się słuchać. Nie lubię rozmów przez telefon. Wymieniam informacje, ale nie potrafię powiedzieć tego, na czym najbardziej mi zależy. Peszy mnie ten długachny drut, na którym siedzą ptaki i srają na moje słowa. Wolałabym przytulić się i pogadać. Słysząc stuk odkładanej słuchawki, przypomniałam sobie, że miałam spytać, co się bierze na bolącą nerkę, i powiedzieć, że potrzebna mi forsa na nowe adidasy, bo w starych pękła podeszwa, i że zrobiły mi się krosty na tyłku i nie wiem, co z nimi zrobić, i że te sny są coraz gorsze, i zaczynam się ich bać.

Mam siedemnaście lat i ciągle potrzebna mi mama.

Zdyszałam się, bo całą drogę gnałam, żeby jak najprędzej być w domu, na wypadek gdyby faceci z moim sprzętem przyjechali wcześniej. Miałam marniutką bo marniutką, ale nadzieję, że mama zabierze się z nimi i wpadnie choć na parę chwil.

– Co tam w szkole? – rozdarła się swoim zwyczajem babcia, ledwo otworzyłam furtkę. Już zdążyłam się zorientować, że to demonstracyjne zainteresowanie moją nauką odbywa się na użytek Kasprzakowej, sąsiadki zza płotu, u której okno jest zawsze uchylone, a ona sama tkwi tuż za firanką.

– Dostałam pałę z matmy! – odwrzasnęłam całą mocą płuc. Cieszyłam się, bo samochodu jeszcze nie było.

Babcia wyjrzała i spiorunowała mnie wzrokiem.

– Drzyj się, drzyj! Niech całe miasto słyszy!

– Żartowałam! – uspokoiłam babcię dopiero w przedpokoju, gdy ściągałam buty. – W szkole w porządku. Dostałam czwórę z polaka!

Z matmy dostałam minusa; facet przez pół lekcji dręczył mnie pod tablicą, a na koniec oświadczył, że nawet jeśli mam jakiś rozum, to on go nie dostrzega. Aśka miała rację, że to mściwy gość, więc nie zareagowałam na jego spostrzeżenie. Zachowałam kamienną twarz i z godnością wróciłam na miejsce. I tak ocalił mnie dobry wzrok, bo pisałam to, co pokazywał Ciołek. Niby uczyłam się i mogłam przysiąc, że to potrafię, ale wrogość tego człowieka sprawiła, że dostałam zaćmienia i nic nie pamiętałam.

– Czwórka? To ładnie! O tym trzeba było głośno, a o dwói po cichu! – poinstruowała mnie babcia. – Teraz pół miasta będzie wiedziało, że się marnie uczysz!

Wzruszyłam ramionami.
– No to co?

Otworzyłam szerzej okno i wrzasnęłam do Kasprzakowej:
– Dostałam jeszcze jedynkę z historii, a dyrektor powiedział, że chyba nie zdam i że mnie wyrzuci ze szkoły!
– Wariatka! – westchnęła babcia i włączyła gaz pod garnkiem z zupą. – Kasprzakowa nie jest taka głupia, nie uwierzy!
– A jeśli?
– To przez najbliższe dni wszyscy będą się zastanawiali nad przyczynami twego upośledzenia!

Czekając na facetów ze sprzętem, obejrzałam z babcią wszystkie seriale meksykańskie i brazylijskie, a w przerwach wiadomości. Wszędzie mówili tylko o wojnach, tragediach, klęskach żywiołowych, aferach, skandalach. Przez kilka godzin nie podali ani jednej budzącej nadzieję informacji. Czy naprawdę taki jest nasz świat? A może w powodzi faktów zwracamy uwagę tylko na te, które nami wstrząsają? Albo ci od propagandy świadomie obrzydzają wszystko, by nasza nijaka egzystencja choć przez chwilę wydawała się lepsza?

Podeszłam do okna i z nosem przy szybie obserwowałam kota, który przyglądał się spacerującej po ścieżce sroce, a ona z kolei spoglądała na mnie, czy widzę to co ona, czyli psa, który leży w krzakach i obserwuje kota. Może mi się zdawało, ale miałam wrażenie, że sroka działa świadomie. Nie wtrącałam się, w końcu to ich świat.

– Przestań gapić się w okno! Jak nie masz co robić, to lepiej posprzątaj bałagan w swoim pokoju, a potem wyjdź do ogrodu i zobacz, jak tynk odstał. Trzeba go odbić, bo spadnie i kogo zabije!

Najwyraźniej babcię irytowało moje nieróbstwo. W jej pojęciu gapienie się w okno było stratą czasu, w przeciwieństwie do gapienia się w telewizor. Gdybym siedziała obok niej i wlepiała gały w ekran, pewnie by nie zauważyła, że nic nie robię.

Nie obchodził mnie tynk, ale dla świętego spokoju poszłam zobaczyć.

– Przecież tam są krzaki i najwyżej koty pod tą ścianą łażą! – oznajmiłam po powrocie.

Odzew babci był natychmiastowy:

– Kot też stworzenie boskie! Nie chcę, żeby w moim ogrodzie czyhała na niego śmierć! – wycedziła.

– Przecież rzucasz w nie kartoflami! – przypomniałam.

– Od kartofla jeszcze żaden nie zdechł! – oświadczyła i widziałam, jak zjeżyła się od wewnątrz, czekając na kontrę.

Ani mi się śniło podejmować walkę. W ogrodzie zafurgotało. Zdaje się, że sroka doprowadziła do tego, co zamierzyła: wpuściła kota w paszczę psa. Teraz siedziała na parapecie i skrzeczała. Założę się, że to był śmiech.

Faceci zjawili się późno. Bez mamy. Podjechali pod dom furgonetką. Mama przysłała tyle dobytku, jakby zostawiała mnie tu na całe życie. Nawet komputer, bez którego nie może się przecież obejść. Czyżby miała aż takie wyrzuty sumienia?

– Idę do przyjaciółki! – oświadczyła babcia, patrząc na stertę wyładowanych gratów. – Wrócę, jak wszystko upchniesz!

Godzinę później znalazłam ją na cmentarzu. Parę dni temu Aśka uświadomiła mi, że ta jej przyjaciółka od pięciu lat nie żyje. No cóż...

– Zmieściłaś wszystko w swoim pokoju czy mój też zagraciłaś? – spytała z przekąsem, gdy usiadłam obok niej na wąskiej ławeczce.

– A co, już ci zawadzam?

– Ty nie, ale za tymi rzeczami czuję twoją matkę!

Przyznam, że i mnie przyszło coś takiego do głowy. Mama wiele potrafi znieść, ale nie cierpi samotnych powrotów do pustego domu. Pewnie już sobie coś obmyśliła.

– Chodźmy do domu, bo zimno! – Wzięłam babcię pod ramię, ale nie drgnęła.

– Uciekła ode mnie! – usłyszałam nagle. – Zostawiła tu samą. Nie miała jeszcze piętnastu lat. Znalazła szkołę z internatem na drugim końcu Polski i wyniosła się. Przysyłała tylko koperty ze świadectwami z kolejnych klas. I nic więcej. Jak chciałam ją zobaczyć, musiałam sama jechać, a ona po godzinie takiej wizyty wychodziła i wiedziałam, że nie wróci, póki nie wyjadę. Miała mi za złe to, czego nie zrobiłam, ale człowiek czasami jest słaby, nieprzygotowany na to, co niesie życie. Potrzebowałam jej wtedy. Teraz już nie!

W powietrzu unosił się gorzki zapach dymu. Za cmentarnym murem tliła się sterta suchych liści. Człowiek dziwnie się czuje, gdy dowiaduje się takich rzeczy. Szczypało mnie w gardle i w oczach, ale wolałam myśleć, że to od dymu. Zrozumiałam tamtą mamę, jej złość i rozczarowanie, ale i babci było mi żal. Podjęła decyzję i uważała ją za słuszną, bo nie wycofała się, mimo że traciła drugą córkę.

Po raz pierwszy pomyślałam o człowieku, który zgwałcił Elkę. Ciekawe, czy jeszcze żyje, czy mieszka gdzieś w pobliżu.

– Chodźmy! Zrobimy sobie gorącej herbaty i usmażymy placków kartoflanych! – wymamrotałam, bo nagle zachciało mi się jeść. Wewnątrz głowy usłyszałam czyjeś sapanie i wolałam czuć zapach smażonych kartofli i tylko o nich myśleć. Wyciągnęłam babcię z cmentarza i całą drogę ględziłam o tych plackach. Aż skręcało mnie z głodu. Nie wiem, jak babcia za mną nadążała, bo prawie biegłam. W domu rzuciłam się na torbę z pyrami i obierałam je z takim zacięciem, że musiała mi wrzasnąć nad uchem: „Dosyć!". Nie mogłam pozbyć się myśli, że gdzieś już tego drania spotkałam.

Objedzone jak bąki rozsiadłyśmy się przed telewizorem. Leciał dramat psychologiczny, zbyt skomplikowany jak na moje możliwości. Nie mogłam się skupić na cudzym nieszczęściu. Babcia mogła i dlatego czułam się bezpiecznie.

– Są granice tego, co matka może zrobić dla własnego dziecka! – oznajmiła w pewnej chwili.

Odniosłam wrażenie, że to dalszy ciąg cmentarnego monologu, ale wolałam potraktować te słowa jako komentarz do filmu. Uniosłam brwi na znak, że nie mam na ten temat zdania. Może babcia czekała na jakieś pytanie albo zdziwienie, albo zaprzeczenie, albo cokolwiek. Nie doczekała się.

Wygoniła mnie zaraz po filmie, mówiąc, że idzie spać, ale wbrew zapowiedzi telewizor bębnił w jej pokoju do późnej nocy.

Spakowałam plecak na jutrzejszą wyprawę i wyszłam przez okno do ogrodu. Pomyślałam, że urządzę psu noclegownię w szopie. Co prawda to włóczykij, ale miałby gdzie spać, gdyby nie trafiło mu się nic lepszego. Szopa nie była używana, wielka kłóda od strony podwórka zdążyła zardzewieć. Krzaki i winorośl obrosły budę niemal całkowicie. Podejrzewałam, że babcia trzyma tam rupiecie sprzed lat. Naszła mnie chęć, by trochę w nich pogrzebać. Gdy zbierałam w krzakach kartofle, zauważyłam, że z tamtej strony deski są całkowicie spróchniałe.

Moje martensy okazały się niezawodne. Kopnęłam raz i wystarczyło, gwóźdź wyskoczył. Poczekałam, aż ulicą będzie przejeżdżał samochód, i to samo zrobiłam z drugą deską. Nie chciałam, żeby babcia słyszała, co robię. Może miałaby mi za złe. Obie deski wisiały teraz na górnych gwoździach i odchylały się tak, jak to sobie wyobraziłam.

Weszłam do środka i oświetliłam wnętrze latarką. O kurczę, nie tego się spodziewałam. Szopa była pusta, tylko w rogu stała zapadnięta kozetka. Kundel będzie zadowolony, ja byłam raczej rozczarowana. Zgasiłam latarkę i przysiadłam na brzegu leżanki. Dałam oczom czas, by przywykły do mroku. Po kilku chwilach rozróżniałam smugi sinego światła sączącego się przez szpary między deskami. Ogarnął mnie kojący spokój. Lubię takie chwile samotności, gdy otacza mnie ciemność. Zawsze, gdy chcę coś przemyśleć, zaciągam zasłony, gaszę lampę, a wtedy myśli stają się wyraziste; potrafię je rozróżnić, rozdzielić, ustawić w szeregi i z łatwością odnajduję zagubiony czegoś tam sens. Nawet siebie bardziej lubię w ciemnościach. Nic nie sprawia mi większej przyjemności niż wędrówki po równoległym świecie, który stworzyłam tylko dla siebie. Tata o tym nie wiedział. Kiedyś w odruchu złości zamknął mnie pod schodami. Mieliśmy taki schowek na wiadra i szmaty, zamykany na skobelek od zewnątrz. Zbił mnie i był wściekły, że nie płaczę. Wtedy potrafiłam już się zaciąć, zamknąć w sobie i nie czuć niczego. To go rozjuszało. Złapał mnie za włosy i wepchnął do tego schowka. Mamy nie było w domu, inaczej nie ośmieliłby się zrobić czegoś takiego, przy niej udawał, że jest dobry. Wypuścił mnie dopiero, gdy miała nadejść. Zagroził, że jak poskarżę... Niepotrzebnie się bał. Nawet nie podejrzewał, jaką mi sprawił radość, darowując kilka godzin spokoju. Powtarzał te próby wielokrotnie, ale nigdy nie zmusił mnie do rozpaczy. Nawet gdybym chciała dać mu tę satysfakcję, nie potrafiłam bać się ani samotności, ani mroku. Moja obojętność budziła w nim najpierw zdumienie, a z czasem coraz większe przerażenie. Miałam coś uodparniającego w mózgu, we krwi, że nawet brutalną tresurą nie mógł tego zwalczyć, chociaż, muszę przyznać, bardzo się starał. Był jednak bezradny wobec mojej zawziętości i nic nie mógł poradzić na swoje mną przerażenie.

Usłyszałam szmer i odchyliłam deskę. Myślałam, że to kundel i będę mogła od razu pokazać mu wejście na salony. Ale to nie był pies, tylko człowiek. Stał przyklejony do drzewa i patrzył przez oświetlone okno na babcię. Ja i ten ktoś trwaliśmy tak, znieruchomiali, póki babcia nie zgasiła światła. Nie czułam nic, zupełnie nic, jakby między mną a tym ludzkim kształtem pod drzewem była gruba szyba telewizora; wystarczy, że nacisnę wyłącznik, a jedno z nas zniknie. Zamknęłam oczy, a gdy je otworzyłam, nikogo nie było. Mięśnie tak mi zesztywniały, że miałam problem z wgramoleniem się przez okno do pokoju.

11

Czerwona tenisówka kołysała się nade mną, a ja leżałam obolała, brudna, zdziwiona, że żyję. Drzewa wirowały, a gdy usiłowałam wstać, runęły na mnie. Wreszcie ocknęłam się, nie wiedziałam, czy jestem sobą czy tamtą. Ostrożnie otworzyłam oczy i zerknęłam. Sufit. Dotknęłam twarzy... Syf na czole sprawił mi prawdziwą radość. To ja.

Wstałam i poszłam napić się wody. Postałam chwilę, nasłuchując chrapania babci. Miałam ochotę położyć się obok niej, ale po namyśle zrezygnowałam; w takim hałasie i tak bym nie zasnęła. A to był przecież tylko zły sen.

Wszystko mieliśmy przygotowane. Czekaliśmy, aż reszta Stada skończy lekcje i wróci ze szkoły.
– A może Adaś z nami pójdzie? – przypomniało mi się.
– Nie ma go. Pojechał do Krakowa! – mruknęła Aśka i chociaż nie powinno mi to zrobić specjalnej różnicy, poczułam się oszukana. Nawet nie przyszedł się pożegnać.
– Szkoda! – westchnęłam. – Byłoby jak dawniej!
Spojrzała na mnie spod oka.
– Nigdy nic nie jest takie jak dawniej! – oznajmiła, ale uznałam, że przesadza. Są góry, jest jaskinia i jest Stado. Obędzie się bez Adasia.

Gdy Milo z Milką przybiegli, staliśmy im nad głowami, by szybciej jedli obiad. Ostatnie kęsy połykali z plecakami na ramionach. I jazda! Kierunek – jaskinia! Odkrył ją podobno nasz prapradziadek, ale nie wiem, ile w tym prawdy. W czasie wojen służyła jako kryjówka dla różnego rodzaju uciekinierów, po ostatniej ludzie ukrywali tu nadwyżki żywności i mienia. Odkąd znaleziono w niej trupa, jej atrakcyjność zdecydowanie zmalała. To mniej więcej wtedy zachorowała Elka. Ofiarą był włóczęga, zwykły śmierdziel, o którego nikt się nie upomniał. Piętno zbrodni, którym jaskinia została naznaczona, spowodowało, że miejsce to stało się całkowitym odludziem. Większość mieszkańców miasta nie pamięta dziś nawet, jak tam dojść.

My pamiętamy i chodzimy. Jezu, co to za miejsce! Cisza jest tam tak głęboka, że się w niej tonie. Ale nie ma nic za darmochę. Tutaj ceną jest godzina uciążliwego marszu pod górę. Dla mięczaków dwie godziny.

Wyszłam z wprawy, ale ze wszystkich sił starałam się nie okazać słabości. Kosztowało mnie to pół zdrowia. Boże, jaka zrobiłam się stara. Kiedyś wbiegałam tu ze śpiewem na ustach. Moje płuca!

Po kwadransie zeszliśmy ze szlaku i skręciliśmy w leśną ścieżkę. Właściwie to nie była nawet ścieżka, tylko ledwie jej zarys. Potem wzdłuż strumienia i znowu w las. Trzeba uważać, by skręcić we właściwym miejscu, przy podwójnym modrzewiu, bo można narobić sobie kłopotów. Wybałuszyłam oczy, by wypatrzyć charakterystyczny punkt, a i tak dostrzegłam go ostatnia.

Ledwo żyłam. W skroniach mi łupało, a nogi wlokły się sto metrów za mną. Myślałam, że padnę trupem. I nagle poczułam, jak zimna obręcz zaciska mi się wokół szyi i coś zaczęło mnie wsysać. Miałam wrażenie cofającego się czasu. Jakby świat wciągnął oddech. Szłam tą samą ścieżką, tylko że na nogach miałam głupie czerwone tenisówki. Chciałam białe, a mama uparła się na takie. Byłam zła i biegłam do jaskini, żeby się schować.

Wydech. I wszystko znikło. Spojrzałam na swoje nogi. Martensy, żadne tenisówki. Kurde, co to było? Aśka coś do mnie mówiła, ale nie słyszałam co. Szumiało mi w uszach. Plecak ciągnął do tyłu.

– Już niedaleko! – powtórzyła.

Kiwnęłam głową, bo gardło miałam zaschnięte. Czułam, jakbym zgubiła samą siebie, a ktoś inny wepchnął się w wolną przestrzeń wewnątrz mnie. Dotarłam resztką sił. Pocieszające, że pozostali również. Zdyszani rozłożyliśmy się na nagrzanych kamieniach jak jaszczurki. Rozciągnęłam się i zagapiłam w niebo. Wierzchołki drzew kołysały się lekko, usypiająco, a wiatr głaskał włosy i zlizywał pot ze skóry. Co to było, do diabła? Ktoś gdzieś mówił, że czas jest realny jak długość, szerokość, wysokość; jest czymś w rodzaju kliszy filmowej, na której wszystko jest zapisane. Wynikałoby z tego, że można włączyć cofanie albo przewijanie i oglądać dowolny fragment życia tyle razy, ile ma się ochotę. Tyle że mnie włącza się nie mój film. Podejrzewam czyj i wcale nie chcę go oglądać. Boję się, co mogę zobaczyć dalej. Gdzie się to wyłącza?

Wszyscy już weszli do jaskini. Jeszcze byłam zesztywniała od wysiłku, ale zlazłam z kamienia i poczłapałam za Wilkami. Nie chciałam zostawać sama. Tu nikt nikogo nie popędza, bo gdy się wejdzie, trzeba być przygotowanym na silne przeżycie. To, co się z człowiekiem dzieje, jest nie do opisania. Wystarczy stanąć nieruchomo i odetchnąć. Zamknęłam oczy i poczułam mrowienie w palcach nóg, w łydkach, kolanach, a potem w każdym zakamarku ciała, nawet w oczach, paznokciach i włosach. Rozpadałam się i rozpływałam po całym kosmosie. Malałam, aż skurczyłam się do wielkości jednego atomu. A potem ogromniałam, aż stałam się całym wszechświatem i zrozumiałam wszystko, co było do zrozumienia. I znów malałam, i znów ogromniałam. Kurczyłam się i rosłam. Trwało to całe wieki, tysiąclecia, wieczność. Wszyscy przeżywają w jaskini coś takiego, ale każdy po swojemu. Aśka pływa nad światem i słyszy, co mówią ludzie; Milo szuka nóg, rąk, oczu, dwunastnicy i zawsze ma stracha, że nie uda mu się wszystkiego odnaleźć; Hirek spada, ale jeszcze nigdy nie dotknął dna. Niesamowite wrażenia. Niesamowite miejsce.

– Uuuuuuuu!!! – ktoś wrzasnął mi nad uchem i uszczypnął w tyłek. Mamy umowę, że kto pierwszy oprzytomnieje, wyciąga resztę z transu. I zaczynają się gonitwy: korytarz w lewo, korytarz w prawo, i jeszcze raz w prawo, i w lewo, i w prawo, a teraz na wprost, a później znów w lewo. To nasza ulubiona zabawa: tak namącić, żeby się zgubić. Najfajniejsze jest szukanie wyjścia z labiryntu. Nie radziłabym próbować tego komuś, kto nie zna naszego sekretu: wystarczy unieść rękę i poszukać znaku. Wszystkie groty są świetnie oznakowane. To pozostałość po którejś wojnie. Zabawa jest ekscytująca tak długo, póki nie sprawdza się znaków. Strzałki umieszczone w wiadomych nam miejscach czynią z labiryntu miejski deptak.

Nawet nie zauważyliśmy, jak na zewnątrz zapadł zmrok.

– Jeść! Jeść! Jeść!

Poszliśmy po chrust. Potem paliliśmy ognisko, piekliśmy kiełbaski, piliśmy piwo i gadaliśmy o wszystkim – o szkole, o filmach, o babci, o mamie i Elce. Po piwie kręciło się w głowie i było mi lekko. Gadaliśmy o Elce tak, jakbyśmy zapomnieli, że kilka dni temu był jej pogrzeb. Czas zatrzymał się nad nami i trwał, trwał, jak wtedy, gdy byliśmy mali.

– Podobno Elkę ktoś zgwałcił i od tego pomieszało się jej w głowie! – powiedziałam z wahaniem.

Jeszcze słowa nie przebrzmiały, a mnie już było głupio, że wyklepałam to, co mamie z takim trudem przyszło wyznać.

W milczeniu przeżuwali moją rewelację i zaczęłam podejrzewać, że wiedzieli o tym wcześniej ode mnie.

– Ojciec mówił, że znalazła tego zarżniętego faceta i dlatego straciła rozum! – zająknęła się Milka.

Jej słowa utwierdziły mnie w przekonaniu, że temat Elki nie był dla Wilków tabu. Rozmawiali o niej, zastanawiali się, szukali przyczyn i to było naturalne. Czułam, jak wzbiera we mnie złość na mamę. Od lat zajmuje się problemami innych ludzi, wywlekaniem na światło dzienne spraw, od których włosy stają dęba, i bez specjalnych zahamowań pokazuje bezwzględność świata. Jednocześnie dokłada starań, by dramat jej siostry pozostał dla mnie odległy, obcy, by rozmył się w niepamięci. Babcia może miała jakieś swoje racje, zachowując milczenie, ale mama?

Wilki patrzyły na mnie wyczekująco. Pewnie im się zdawało, że wiem więcej niż oni, i chcieli to ze mnie wydusić. Cóż mogłam im powiedzieć? Że byłam jedyną osobą, którą udało się rodzinie utrzymać w nieświadomości przez tyle lat? Że o tym, o czym oni wiedzieli od dawna, ja dowiedziałam się parę dni temu?

– A może ten włóczęga ją zgwałcił, a ona go zaszlachtowała?

– Hirek nie wytrzymał napięcia i zaczął snuć makabryczne przypuszczenia. Wzdrygnęliśmy się jak na komendę.

– Oglądasz za dużo amerykańskich filmów! – ofuknęła go Julka i trzepnęła gałęzią przez plecy.

Nad polaną zawirował zimny podmuch. Przewiał nas na wylot i rozsypał iskry. W tym samym momencie zaszeleściły krzaki i między drzewami przesunął się długachny cień. Jęknęłam. Aśka pisnęła mi nad uchem, a chłopaki zerwały się na równe nogi. Milo ściskał w ręku toporek do rąbania gałęzi, a Hirek zastygł z wyszczerzonymi zębami, jak psiak.

Poznaliśmy go dopiero, gdy zbliżył się do ognia. W milczeniu podziwialiśmy firmowy dres i plecak ze stelażem. Dyszał

z wysiłku; mieliśmy czas, by złapać oddech po tej chwili prze-
strachu.

– Ooo, panicz Tarwid! – zdziwił się w imieniu wszystkich Julek. Bardzo się starał, by w jego głosie nie zabrzmiał nawet cień
zachęty. – Co to, dzisiaj bez tatusia?

Chłopak łypnął białkami oczu, co przyprawiło mnie o zawrót
głowy. Znów był piękny, a ja tak oszołomiona, że zapomniałam
o oddychaniu. Gdy po chwili gwałtownym haustem napełniłam
płuca, zabrzmiało to jak westchnienie. W jednej chwili darowa-
łam mu chamski numer z pubu. Znów miał u mnie czyste konto.
Boże, żeby nie dał się przepędzić i został z nami!

– Można? – spytał i nie czekając na odpowiedź, zrzucił plecak i opadł na kamienne siedzisko. Wciąż dysząc, wyciągnął
z kieszeni puszkę piwa, otworzył ją z trzaskiem i wypił, nie odry-
wając od ust. Wyglądał na przestraszonego i za wszelką cenę
chciał to przed nami ukryć. Wszystko, co robił, było zbyt pospieszne i nerwowe. Nie mógł się powstrzymać przed czujnym
spoglądaniem za linię, gdzie sięgał blask ognia. Nikt nic nie mówił, ale jemu to chyba nie przeszkadzało.

– Pan, panie Tarwid, tutaj w interesach czy dla przyjemności?
– wycedził Milo gburowato, gdy milczenie zaczęło nam już przeszkadzać.

– Dlaczego w interesach? – zdziwił się mój śliczny.

– Wzorem tatusia. Jaki ojciec, taki syn, mawiali starożytni! –
zaśmiał się głupkowato Milek.

Atmosfera była nieprzyjemna, ale on musiał być zdeterminowany, bo zacisnął tylko usta i nic nie odpowiedział.

– To jest Olek Tarwid! – zwróciła się do mnie Aśka, gdy już
pogodziła się z myślą, że Olek nie ma zamiaru nas opuścić. –
Pamiętasz go?

Serce omal nie wypadło mi przez luki między żebrami, ale
stać mnie było tylko na skinięcie głową, gdy mówiła mu, kim

jestem. Ledwo na mnie spojrzał, w dodatku z tak niechętną miną, jakbym przypominała mu kogoś, kogo nie lubi. Potem odwrócił głowę i zagapił się w ogień. Dupek! Nie wysilił się nawet, by skupić na mej twarzy wzrok bodaj na sekundę.

Zrobiło się chłodno i rozeszliśmy się po swetry i koce, a chłopaki przytargały bliżej ognia stos suchych gałęzi. Olek siedział nieporuszony, zagapiony w ogień. Nasze cienie przesuwały się po skalnej ścianie, tworząc scenografię do horroru. Niebo obniżyło się i gdyby nie ostre czubki sosen, przylgnęłoby całkiem do ziemi. Piekliśmy kiełbaski i opowiadaliśmy kawały. Śmialiśmy się, ale nie było wesoło. Nie opuszczało nas skrępowanie. Julka obeszła wszystkich i dolała do herbaty wina porzeczkowego. Wypiłam pół kubka i pogrążyłam się w myślach. Tak czy inaczej Olek siedział obok mnie, a to rozbudzało wyobraźnię. Świat jest dziwny i nic, co nam się przydarza, nie jest przypadkowe. Gdzieś przeczytałam takie zdanie i teraz powróciło do mnie razem z wrażeniem, jakie wówczas wywarło. Czy to, że ten chłopak tu przylazł, będzie miało jakiś wpływ na moje życie? A to, że zjawił się, gdy gadaliśmy o Elce, ma z nią coś wspólnego? Myśli plątały się, wirowały, splatały w warkocze, rozplatały... Nie wiedziałam już, czy były moimi myślami, czy snem albo może projekcją czyjejś świadomości...

– Naprawdę? – zbudziły mnie okrzyki Wilków. Zorientowałam się, że skierowane były do Olka. Słyszałam w nich drwinę.

– Dyro zainteresował się moim pomysłem i jeśli się nie rozmyśli, da mi forsę na realizację! – mówił Olek z ożywieniem.

Byłam zła, że nie usłyszałam, o co chodzi. Nie chciałam teraz wypytywać. Włączyłam słuch i z dalszej rozmowy wywnioskowałam, że chodzi o malowidło na ślepej ścianie szkoły, coś w rodzaju graffiti. Olek gestykulował i robił zabawne miny. Musiało

mu bardzo na tym zależeć, bo zapomniał nawet o swej wynio-
słości.

– Jeśli dyro się zgodził, to po co ci jego forsa? Stary ci nie da
tych paru groszy? – zdziwił się Julek.

– Wolałbym zrobić coś sam! Bez pomocy i wpływów ojca! –
Zabrzmiało to ostro jak uderzenie biczem, a twarz Olka w blasku migających płomieni wyglądała jak maska demona.
Zapadło milczenie. Nikt go długo nie przerywał, bo pasowało do mroku, jaki nas otaczał. Nawet ognisko przygasło. Z ulgą
zauważyłam, że zauroczenie Olkiem znów flaczeje, rzednie i wycieka przez skarpetki. W tym chłopaku było coś dziwnego, jakaś
słabość. Miałam mu za złe, że po prostu nie odszedł, tylko pozwalał nam bawić się swoim zakłopotaniem. Teraz wszyscy czuliśmy się skrępowani i to była jego wina. Miał twarz anioła, ale
w tych nieskazitelnych rysach wyczuwało się coś nieprzyzwoitego. Nie potrafiłam wskazać szczegółu, który czynił ją taką. Może
to tylko zmącony winem wzrok i refleksy ognia? Cienie pełzały
po wszystkich twarzach, nadając im diabelskie cechy. Jedno wiedziałam na pewno: jego bliskość wywoływała we mnie niepokój.
Nie mogłam jednoznacznie ustalić, podoba mi się czy nie. Prze-
ciwstawne uczucia wymieszały się dość skutecznie, powodując
całkowitą dezorientację. Wiem z encyklopedii, że to się nazywa
ambiwalencja uczuć, ale nie sądziłam, że to takie okropne.

W pewnej chwili uchwyciłam spojrzenie Mila. Tak jak i ja
wgapiał się w Olka, tyle że nie z zaciekawieniem, ale z wyraźnym obrzydzeniem. Olek poczuł jego spojrzenie. Mierzyli się
przez chwilę wzrokiem, aż wreszcie Wilk roześmiał się i wyciągnął ze schowka drugą butelkę wina. Miała być na jutro, ale nikt
nie zaprotestował.

Kiełbaski się skończyły, ale mieliśmy jeszcze ziemniaki.
Przed nami była cała noc. Nikomu nie chciało się spać. Iskry
strzelały, a my gapiliśmy się na fruwające ogniki i gwiazdy. Olek

odsunął się od ognia, otrzepał swój piękny dres i oświadczył, że idzie na wyższą polanę, gdzie można rozbić namiot.

– Boisz się spać w grocie włóczęgi? – spytał Hirek, a Olek wzdrygnął się i rozejrzał niespokojnie wkoło, co sprowokowało nas do szaleńczego śmiechu. Nim ochłonęliśmy, już go nie było. Aśka przyłożyła mi łokciem w bok.

– Gapiłaś się jak gapa w gnat! – powiedziała z wyrzutem.

– Jest taki ładny! – westchnęłam.

– To gej, mówię wam! – oznajmił Milo. – Ciota! Wyśmialiśmy go.

Zagrzebaliśmy pyry w popiele i rozłożyliśmy się wokół dogasającego ogniska. Patrzyliśmy na gwiazdy. Po papierosach i winie zrobiły się wielkie, kolorowe i niebezpiecznie bliskie. Mknęliśmy ku nim albo to one spadały. Całym ciałem przylgnęłam do ziemi. My i gwiazdy zbudowani jesteśmy z identycznych atomów. Tylko od nas zależy, czy będziemy tak jak one błyszczeć czy nie. To też gdzieś słyszałam i chciałam powiedzieć Wilkom, ale bałam się, że po takiej ilości wina nie załapią i będę musiała tłumaczyć, o co mi chodzi, i wszystko rozmyje się w słowach.

Wyparował ów nieuchwytny fałsz, który wniósł ze sobą Olek. Opowiadaliśmy świńskie kawały i jedliśmy pieczone kartofle. Szumiało mi w głowie, gdy zasypiałam. Nic mi się nie śniło albo inaczej – śniła mi się pustka, jeśli coś takiego może się w ogóle śnić. Dopiero nad ranem utkwiłam w jakiejś niszy. Plecami dotykałam szorstkiej ściany, było mi zimno i dygotałam z przerażenia. Okazało się, że Aśka ściągnęła ze mnie obydwa koce.

Wstaliśmy późno i zaczęliśmy dzień od sprzeczki, kto ma szykować śniadanie. Nie było o co się kłócić, bo ostatecznie dla wszystkich starczyło roboty. Nim minęło południe, skończyły się nasze zapasy. Zostało parę kartofli i chińskie zupki.

– Chyba trzeba będzie wracać! – westchnął Julo.

– Hirek zeżarł najwięcej, niech schodzi na dół po prowiant! – zaproponowała Aśka.

– Jeszcze czego! – rozdarł się mały. – Lepiej pójdę na polowanie.

I z miejsca zaczął montować z gałęzi broń: krzywy łuk i strzały. Ustaliliśmy, że dzisiaj musi nam wystarczyć to, co mamy, a na dół zejdziemy dopiero w niedzielę rano. Chłopcy wybrali się po kamienie półszlachetne. Znali takie miejsca, skąd mogli przydźwigać worek okazów. Wystarczyło je z grubsza oszlifować, pomazać bezbarwnym lakierem i nanizać na sznurki. Turyści zapłacą za te gówna majątek. Julka poszła z chłopakami. Milka zapełniała rysunkami swój szkicownik, a Aśka rozłożyła się na kamieniu i korzystała z promieni słońca. Nie chciała nigdzie iść. Ja poszłam do jaskini. Pachniało wilgocią. Wędrowałam korytarzami w poszukiwaniu czegoś. Początkowo nie zdawałam sobie sprawy czego, ale gdy skupiłam się, uświadomiłam to sobie jasno i poczułam się idiotycznie, bo chodziło mi o miejsce widziane we śnie. Nawymyślałam sobie od kretynek, ale szukałam nadal, udając sama przed sobą, że to takie tylko wędrowanie. Nogi szły, dłoń przesuwała się po chropowatej ścianie – działo się to jakby poza świadomością. W głowie miałam wyraźny plan labiryntu. Krążek żółtego światła nie był mi potrzebny. Zgasiłam latarkę i jak we śnie nie mogłam przestać iść, aż natrafiłam na zagłębienie w ścianie. Była to tylko płytka nisza, mógł się w niej zmieścić najwyżej kot. Poświeciłam latarką i dokładnie obejrzałam. Nic. Poświeciłam niżej, przykucnęłam i tam właśnie, z pół metra nad ziemią, znalazłam napis: MELBA. Zimno okręciło mi się wokół szyi i spłynęło w dół po kręgosłupie. Zachciało mi się siku.

Elka. Znalazłam ślad Elki. Żywej Elki sprzed trzydziestu lat. Musiała siedzieć tu wkurzona albo nieszczęśliwa i ulżyła sobie, ryjąc obelżywe słowo na ścianie swej kryjówki.

Pchana jakimś nieodpartym przymusem wcisnęłam się w zagłębienie. Dotknęłam plecami do zimnej ściany tak jak ona wiele lat temu, tak jak ja dzisiaj we śnie. Wstrząsnął mną dreszcz, który niespodziewanie dla mnie samej przeszedł w łkanie. Ni stąd, ni zowąd zaczęłam ryczeć. Z żadnego konkretnego powodu. Ot, tak po prostu, naszło mnie na płacz. Łzy leciały mi po twarzy i skapywały z brody na kolana, a łkanie wydobywało się z głębin, nie wiem, z płuc, z serca, z wątroby? Wszystko we mnie dygotało. Nie mogłam przestać i wcale nie chciałam przestawać. Musiało się we mnie coś wypłakać do dna. Nie czułam smutku, nie byłam nieszczęśliwa, bo ten płacz nie dotyczył bezpośrednio mnie. Płakałam za kogoś, kto tego nie potrafił, komu przewód od płakania zawiązał się na supeł. Ja musiałam wypłakać się w jego imieniu.

Potem wszystko we mnie umilkło, ale pozostało przeświadczenie, że nic tak naprawdę nie ma końca, wszystko trwa nadal i ja w tym uczestniczę, i nie ma żadnego znaczenia, czy tego chcę. Tak po prostu jest. Latarka zaczęła przygasać. Spojrzałam na zegarek. O kurczę! Spędziłam tu ponad trzy godziny. Pora wracać.

Powrotna droga zajęła mi kwadrans. Na polanie nie było nikogo. Usiadłam, żeby przyzwyczaić wzrok do dziennego światła. Gdy od skały oderwał się jakiś kształt, pomyślałam, że to Wilki wracają.

– Hej! – zawołałam, ale to był tylko zając. Zatrzepotał się w krzakach, aż wstałam i poszłam zobaczyć, czy nie złapał się w jakieś sidła. Miłość do przyrody to jedno, a pieczeń z zająca to całkiem inna sprawa. Ale nie! Szarak miotał się między polaną a ścieżką, którą dopiero ktoś przeszedł. Wychyliłam się. Facet z małym plecaczkiem. Widziałam jeszcze jego czerwone karczycho wylewające się zza kołnierza granatowego dresu. Potem zszedł niżej i zniknął mi z oczu. Zając też.

Czas płynął leniwie. Chłopcy segregowali znalezione kamienie. Kilka było naprawdę pięknych. Wszystko działo się wolno. Zbyt wolno. Powietrze było ciężkie i lepkie jak przed burzą. Dręczyło mnie poczucie zagrożenia, przywleczone z jaskini. Nie chciało mi się nawet gadać.

– A gdzie jest mały? – spytała Julka. W jej głosie nie było niepokoju, ale pytanie zelektryzowało wszystkich. Dopiero teraz zauważyliśmy, że wciąż go nie ma.

– Na pewno zaraz przylezie. Głód go przyciągnie! – machnął ręką Julek, ale nikogo to nie uspokoiło.

Skóra mnie swędziła. Włoski na ręku stały na baczność; przygładziłam je, ale nie pomogło. Złe przeczucie pogłębiło się. Poczekaliśmy jeszcze trochę, ale powoli głód, okazy kamieni, chrust na ognisko – wszystko stawało się coraz mniej ważne. Zaczął ogarniać nas niepokój.

– Może jednak zszedł na dół po prowiant? – wymyśliła Aśka i przez kilka minut trzymaliśmy się tej myśli, póki Julek nie sprawdził plecaków. Wszystkie były na miejscu.

– Malina zostaje i czeka, a my dzielimy się na pary i idziemy go szukać! – zarządził Julek.

Zostałam sama. Najpierw cieszyłam się, że nie muszę nigdzie łazić, ale już w chwilę potem ogarnęło mnie poczucie bezsilności. Przypomniała mi się MELBA jak ostrzeżenie przed złem. Zapragnęłam być już w domu, oglądać jakieś byle co w telewizji i bać się sztucznym strachem.

Pół godziny później pędziłam na dół. Na złamanie karku. Byle prędzej. Aśka spytała, czy dam radę. Kiwnęłam głową, bo przez zaciśnięte gardło nie mogłam wydobyć głosu. Gdybym się zawahała, poleciałaby ze mną, ale bardziej była przecież potrzebna tutaj. Julek wcisnął mi do ręki kawał drąga. Spojrzał w oczy, a ja jeszcze raz kiwnęłam głową. Pogotowie, jak najprędzej.

Znaleźli Hirka przy górnej jaskini. Nieprzytomnego. Z rozwaloną głową i śladami uderzeń na całym ciele. Obok, na skalnej ścianie, widoczne były krwawe plamy. Ktoś uderzał o nią głową chłopaka. Wiele razy. Drzewa migały mi w oczach, a nogi same trafiały na właściwe kamienie. Nie myślałam o tym, że mogę zabłądzić. Potrzebna była szybka pomoc. Milo z Julkiem montowali nosze i zaraz ruszą moim śladem, tyle że będą robili to dużo wolniej. Pogotowie powinno czekać u podnóża, nim zejdą. Podświadomie rejestrowałam charakterystyczne punkty trasy. Całą uwagę skoncentrowałam na kiju ściskanym w dłoni. Jak ktoś mnie zaczepi, uderzę i będę uderzała tak długo, póki nie będę mogła biec dalej. Modliłam się, by nikt nie stanął mi na drodze.

Gdy byłam już na dole, poczułam mdłości. Oparłam głowę o pień i zwymiotowałam.

12

Nie wiem, komu i w jaki sposób wytłumaczyłam, co się stało. Nadal trzymałam się tego kawałka kija, gdy wujek odwoził mnie do domu, i nie mogłam rozewrzeć palców, gdy wyjmowali mi go z ręki. Trzęsłam się, płakałam, teraz dopiero przerażona. Dali mi jakiś zastrzyk. Nie chciałam zasnąć, w obawie, że będę musiała spać wiecznie jak Elka. A gdy już zasnęłam, miałam pewność, że kontroluję swój stan i mogę się obudzić, gdy tylko zechcę. Ale nie chciałam. Spać było bezpieczniej. Nie byłam pewna, czy kiedykolwiek będę miała ochotę się zbudzić.

Gdy się ocknęłam, było ciemno, a babcia siedziała ze skamieniałą twarzą przy telefonie. Wyglądała, jakby czuwała przy umarłym.

– Babciu...
– W porządku... żyje... – uspokoiła mnie.
Co za ulga. Żyję. Jak to dobrze, że nie usnęłam na zawsze.

Musiałam dostać niezłą dawkę środka uspokajającego, bo obudziłam się któregoś dnia rano.
– Jaki to dzień, mamo?
Przyszła babcia.
– Dzięki Bogu! Niedziela! Spałaś jak zabita przez dwadzieścia godzin! Jak się czujesz? Dzwonił Nowakowski. Zaraz przyjdzie, żeby cię przesłuchać.
– Kto? Co? – nie zrozumiałam.
– Komendant posterunku. W sprawie napadu na Hirka. Może coś widziałaś?
– Czy widziałam komendanta? Chyba nie...
Świadomość wróciła mi nagle. Jakieś zablokowane złącza wewnątrz mózgu chwyciły i przepłynął impuls elektryczny. Przypominało to cios pięścią w żołądek. Hirek!
– Co z Hirkiem!?
– Żyje! – powtórzyła babcia, ale takim tonem, że nie uwierzyłam. Nie miałam jednak siły, by próbować to sprawdzić.

Odpowiedziałam Nowakowskiemu na pytania, ale chyba nie nadawaliśmy na tych samych falach. Jego pytania i moje odpowiedzi rozmijały się. Trwało całe wieki, nim słowa dotarły do mnie, i następne lata, nim zdołałam sklecić jakąś odpowiedź. Ostatecznie obydwoje byliśmy rozczarowani rezultatem. To, co miałam do powiedzenia, Nowakowski wiedział już od Wilków. Ich przesłuchiwał wczoraj. Nawet Olka ściągnęli ze szlaku. Był wstrząśnięty, ale też niczego podejrzanego nie zauważył. Miałam wrażenie, że ta rozmowa źle się potoczyła. Nie powiedziałam o czymś, o czym powinnam była pamiętać. Próbowałam się skupić, ale nie było to łatwe, bo świat dostał świra i kręcił się nie w tę stronę, co trzeba.

– I co zamierzacie robić? – Głos babci brzmiał napastliwie. – Wysłałem patrol, ale nie trafili na nikogo podejrzanego. Dzisiaj znowu poszli, ale jak na razie nic. – Policjant rozłożył bezradnie ręce. – Przy tym nawale turystów trafić się może niejeden oszołom. Potrzebny byłby pluton wojska, żeby patrolować same szlaki, a co dopiero cały teren! A nas jest tylko czterech – dodał usprawiedliwiająco.

– Więc ściągnij, człowieku, ten pluton! – Babcia walnęła laską o framugę drzwi. Widziałam, że miała ochotę przyłożyć nią policjantowi. – Jakbym mogła, sama bym poszła!

Nowakowski skrzywił się.

– Równie dobrze mógł to być włóczęga. Od wiosny kręci się ich kilku w Średnim Borze. Znają teren lepiej od nas i nie dadzą się podejść tak łatwo. Z reguły są nieszkodliwi. Do tej pory nie było z nimi kłopotów, ale z takimi nigdy nic nie wiadomo. Spróbujemy się na nich zastawić, ale to potrwa.

Machnął ręką, zniechęcony, i wyszedł. Po chwili wetknął głowę przez okno.

– I jeszcze jedno! Lepiej nie rozgłaszać o napaści, ze względu na turystów!

No tak, jedyna policyjna rada: siedźcie cicho, bo turyści nawieją. Babcia zamachnęła się lachą, jakby chciała nią rzucić, i głowa komendanta znikła.

– Wszystko powiem i do telewizji zadzwonię! Jak przyjadą z kamerami i pokażą w wiadomościach wasze tłuste dupska, to zaraz będziecie wiedzieli, co trzeba robić! – darła się tak głośno, że i bez telewizji pół miasta słyszało. Kasprzakowa wychyliła się ze swojego okna i uzupełniła wystąpienie babci własnym komentarzem. Nie myślałam, że kobiety w podeszłym wieku znają takie słowa! Zastanawiałam się, jaka kara może im grozić za obrazę władzy.

Nakryłam głowę i całą siłą woli starałam się przyhamować pędzący donikąd świat. Świat pełen świrów, włóczęgów i innych pomyleńców. Babcia usiadła, ukryła twarz w dłoniach i zaczęła jęczeć. A może nie jęczała, tylko modliła się, żeby anioł stróż małego Wilka nie był podobny do Nowakowskiego.

– To nie był włóczęga – powiedział kilka dni później Hirek, gdy już mógł mówić. – Od włóczęgi śmierdzi, a ten pachniał old spice'em!

Szyję usztywnili mu gipsowym gorsetem. Lekarze powiedzieli, że i tak miał masę szczęścia, że wyszedł z tego żywy.

– Nie widziałem go, ale musiał być silny, bo złapał mnie od tyłu za szyję, podniósł do góry i walnął o ścianę. Potem nic już nie pamiętam!

Musiałam wyjść, bo zrobiło mi się słabo. To samo zdarzyło się przecież w moim śnie.

Czułam się dziwnie. Niby wszystko wyglądało zwyczajnie, ale powietrze było gęściejsze i przelewało się między meblami jak kisiel. Jacyś ludzie śmiali się skrzekliwie, ale to nie mogli być ci, za których się podawali, bo ani Aśce, ani babci, ani ciotce Wilkowej nie było do śmiechu. Kim byli? Czego ode mnie chcieli? Patrzyli przeze mnie na wylot. Jeszcze nigdy nie czułam się tak bezradna.

Dzień, noc, dzień, noc, przemijanie, przesuwanie się w czasie, wędrówka donikąd. Budziłam się, myłam zęby, brałam prysznic, wkładałam czyste majtki, wychodziłam na ulicę, rozglądałam się w lewo i w prawo, żeby nie rozjechał mnie samochód, a rozsądniej byłoby patrzeć do tyłu, by ktoś niespodziewanie nie chwycił mnie za szyję i nie trzasnął o mur. Miałam wrażenie, że ziemia oddaliła się, i nie wiedziałam, jak mocno mam stąpnąć, by jej dosięgnąć.

To moja wina! Ja ich namówiłam, żeby pójść do jaskini! Gdyby nie ja, nic by się nie stało!

Trwałam w oszołomieniu, które tylko częściowo spowodowane było środkami uspokajającymi. Wypełzały ze mnie wszystkie lęki, strachy, niepokoje ukrywane latami na dnie świadomości. To cholerne dno miało swój kres i wypełniło się po brzegi, a teraz cała breja zaczęła się wylewać.

– To moja wina! – nie umiałam wyłączyć tej taśmy. – Śniło mi się coś okropnego i powinnam była wiedzieć, że to jest ostrzeżenie!

– Nie bądź głupia! – zdenerwowała się wreszcie babcia. – Mnie też śnią się różne okropności, ale to nie znaczy, że odpowiadam za wszystkie gówna tego świata!

Starała się, ale nie przekonała mnie.

Miałam wrażenie, że tkwię na dnie akwarium, gdzieś między kamykami, zielskiem i rybimi gówienkami. Nie miałam rozeznania, gdzie jest powierzchnia, i nie chciało mi się nawet o tym myśleć. Przerażała mnie świadomość, że w którymś momencie zabraknie mi powietrza i albo zostanę tam na zawsze, albo będę musiała zdobyć się na wysiłek i wyleźć na wierzch. Sama byłam ciekawa, na co się zdecyduję. Najprościej byłoby zadzwonić do mamy i powiedzieć, że pochopnie zdecydowałam się na pozostanie z dala od niej i nie jestem jeszcze wystarczająco dorosła, by brać odpowiedzialność za siebie, i nie myślałam, że tutaj jest gorzej niż gdzie indziej, i że wszystko jest ponad moje siły.

Babcia też nie mogła znaleźć sobie zajęcia. Snuła się po mieszkaniu i wiodła niekończący się monolog. Gadała sama do siebie i zadowalała się własnymi odpowiedziami na swoje pytania. Na szczęście ode mnie nie oczekiwała niczego. Wystarczało jej, że jestem i od czasu do czasu kiwam głową.

Mama chciała przyjechać od razu, ale babcia orzekła, że jej obecność niczego nie zmieni – Hirek leży w szpitalu, a lekarze robią, co mogą, żeby na całe życie nie został kaleką. Wiadomość zaskoczyła ją w Bieszczadach, gdzie kręciła reportaż o głodujących rodzinach, które żyją z tego, co upolują.

– Za dwa dni kończymy, wtedy przyjadę i zabiorę cię stamtąd! Żałuję, że cię zostawiłam! Nawet nie próbuj protestować!

Ani mi się śniło. Już byłam zdecydowana: jak tylko pojawi się jej samochód, wsiądę, zaprę się rękami i nogami i nie dam się wyciągnąć.

Dwa dni.

Może jakoś przetrzymam. Muszę tylko pamiętać, by ciągle oglądać się za siebie.

Matematyk nie uszanował mojego prawa do trwania w depresji i kazał mi rozwiązać zadanie. Nie zrozumiałam nawet połowy polecenia. Postawił mi jedynkę. Wredny dziad. Do diabła z nim. Dwa dni.

Byłam rozbita. Nie mogłam skupić się na niczym. Jedyna czynność, przy której nic mnie nie bolało, to gapienie się w ekran telewizora. Przez kilka dni nie słuchałam wiadomości, ale okazało się, że nie zdarzyło się nic, bez czego nie mogłabym się obyć. Świat robił swoje, a ja nie miałam z nim nic wspólnego.

Pstrykałam pilotem i przerzucałam kanały w jednostajnym rytmie. Zmieniający się co sekundę obrazek stanowił idealne odzwierciedlenie stanu mojego umysłu. Pstryk, pstryk, nic stałego, nic pewnego, rozsypywanka, puzzle, życie w odcinkach. Fragmentaryczne postrzeganie świata, oto co nas ratuje przed szaleństwem. Można żyć, byle nie szukać w tym sensu.

Babcia poszła do Wilków, żeby posiedzieć z ciotką. Ja nie miałam ochoty. Powiedziałam, że muszę uczyć się matmy, żeby poprawić jedynkę. Guzik prawda! Jak tylko wyszła, usiadłam przed telewizorem i zaczęłam seans pstrykania. Założyłam się sama ze sobą, że mogę to robić nawet godzinę. Przegrałam. Po kwadransie palec zwolnił tempo i zatrzymał obraz na jakiejś zarośniętej gębie. Broda pod wydętymi wzgardliwie wargami ruszała się, ale słowa docierały z opóźnieniem. Facet mówił, że bez niego świat byłby jeszcze gorszy. Cholera! Nie miałam ochoty tego słuchać. Nacisnęłam guzik i ekran poszarzał. W pokoju zrobiło się ciemno, ale nie chciało mi się wstać, by zapalić światło. Wystarczyła mi blada smuga sącząca się przez szparę w zasłonie. I tak było dobrze. Mogłam wyobrażać sobie, że jestem sama na świecie. Wszyscy zginęli w katastrofach i wojnach, a tylko ja ocalałam. To była kara, jaką zesłał na mnie Bóg.

Kara... Właściwie przez całe świadome życie pragnęłam ukarać się za coś, co tkwiło we mnie i co tak bardzo drażniło ojca. Chciał to poskromić, ale nie dał rady i dlatego odszedł. Wcisnął do mojego umysłu świadomość, że jestem zła, i zostawił z poczuciem winy. Nie potrafię się tego pozbyć: nie wiem jak, nie wiem czego... Czasami myślę, że mogłabym zadzwonić i zwyczajnie go spytać. Choćby teraz. Zdobyłam się na odwagę i podniosłam słuchawkę. Na więcej nie było mnie stać.

Ktoś zadzwonił do drzwi. Nie zamierzałam się ruszać; wiedziałam, że babcia ma klucze, a Aśka zna drogę przez okno. Dopiero walenie w szybę postawiło mnie na nogi.

– Co, śpisz, królewno?

Ten głos niewątpliwie należał do Adasia. Zwlokłam się z fotela i poszłam otworzyć.

– Dopiero co przyjechałem! Byłem u Wilków i dowiedziałem się o napadzie. Zaraz przyleciałem do ciebie!

– To nie mnie napadli! Mnie nic nie jest. Żyję. Możesz wracać.

– Wiem, że żyjesz! Dlatego tu jestem. Potrzebny mi na godzinę komputer i drukarka. Babcia powiedziała, że masz coś takiego.

Babcia! Dla kogo babcia, to babcia!

Nie czekając na zaproszenie, władował się do przedpokoju. Cały czas blokowałam drzwi, więc przepchnął się obok mnie. Pachniał migdałami. Pozostało mi tylko zamknąć za nim. Zrobiłam to, a on udał, że trzaśnięcie nie ma z nim żadnego związku.

– Tam! – wskazałam kierunek do mojego pokoju.

– Dzięki! Ty to wiesz, jak powitać gościa! Miał ładne brwi i te dołki w policzkach...

– Chleb i sól są w kuchni! – uzupełniłam zaproszenie. – Ja muszę się uczyć!

Skłamałam. Ani nie musiałam, ani nie zamierzałam niczego robić, a zwłaszcza uczyć się. Przez chwilę nasłuchiwałam, czy umie włączyć komputer, a potem całkowicie poświęciłam się gapieniu na ścianę. W skupieniu wysyłałam mijające chwile w kosmos, gdzie podobno panuje próżnia. Wypełnione pustką wracały do mnie, a ja znów je wysyłałam. Czułam, że mogłabym się w tym zatracić. Bawiło mnie nicnierobienie.

– Żałuję, że mnie z wami nie było – usłyszałam za plecami głos Adasia.

Stał oparty o framugę. Ciekawe, jak długo tam tkwił, gapiąc się na moją minę, pozamykane książki, nogi na biurku i wzrok wlepiony w ścianę.

– Dużo by to zmieniło! – warknęłam.

– Może i niewiele, ale mam paskudne uczucie, że wszędzie zjawiam się za późno – powiedział z żalem.

– Nie jesteś przecież Zorro! I nie chcę o tym rozmawiać! Skończyłeś? – machnęłam w stronę komputera.

– Jeszcze nie, ale muszę rozprostować grzbiet. Zrobiłem kawę, napijesz się?

Proszę, jaki dobry! Częstuje mnie moją własną kawą! Moją, babci, wszystko jedno.

Wkurzało mnie, że stał tam, pachniał migdałami i częstował kawą, jakby był u siebie. A równocześnie cieszyłam się, że tu był i gadał. Nic mi się nie chciało. Nawet mnie głowa nie bolała. Po prostu przygniatał mnie smutek.

– Przejdziemy się? – zaproponował po jakimś czasie, gdy drukarka ucichła.

Zgodziłam się, bo szukanie wymówki było dla mojego obolałego umysłu zbyt skomplikowane. Pojutrze wyjadę, więc może jest to ostatnia okazja do wspólnego powałęsania się.

Poszliśmy w kierunku wąwozu wąchockiego. Tak go nazwano, gdy władze miejskie zdecydowały, że będzie tu wysypisko śmieci. Kiedyś wąwóz był miejscem niedzielnych pikników dla całego miasta. Teraz nikt tu nie przychodzi prócz stad wron i miejscowych meneli zbierających makulaturę i szkło.

Adaś zaciągnął mnie nad wysypisko. Wspięliśmy się na stok wzgórza i patrzyliśmy na krajobraz ludzkich odchodów.

– Oto, co zostaje po codziennym trudzie człowieka. – Adaś zatoczył ramieniem dramatyczny krąg.

– Jezu! – jęknęłam. – Co za optymizm!

– Zauważyłaś, że żyjemy w wieku pozbywania się? Nadmiar wszystkiego zmusza nas do pozbywania się rzeczy starych, zepsutych, niemodnych. Wyrzucamy dobrą szafę, bo spodobała nam się inna. I zeszłoroczną kurtkę, bo w tym sezonie jest już niemodna. Nie przywiązujemy się do przedmiotów i tak samo traktujemy ludzi. Ciągle staramy się mieć nowsze rzeczy i nowszych przyjaciół!

– To okropne, co mówisz – wymamrotałam, bo do moich płuc doszedł gorzki odór zgnilizny. – Co my tu właściwie robimy? – skrzywiłam się, bo nie chciałam przeciągać tej rozmowy. Miałam niemiłe wrażenie, że to, co mówi, jest o mnie.

– Tutaj kryje się moje dziedzictwo – szepnął mi do ucha.

Nie zrozumiałam.

– Co?

– Kiedy umarła mama, a tata zdecydował się zabrać mnie do Anglii, ukryłem w wąwozie swoje skarby. Nie chciałem ich zabierać do obcego kraju, a babka twierdziła, że długo nie pociągnie. Spakowałem więc do słoika obrączkę mamy, złoty łańcuszek, który babka dała mi na komunię, a ja wstydziłem się go nosić, zeszyt z wierszami i zdjęcie dziewczyny, którą kochałem. Zakopałem słoik pod krzakiem w nadziei, że zabiorę, gdy wrócę. Wróciłem i sama widzisz!

Nie patrzył na zwały śmieci, ale na niebo. Było już parę gwiazd. Wydawał się szczerze zmartwiony. Wzruszyłam ramionami. Wielki mi skarb. Parę pamiątek.

– Aha! – przypomniał sobie, gdy już zaczęliśmy schodzić w dół. – Był tam jeszcze akt własności ziemi i domu, i testament babki. Dała mi to i kazała strzec jak oka w głowie. Uznałem, że muszę to dobrze ukryć.

Zatkało mnie. Jeszcze raz przeanalizowałam w myślach to, co mi wyznał, i nogi ugięły się pode mną.

– Głupek!

– Miałem wtedy dwanaście lat i nikogo, komu mógłbym zaufać – westchnął.

Nie wiedziałam, czy się roześmiać, czy może okazać współczucie. Biedny Adaś! Ale czemu był taki głupi? W dworku pewnie niedługo będzie mieszkał Olek. A niech to!

W drodze powrotnej milczeliśmy, bo każdy temat wydawał się mało istotny po tym, co mi wyznał. Gdy zatrzymaliśmy się przed furtką, dostrzegłam wahanie w jego oczach. Chciał chyba o coś spytać, ale usłyszałam sygnał telefonu, rzuciłam więc pospieszne „cześć" i pobiegłam. Babci jeszcze nie było. Ręce mi drżały, nie mogłam uporać się z zamkiem. Modliłam się, by telefon nie przestał dzwonić, nim dostanę się do środka. Jeśli to mama, powiem, że nie mogę się jej doczekać. Zanim jednak otworzyłam drzwi, sygnał umilkł. Niech go szlag! Mogłam się tego spodziewać. Życie nigdy nie przepuści okazji, by okazać mi swą złośliwość. Wyjrzałam przez okno, ale Adaś już poszedł. Zrobiło mi się przykro, że nie będzie miał swojego pięknego domu, ale to w końcu jego problem.

Babcia przyszła chwilę później.

– Jak tam Hirek? – spytałam. Zadałam pytanie z obowiązku, a nie dlatego, że chciałam coś na ten temat usłyszeć. Niczego nie chciałam wiedzieć. Za dwa dni Hirek będzie dalekim kuzynem, któremu coś się przytrafiło. Sama byłam zszokowana obojętnością, z jaką oczekiwałam odpowiedzi. Było mi najzupełniej wszystko jedno, co usłyszę.

– Lepiej! Czekoladę, co mu zaniosłam, pożarł, zanim jeszcze wyszłam!

Bez zainteresowania wysłuchałam szczegółowej relacji o wizycie u ciotki i z ciotką w szpitalu, o zdjęciach rentgenowskich, o wątpliwościach lekarzy w sprawie któregoś tam kręgu i o rozpaczy ciotki, i przygnębieniu całego Stada. Nic mnie to nie obchodziło i gdyby istniał przycisk w pilocie wyłączający fonię babci, nacisnęłabym go bez wahania.

Tata miał rację: jestem potworem! Powinnam wyjechać, nim wszyscy to zauważą.

Zrobiłam babci kolację i patrzyłam, jak je. Mełła w ustach każdy kęs i chyba przez to wydawała się bardziej stara i bezbronna. Zastanawiałam się, jak przyjmie moją decyzję. Poczuła mój wzrok i fuknęła:

– Przestań się na mnie gapić, bo mam wrażenie, że liczysz mi zęby! Nie cierpię, jak ktoś tak mi się przygląda!

Wzruszyłam ramionami i gapiłam się nadal. Czekałam na odpowiednią chwilę, by powiedzieć, że nie podoba mi się to wszystko i wolę być z mamą, ale jak na złość taka chwila nie chciała nadejść. Zaczęłam wydłubywać tłuszcz z plasterka balerony. Teraz ona przyglądała mi się spod oka.

– Chcesz mi może powiedzieć, że rozmyśliłaś się i wolisz wrócić do matki? – spytała nagle.

Dotknęła mnie do żywego tonem, jakim to powiedziała: pogarda i ironia aż wylewały się z tego jednego zdania. Poczułam, jak robi mi się gorąco, a klucha wielka jak kartofel pęcznieje w gardle. Właściwie nadszedł moment, na który czekałam. Powinnam skinąć głową i bez dalszych tłumaczeń miałabym już wszystko za sobą. Sądzę, że przyjęłaby moją decyzję bez komentarzy. Nie pojmuję, dlaczego prychnęłam i ze spokojem patrzyłam, jak rozkrawa pomidora na cząstki. Nie wiedziałam, że tak zareaguję. Wyprowadził mnie z równowagi fakt, że tak łatwo mnie rozszyfrowała. Myślała o mnie jak o rozkapryszonej góniarze. Nie jestem rozkapryszona. Jestem zagubiona i bezradna. Gdzieś kiedyś zatraciłam instynkt walki.

Babcia nerwowo ćwiartowała pomidora, a ja z bolesną jasnością uświadomiłam sobie, że chcę zostawić ją samą teraz, gdy Wilki mają dość swoich kłopotów. Nim złapałam kolejny oddech, wiedziałam, że tego nie zrobię. Zupełnie jakby otworzyła mi się w mózgu nowa przestrzeń i mogłam spojrzeć na siebie z zupełnie innej perspektywy. Zdałam sobie sprawę, jak wszyscy byliby mną rozczarowani. I babcia, i Wilki, i Adaś, i mama. Zwłaszcza ona. Zabrałaby mnie natychmiast, ale w głębi duszy gardziłaby moją słabością. Otworzyłaby się między nami pustka.

Ojciec był słabym człowiekiem. Słabszym od mamy. Gdy wróciła do pracy i zaczęła odzyskiwać wewnętrzną równowagę, on tracił swoją pewność pana i władcy. Przerażali go znajomi mamy. Drwił z nich i krytykował, ale w jego głosie słychać było trwogę. Usiłował jeszcze panować nade mną, ale gdy zabiłam chomika, uciekł.

Dotarło do mnie, że chcę zachować się tak jak on – uciec, bo ktoś mnie przestraszył.

Minęło ze sto lat, nim klucha w gardle się rozpuściła. Przez cały czas patrzyłam na babcię wyzywająco, żeby wzbudzić w niej poczucie winy, że posądziła mnie o coś tak podłego. Myśli o wyjeździe pospiesznie upychałam na dnie świadomości. Udeptywałam je i przyklepywałam, i za nic w świecie nie przyznałabym się, że w ogóle coś takiego przyszło mi do głowy.

– Wiesz, że tata nigdy mnie nie kochał? – spytałam znienacka. – To dlatego się rozeszli!

Zapadła się w sobie i długo nadziewała na widelec kawałek pomidora, nim spojrzała na mnie.

– Bredzisz! To, że się rozwiedli, wcale nie znaczy, że cię nie kochał. Gadasz jak małe dziecko.

– Nie kochał mnie! Nie lubił nawet! Ciągle powtarzał, że jestem złym dzieckiem, z natury złym. Nie wiedziałam, co to jest ta znatura, ale rozumiałam, że jest przyczyną jego niechęci. Ciekawe, co miał na myśli? Może wiesz? Nie musisz mi od razu odpowiadać, ale kiedyś do tego wrócę. I nie łudź się, że zamierzam prędko wyjechać!

Cisza przygniotła nas obie. Słychać było tykanie zegara, skrzyp desek, ciężki oddech babci. Czekałam, aż zacznie na mnie krzyczeć, że jestem stuknięta jak moja matka, ale nie doczekałam się. Ona pierwsza odwróciła wzrok i zmieniła temat.

– Film zaraz będzie! – mruknęła i zaczęła sprzątać ze stołu.

Włączyła telewizor, żeby wypełnić czymś puste sekundy. Nie patrzyła jednak na film. Wstawała co chwila, otwierała okna, zamykała drzwi, przesuwała fotel. Nosiło ją. Wreszcie oznajmiła, że musi się przejść; poleci na chwilę do Kasprzakowej.

Wypowiedziane słowa nadal wisiały w powietrzu. Uciekła, by miały czas pójść w niepamięć.

Obejrzałam odcinek płaczliwej telenoweli. Wszyscy się tam kochali, chociaż połowa bohaterów miała raka mózgu, a pozostali byli sparaliżowani. Mój Boże! Co za bzdet!

Z kuchennego okna wypatrzyłam kundla. Siedział pod wiśnią jak wyrzut sumienia. Wyszłam do niego z michą. Widział, jak szłam, ale nie ruszył się, nie machnął nawet ogonem. Udawał, że mnie nie poznał. Był najwyraźniej obrażony.

– Byłam w jaskini, z Wilkami... a potem się rozkleiłam... – tłumaczyłam, ale odwrócił łeb i z zainteresowaniem oglądał kota sąsiadów.

– Patrzcie go, jaki obrażalski! Nawet gdybym nie widziała tego, co masz między nogami, i tak wiedziałabym, że jesteś samcem. Wszyscy faceci są tacy sami! Trzeba było nie pałętać się byle gdzie, tylko iść z nami. Może zagryzłbyś tego drania!

Zawarczał i odsłonił kły, twierdząc, że i owszem. Jakby rozumiał, co do niego mówię. Potem grzecznie wylizał miskę i siedzieliśmy sobie, póki nie zrobiło się zimno. Pokazałam mu wejście do szopy.

– Tylko uważaj na babcię! – ostrzegłam na dobranoc. Mruknął, że da sobie radę, i liznął mnie w rękę.

Nadal prześladowało mnie nieznośne poczucie bezradności. Nie czekałam na babcię. Rozebrałam się po ciemku, wsunęłam pod kołdrę i zacisnęłam powieki, by szybko zasnąć. Gdzieś na pograniczu jawy przypomniało mi się, że nie zrobiłam matmy. Jak jutro mnie zapyta, leżę. Druga jedynka nie będzie mi już tak obojętna jak pierwsza. Zasypiałam ze świadomością, że jednak spróbuję wygramolić się ze swojego akwarium.

13

– Malina! Ciotka! – szepnęła Aśka na polskim, szturchając mnie łokciem.

Z trudem oderwałam się od ducha romantyzmu zawartego w czymś tam.

– Jaka ciotka?

– Moja ciotka! Twoja mama!

Uniosłam się w ławce i zobaczyłam minibus z napisem TV, zataczający rundę wokół rynku. Może i mama, chociaż niekoniecznie; równie dobrze mogli przyjechać na otwarcie sklepu Tarwida. Nawet chyba wolałabym, żeby to nie była mama. Podjęłam co prawda decyzję, ale nie byłam siebie pewna. Obawiałam się, że moje niejasne tłumaczenia okażą się marnym argumentem wobec jej siły przekonywania i zirytowanego rozczarowania.

Patrzyłam przez okno o sekundę za długo, bo polonistka zauważyła i też zerknęła. Ona nie miała wątpliwości.

– Mam nadzieję, że pamiętasz, co obiecałaś! – powiedziała, patrząc na mnie surowo.

Za cholerę nie mogłam sobie przypomnieć, bym cokolwiek jej obiecywała, ale protesty mogły tylko skomplikować i tak już poplątane myśli. Kiwnęłam głową i usiadłam. Ledwo dotrwałam do przerwy. Jak tylko zadzwonił dzwonek, wyrwałam się na zewnątrz. Woźna nie chciała mnie wypuścić, więc wyszłam przez okno w kiblu. I dobrze zrobiłam, bo to jednak była mama. Wysłała swoją ekipę na obiad i właśnie szła po mnie do szkoły. Gdyby wpadła w ręce polonistki, miałybyśmy z głowy co najmniej godzinę.

– Mama! Hura!

Nie sądziłam, że jej widok wzbudzi we mnie aż taką radość. Nie mogłam się odkleić. To nieprawda, że nie chciałam jechać. Zrobiłabym to natychmiast, gdyby tylko kiwnęła palcem. Byłam słaba; moja silna wola rwała się jak mokry papier toaletowy.

– Skończyłaś lekcje? Jesteś spakowana? Już go złapali? – zasypała mnie pytaniami, gdy złapała oddech po moich uściskach.

– Nie! – odpowiedziałam na wszystkie pytania za jednym zamachem i skierowałam się w stronę domu. Szkołę ze swoim plecakiem zostawiłam za sobą. Co mi tam szkoła!

– Jak to? – zdumiała się, nie określając jednoznacznie, co najbardziej ją zdziwiło. Uznałam, że inicjatywa w ustalaniu kolejności tematów może chwilowo należeć do mnie. Wybrałam ten, który ją najbardziej zbulwersuje i pozwoli odłożyć na później sprawy osobiste.

– Oj, mamo, tutaj jest czterech policjantów i wszyscy mają ważniejszą robotę niż szukanie bandyty!

– A co oni takiego robią? – zdziwiła się.

– Pilnują, żeby nikt nie opluł sklepu Tarwida! – roześmiałam się. Myślała, że żartuję.

Szłyśmy przez miasto, trzymając się pod ręce. Ja paplałam, a mama rozglądała się wokół, jakby była tu pierwszy raz. Zatrzymywała wzrok na czyjejś twarzy, oknie z na wpół opuszczonymi żaluzjami, wulgarnym napisie na murze, gołębiu śpiącym na gzymsie. Dostrzegała szczegóły tak zwyczajne, że dla mnie już niewidzialne. Śledziłam jej wzrok, zaskoczona, że tak szybko popadłam w rutynę. Widok drzemiących na gzymsach ptaków tak przecież bawił mnie przez pierwsze dni. Wystarczyło parę tygodni, bym przestała je dostrzegać.

Mama z niedowierzaniem przysłuchiwała się moim relacjom i nawet parosekundowa przerwa niecierpliwiła ją.

Opowiedziałam o tym, jak zawieszono śledztwo w sprawie napadu na Hirka, jak Nowakowski dał Wilkom do zrozumienia, że jak chcą poznać i ukarać bandytę, to niech go sami znajdą; jak w noc po napadzie ktoś oblał front supermarketu czerwoną farbą, a następnego ranka przed głównym wejściem leżała sterta świeżego łajna; jak tym razem policjanci błyskawicznie zareagowali, wysłali radiowóz i rozpoczęli całodobowe warowanie na straży Tarwidowego bogactwa.

– Żartujesz!

Chciałabym. Opowiadałam o tym wszystkim lekko, tonem telewizyjnych spikerek, które każdego wieczoru puentują ludzkie tragedie radosnym szczerzeniem zębów. Chyba starałam się zabawić mamę i oczekiwałam żartobliwego komentarza. Nie doczekałam się. Usiadła na ławce i zapatrzyła się na szczyt Pieniawy. Zrobiłam to samo.

Wcale nie miałam ochoty na wygłupy. Było mi jakoś tak nieszczególnie wesoło. Gadacze tyle gadają o najwyższej wartości, jaką jest życie, ale ostatnio zaczęłam wątpić, by mieli na myśli życie jakiegoś tam Hirka. Owa najwyższa wartość jest, zdaje się, przeliczana według skali zamożności i u jednych jest wysoka, ale u innych wyższa. Według tych spekulacji wartość życia Hirka musiała wypaść marniutko, skoro policja tak szybko odpuściła sobie szukanie sprawcy napadu. Zbadali miejsce, ale nic nie znaleźli, więc stwierdzili, że skoro i tak nie wiedzą, kogo szukać, to szkoda ich cennego czasu. Chłopak przecież żyje, więc nie ma powodu do pośpiechu. Gdyby chociaż umarł, to jeszcze przez kilka dni mógłby przodować na liście policyjnych priorytetów; też oczywiście nie za długo, bo policja ma inne sprawy na głowie. Tarwid wielkim głosem domagał się przestrzegania swoich praw obywatelskich. Stać go było wprawdzie na wynajęcie firmy ochroniarskiej, ale policjanci usłużnie i bez protestu pospieszyli z pomocą. Wyglądało na to, że był tu jedynym obywatelem, który ma prawa. Zaczęłam szybko pojmować, na czym naprawdę polega demokracja.

Zwierzyłam się ze swych przemyśleń mamie, ale ona miała wątpliwości. Podniosła się i poszła na posterunek. Obserwowałam, jak bezskutecznie dobija się do zamkniętych drzwi. Pokazałam, gdzie mieszka Nowakowski. Po kwadransie wróciła zdegustowana.

– Niech ich szlag! – skomentowała rozmowę z policjantem i ruszyła prosto do szpitala. O mnie jakby nieco zapomniała. Podreptałam za nią.

W szpitalu cuchnęło lizolem, moczem i trupami. Widok rurek z bulgoczącymi płynami wlewanymi wprost do żył przyprawiał mnie o mdłości. Hirek nadal wyglądał okropnie: usztywniony, zagipsowany po uszy, podłączony do kroplówki; gdy mówił, lewe oko uciekało mu w bok, a jąkał się tak, że nie można go było zrozumieć. Mama kazała mu kilka razy powtarzać historię, którą znałam na pamięć. Słuchała w napięciu. Jego relacja musiała mieć jakiś sens, bo w trakcie rozszyfrowywania zniekształconych słów zmieniała się na twarzy. Byłam głodna i chciałam stąd wyjść; zastanawiałam się, czy zauważą, jak zniknę.

– Zaczekaj, to potrwa jeszcze tylko chwilę! – zatrzymała mnie, gdy byłam już blisko drzwi.

Usiadłam i czekając oglądałam wzorek na podeszwie swojego martensa. Nie wtrącałam się do ich rozmowy. Zez Hirka wprawiał mnie w zakłopotanie.

Wilka wkurzyło moje oddalenie.

– Nie bój się, to nie jest choroba zakaźna!

Wzruszyłam ramionami. Mylił się. To było coś w rodzaju choroby i to ja miałam być nią dotknięta, a on nieświadomie padł ofiarą... Widziałam ten napad we śnie, przeczułam w czasie drogi do jaskini. Nie ostrzegłam nikogo. Czułam się winna. Nie mogłam patrzeć mu w oczy.

Gdy wyszłyśmy ze szpitala, mama weszła do sklepu sportowego i kupiła dla Hirka łyżworolki, lepsze od moich.

– Żeby mu się chciało szybko wyzdrowieć! – wyjaśniła. – Zanieś mu później!

Głos nadal jej chrypiał. Co takiego usłyszała, czego nie zauważył ani Nowakowski, ani my?

– Jesteś spakowana? – spytała niespodziewanie.

– Nie! – mruknęłam. – Zostaję z babcią! Wilki mają dość swoich kłopotów! Sama widziałaś!

Nie wiem, czego się właściwie spodziewałam, ale to, co zobaczyłam w jej oczach, to była najzwyklejsza ulga.

– Dzięki! – westchnęła. – Szczerze mówiąc, nie spodziewałam się innej decyzji!

Pocałowała mnie w policzek i całe szczęście, że nie patrzyła na mnie, bo dostrzegłaby na mojej twarzy panikę. A gdybym postanowiła inaczej? Gdyby bagaże stały w przedpokoju? Boooże! Ależ byłaby mną rozczarowana! Ciekawe, czy okazałaby mi to od razu, czy kiedyś tam? Może nigdy. Wiedziałam jednak, że takie rozczarowania nie znikają. Tkwią w człowieku jak drzazgi i kłują bez względu na to, czy chcemy o nich pamiętać czy nie.

Oblała mnie fala gorąca i niemal sparaliżowała oddech.

– Nawet nie rozpakowałam naszych rzeczy. Stoją na stercie gotowe do następnego transportu. Niedługo będziemy razem. Już mam plan! – trajkotała wyraźnie ożywiona.

Zauważyła psa obsikującego koło telewizyjnego minibusa.

– To ten sam? – spytała z rozbawieniem.

Kiwnęłam głową, a kundel pomachał do nas ogonem. Czułam się dziwnie rozdarta; cieszyłam się, że jakimś cudem udało mi się postąpić właściwie i mama nie musi kryć rozczarowania, ale tuż obok kołatała się niepokojąca myśl, że spontaniczna decyzja została podjęta właściwie wbrew temu, co naprawdę chciałam zrobić. Jakieś gwałtowne połączenie nerwu z nerwem spowodowało, że postanowiłam tak, a nie inaczej. Ułamek sekundy wcześniej decyzja byłaby inna.

Gwizdnęłam na psa, a on zbliżył się powoli, z namysłem. Obwąchał mamę, a ona pogładziła go po łbie.

– Poszwendajmy się trochę! – zaproponowała.

Kundel szczeknął, że jest gotów, i pobiegł przodem. Też nie miałam nic przeciwko temu; potrzeba mi było trochę czasu, by uspokoić rozedrgane nerwy. Cały czas dręczyło mnie pytanie, co mama zrobiłaby ze swoim rozczarowaniem. Co ona w ogóle z nimi robi?

Ja swoje kolekcjonuję, układam jedno przy drugim, rząd przy rzędzie, warstwa na warstwie. Gdy jest mi zbyt ciężko, pozbywam się ich hurtem, w sposób nieprzewidywalny dla siebie samej.

„Jesteś głupim, złym dzieckiem!" – dobiegł z głębi czasu urągliwy głos ojca.

Pamiętam plamę słońca na leśnej polanie i siebie w jej środku. Sama byłam światłem. Przepełniona słonecznym blaskiem płonęłam. Manewrując kawałkiem rozbitej butelki, skupiałam słoneczną energię i podpalałam źdźbła trawy. Byłam bogiem, bogiem słońca. Skierowałam kropelkę blasku na mrówkę. Patrzyłam, jak kuli się, miota i w końcu nieruchomieje. Byłam złym bogiem, a odkryta przed chwilą umiejętność zabijania wprawiła mnie w oszołomienie. Ojciec siedział obok i obserwował moje poczynania. Nie reagował. Czułam na sobie jego wzrok, ale nie przerywałam pracy. Kupka usmażonych mrówek rosła. Nagle poczułam jego palce we włosach. Chwycił mnie i unieruchomił. Wyjął mi z ręki szkło i skierował wiązkę promieni na moją nogę. Ból sparaliżował całe ciało. Nie mogłam krzyczeć. Nie miałam jak uciec.

„Jesteś głupim, złym dzieckiem!" – między falami bólu słyszałam jego wyważony, spokojny głos, którego używał wówczas, gdy wierzył, że ma rację.

Uwierzyłam mu. Część tej wiary tkwi we mnie do dziś.

Tydzień później zrzuciłam z balkonu chomika.

Pies wysunął się pół kroku przed nas, dając do zrozumienia, kto tu jest przewodnikiem. Poddałyśmy się jego woli, przemierzając ulice warte jego zdaniem obejrzenia. Wszędzie walały się sterty ulotek z zaproszeniami na otwarcie supermarketu. Podniosłam kilka. Promocyjne ceny zapowiadały się atrakcyjnie, a na niektórych wydrukowane były kupony, za które będzie można dostać coś całkiem darmo. Przydałby mi się nowy walkman. Trafiłam na jeden kupon i zaczęłam rozglądać się za innymi. Mama opowiadała o Bieszczadach i nędzy, którą tam filmowali. Znalazłam jeszcze jeden kupon. Na walkmana potrzeba było dziesięć.

Nagle usłyszałyśmy przeraźliwy gwizd, tupot i obok nas przebiegła z wrzaskiem banda wyrostków. Powiewali zdartymi z muru afiszami. Biegnąc, zrywali następne. Mama się żachnęła, a pies szczeknął, że podoba mu się ta zabawa; machnął ogonem, że spotkamy się później, i pobiegł za chłopakami. Wzruszyłam ramionami i powiedziałam mamie o sugestiach babci dotyczących inwestycji Tarwida.

Mama pokiwała głową, zmięła trzymaną w dłoni ulotkę i odrzuciła ją ze wstrętem.

– Chyba że tak! – orzekła i zdarła ze ściany ocalały fragment plakatu. Uciekłam, żeby nikt nie pomyślał, że mamy ze sobą coś wspólnego. Nim doszłyśmy do rynku, zdarła jeszcze ze trzy. Jeeeezu!

Minibus zataczał wokół rynku niecierpliwe okrążenia. Mama pokiwała, że zaraz ruszają, i wpadła na moment do domu. Wizyta u babci zajęła jej całe pięć minut. Te pięć minut uświadomiło mi, jak utrata zaufania może ludzi oddalić od siebie, i jak blisko otarłam się o taką możliwość.

– Czego chciała? – spytała babcia, gdy minibus zniknął za rogiem.

– Mnie! – skłamałam i puściłam porozumiewawcze oko, dając do zrozumienia, że wybrałam babcię. Uśmiech zadowolenia rozpogodził jej twarz.

Nazajutrz miasto zasłane było poszarpanymi na strzępy, rozwleczonymi przez wiatr plakatami. Tarwida to nie zraziło. W kilku punktach miasta ustawił pracowników, którzy rozdawali zaproszenia przechodniom. Na placyku przed szkołą robił to Olek. Obserwowałam go z sali geograficznej. Profesor truł smutno o klimacie Afryki, a ja gapiłam się na rynek przez winogronowe wzorki. Turyści zatrzymywali się przy Olku, on machnięciem ręki wskazywał kierunek, ale w tym machnięciu nie widać było radosnej żywiołowości, jakiej można by się spodziewać po synu potentata. W sumie wcale mu się nie dziwię, mnie też by się nie chciało. Tak czy inaczej był ciekawszym obiektem od mapy Afryki. Musiałam przerysować tabelkę z tablicy i porównać coś z atlasem. Gdy znów zerknęłam przez okno, strzępki papieru fruwały wokół kłębowiska ciał. Stuknęłam Aśkę. Spojrzała i wzruszyła ramionami. Krzyki dobiegły aż tutaj i oderwały profesora od tablicy. Popatrzył, poprawił okulary i wrócił do wykładu. Kurczę, co jest? Nikogo nie obchodzi, że tam się biją?

Zawisłam w pozycji półstojącej między ławką a oknem, niezdolna do kolejnego ruchu. W pewnej chwili zdałam sobie sprawę, że wszyscy w klasie gapią się na mnie z ciekawością, ale bez emocji. Aśka pociągnęła mnie za sweter. Niepotrzebnie tak to przeżywałam, bo Olek dał sobie radę: po prostu zwiał.

– Malina, siadaj i weź się do pracy! – zwrócił mi uwagę profesor.

Usiadłam. Dobrze, że zadzwonił dzwonek, bo i tak nie mogłam się skupić na tej idiotycznej tabelce.

– Widziałaś? – wydarłam się na Aśkę, ledwo za facetem zamknęły się drzwi.

– A co ty chcesz? – wzruszyła ramionami. – Przecież wszyscy wiedzą, jakim kosztem Tarwid zbudował ten sklep. Zwykły kryminał. I czego oczekujesz? Że ci, których oszukał, będą się do niego uśmiechać z wdzięcznością, bo rozda parę telewizorów i batoników? A może żal ci Olka? Jak myślisz, kto w zeszłym tygodniu zniszczył automat z kawą? Biedna maszyna naraziła się paniczowi, bo nie chciała wydać podwójnej porcji cukru! Dyrektor i ty to jedyne osoby w szkole, które nie wiedzą, z czyjej winy nie mogą napić się w pubie kawy! Olek jeszcze nie raz oberwie kopa i póki co warto się przyłączyć, bo za parę lat będzie nietykalny jak jego tatuś! Reszta klasy słuchała w milczeniu wywodu Aśki. Kiwali tylko głowami, że podzielają jej punkt widzenia. Byłam wstrząśnięta; myślałam, że automat zleciał z lady sam. Emocje ostudził dzwonek. Nie umiałam matmy i musiałam wysilić resztki inteligencji, żeby nie było tego po mnie widać.

W połowie matmy zazgrzytał głośnik i wśród pisków, kichnięć i pochrząkiwań odezwał się głos dyrektora:
– Każda klasa... eee... wytypuje... eee... kandydata na... iii... rzecznika praw... uuu... ucznia... eee... iii... kandydaci... uuu... za pięć minut u mnie w gabinecie!
Ostatni rozkaz był najlepiej słyszalny. Za pięć minut! Nie dał zbyt dużo czasu na przeprowadzenie akcji wyborczej. Stałam przy tablicy i mozoliłam się nad równaniem. Oczywiście zapytał mnie. Przejechał paluchem po liście i wywołał mnie z jawną satysfakcją. Kreda kruszyła się w palcach, utknęłam i ani rusz nie mogłam znaleźć wyjścia z tego galimatiasu. Facet rozwiązywał krzyżówkę i nie mógł znaleźć słowa na siedem liter. Pocieszało mnie, że i on czegoś nie potrafił. Gdy głośnik umilkł, w klasie rozległy się śmiechy. Podejrzewałam, że w ten sposób przeprowadzili demokratyczne wybory. Nie interesowało mnie to; profesor znalazł słowo i z zawziętością wpisał je w kratki, aż porobił dziury w gazecie. No to już po mnie!
– Niech Malina idzie! – zaproponował w imieniu klasy Ciołek.
– Dlaczego akurat ona? – zdziwił się matematyk.
– Bo ma najbliżej! – powiedział ktoś ze śmiechem.
– I litościwe serce! – dodał z ironią ktoś inny.

– Taaa! – poparli ich pozostali. – Malina jest w sam raz!

Ponieważ wybory zostały przeprowadzone, przestali interesować się tematem i zabrali do swoich równań albo do wkuwania angielskich słówek, bo na następnej lekcji miał być test. Nie wiedziałam, czy śmiać się z głupiego pomysłu, czy dziękować niebiosom za ten niespodziewany ratunek.

– No dobrze! – machnął ręką profesor. – I tak cię to równanie nie minie! Jutro znów cię zapytam! A ty, Ciołek, chodź i skończ to, co Malina rozpaprała!

Chłopak westchnął:

– No cóż, jedni są stworzeni do rządzenia, a inni do czarnej roboty!

– Nie chcę być żadnym rzecznikiem! – zaprotestowałam słabo.

– Idź, idź! Druga jedynka to krzyż! – Ciołek wypchnął mnie na korytarz. – Zostałaś wybrana w demokratycznych wyborach, więc przyjmij na swe barki ciężar odpowiedzialności i nie marudź! Została ci jeszcze minuta! – poinformował i zatrzasnął za mną drzwi.

Co miałam robić? Otrzepałam ręce z kredy, odetchnęłam głęboko i poszłam. Pod gabinetem dyrektora czekała już spora grupka takich jak ja ochotników. Rzecznik praw ucznia, też coś!

– A tam! – machnął ręką jakiś potarganiec. – W sumie to lipa, a punkty lecą. Mogę być tym rzecznikiem, jak nikt nie chce. Własny gabinet, tabliczka na drzwiach, piwo pod biurkiem, szacunek Ciała, wolne lekcje, a przy okazji można podwyższyć notowania u poważnych blondynek!

Zanim weszliśmy do gabinetu, było już czterech chętnych. Przestałam się przejmować. Przy tylu mądralach i tak nie miałam szans. Dyrektor popatrzył na nas zza wielkiego biurka, pokiwał głową i powitał czymś w rodzaju: Biedacy! Pośmialiśmy się tyle, ile wypadało, i zastygliśmy w oczekiwaniu. Pocmokał trochę, odchrząknął i wreszcie się wypowiedział:

– W ciągu tygodnia wasze klasy zorganizują kampanie wyborcze i cały ten demokratyczny cyrk. Wy możecie się reklamować w dowolny, byle przyzwoity sposób. Za tydzień wybory! Jedno z was będzie próbowało rozwikłać nierozwiązywalny problem między prawami uczniów a obowiązkami nauczyciela. Współczuję. Są pytania?

Nie było.

Podobał mi się ten facet. Mama chodziła z nim do szkoły. Podobno raz się całowali. Ciekawe, czy i on to pamięta? Na lekcję już nie wróciłam. Poszłam do kibla i przesiedziałam do dzwonka.

14

– Jeśli jest tak, jak mówisz, to ludzie nie pójdą na otwarcie supermarketu! – Sprawa Tarwida nie dawała mi spokoju.

Aśka zrywała zwisające z murów strzępki, robiła z nich kulki i rzucała we mnie.

– Pójdą, pójdą! – śmiała się.

– Dlaczego? – Uchyliłam się i kulka trafiła w otwarte okno na parterze. Uciekłyśmy.

– Dlaczego? – ponowiłam pytanie, gdy zdyszane usiadłyśmy przy plastikowym stoliku.

– Bo ksiądz przyjdzie poświęcić nowy przybytek! – wyjaśniła dość obojętnym tonem.

– Żartujesz?

– Zobaczysz!

Rzeczywiście. W niedzielę na mszy ksiądz poinformował, że wieczorem odbędzie się poświęcenie nowego sklepu. Widocznie kościół uznał działania Tarwida za zgodne z wartościami chrześcijańskimi. Wobec takiego postawienia sprawy nie mogłam nie iść. Miałam co prawda nieskończone wypracowanie i cały rozdział z historii do nauczenia, ale nauka nie zając, a walkmana darmo można dostać tylko raz. Udało mi się zebrać komplet kuponów.

– Ksiądz rozgrzeszył Tarwida, więc nie ma sprawy! – stwierdziła Julka. – Idę! Będzie zabawa z wyżerą!

Ostatecznie postanowiliśmy iść wszyscy.

– Babciu, idziesz? Mogłybyśmy kupić wykładzinę do kuchni. Prawie darmo, popatrz! – podsuwałam jej pod nos oferty.

Udała, że nie słyszy.

– Źle się czuję i mam żałobę! – wyjaśniła po upływie kwadransa, gdy już zapomniałam, o co pytałam. – Ale ty baw się dobrze!

Przerzuciłyśmy szafę Wilków i wystroiłyśmy się jak damy. Wybrałam długą spódnicę Julki i rozciągnięty sweter Mila. Bałam się, że babcia zaprotestuje, ale ledwo rzuciła okiem.

– Tobie we wszystkim ładnie! – westchnęła. – Nawet w tych łachach nadajesz się, żeby tam pójść! Tarwid i tak na nic lepszego nie zasługuje!

No, dzięki!

Wyjrzałam przez okno.

– Ooo, twoje kółko różańcowe idzie! – zawołałam.

Spojrzała na mnie ze złością i wyciągnęła ze schowka odkurzacz.

– Niech idą! Ja nie pójdę, mam robotę. Drań pozostanie draniem, nawet jeśli go ksiądz rozgrzeszy. Przedtem był ubowcem, postrachem okolicy i wszyscy całowali go w dupę. Teraz ma forsę i pół miasta w kieszeni i pokaż mi takiego, co nie padnie plackiem przed tym padalcem. Tfu!

Miałam wrażenie, że chodzi o coś innego niż tylko ogólną awersję. Korciło mnie, by spytać, czym osobiście ją dotknął, ale przeniknął mnie nagły chłód, zawirował wokół szyi i nim zdołałam złapać oddech, odechciało mi się pytać o cokolwiek. Włączyła telewizor i z pasją zaczęła strzelać kanałami. Złożyłam odkurzacz, bo przecież godzinę wcześniej sprzątałam. Wyszłam, gdy usłyszałam pokrzykiwania Wilków na werandzie. Przed wejściem kłębił się tłum. Ludzi było więcej niż rano w kościele. Wewnątrz ogromne lustrzane szyby zmuszały do wyprostowania pleców, poprawienia włosów i przywołania na twarz uśmiechu. Obejrzeliśmy, co było do obejrzenia, ale wstępu na sale sprzedaży chroniły parawany i faceci z telefonami komórkowymi. Czynna była piwiarnia, ale świeciła pustkami, bo każdy przyszedł napić się za darmochę. Tłum bez żadnej organizacji snuł się leniwie po ogromnym holu. Dopiero gdy zjawił się ksiądz, wszystko nabrało tempa. Ludzie ustawili się karnie pod udekorowanym podium i ucichli. Widać niezbędny był ktoś do dyrygowania. Międliłam w kieszeni kupony na walkmana i słuchałam wznoszących się i opadających tonów kazania. Ksiądz grzmiał o ideałach i lał święconą wodą, by przegnać diabła z chrześcijańskiego przybytku. Między jednym a drugim chluśnięciem omawiał szczegółowo cnoty obywatelskie. Z jego słów wynikało niezbicie, że Tarwid reprezentuje je wszystkie. Dłużyło mi się i chciałam wyjść na zewnątrz, ale Julka chwyciła mnie za rękaw i syknęła do ucha:

– Stój! Tu nie ma tolerancji religijnej!

Zatrzymałam się posłusznie.

Tłum słuchał w milczeniu. Niektórzy skrycie wciągali nosami zapach majonezu i kiszonych ogórków. Zrobiło mi się lżej na duszy, że nie jestem jakąś wyjątkowo wyrodną owcą. Nie mając innego wyboru, wyłączyłam słuch. Zastanawiałam się nad dwoistością ludzkiego myślenia. Jeśli w tym, co mówiła babcia, Aśka i inni, jest choć część prawdy, to większość z tych ludzi wie o Tarwidzie wystarczająco dużo, by wątpić w słowa osoby duchownej, a jednak stoją i udają, że wszystko jest w porządku. Przerażająca hipokryzja! Za podium, z którego grzmiał ksiądz, piętrzyły się skrzynki z piwem. Doszłam do wniosku, że ci z pierwszych rzędów zajęli po prostu pozycje strategiczne, by ruszyć do szturmu, gdy tylko umilknie echo po ostatnim słowie. W końcu i ksiądz poczuł zapach sałatek, bo jakoś dobrnął do mety. Dosłownie minutę wcześniej dostrzegłam Olka. Stał w towarzystwie ojca. Tarwid zmienił się od czasu, gdy wyczarowywał nam zza ucha monety. Na odległość wyczuwało się w nim człowieka dysponującego władzą; pachniało od niego powodzeniem i autorytetem. Arogancka głowa uniesiona była wysoko, a spod opuszczonych powiek spoglądały czujne oczy. Fałdy czerwonego tłuszczu wylewały się znad sztywnego kołnierza, co w mej podświadomości wywołało jakieś wspomnienie. Pojawiło się i natychmiast umknęło, a ja nie miałam sił, żeby się nad tym zastanawiać, bo na widok Olka znów mnie rąbnęło. Stał tam piękny i dumny, co niespodziewanie wprawiło mnie w stan euforii. Serce chciało wyskoczyć z klatki, a gardło zablokowała klucha. Tak byłam zaskoczona intensywnością uczucia, że nawet nie zauważyłam końca przemówień. Tłum ruszył, a ja pozwoliłam mu się nieść. Aśka kiwała do mnie i krzyczała coś, ale rozdzielili nas ludzie i udałam, że nie słyszę. Karciłam się w myślach za to, co robię, ale bez specjalnego przekonania.

Ludzie ogarnięci żądzą nabycia dóbr doczesnych przepychali się, potrącali mnie, potrząsali nerwowo plikami kuponów. Lazłam wśród nich jak cielę, póki nie utknęłam przed barierką, za którą stał Olek, a za nim piętrzyły się stosy nagród. Gapiłam się jak idiotka i nie pamiętałam nawet, po co się tutaj przywlokłam. Samo patrzenie na niego sprawiało mi przyjemność. Był taki śliczny.

– No co, masz kupony? – wrzasnął. Chyba do mnie. Kupony? Jakie kupony? Oszołomienie odebrało mi rozum. Nogi ugięły się pode mną z wrażenia. Tłum mruczał ponaglająco i to przywróciło mi pamięć. Wydobyłam z kieszeni garść pomiętych karteluszków. Olek prychnął wzgardliwie:

– Możesz dostać szklanki!

Szumiało mi w uszach cudne słowo: szklanki, szklankiszklankiszklanki...

– Chciałam walkmana! – zaprotestowałam, ale chyba za słabo albo tylko w myślach.

Jemu nie chciało się czekać, przesunął na bok pogniecione świstki, bo już napierali inni szczęśliwcy. Ktoś trącił mnie niecierpliwym ramieniem i kupony rozsypały się. Nie miałam możliwości zebrać ich, bo tłum przygniatał mnie do barierki. Stałam tam przestraszona i ogłupiała; musiałam wyglądać jak ostatnia sierota, co w życiu nie miała walkmana. Byłam bliska łez i w żaden sposób nie mogłam otrząsnąć się z tej głupawki.

– Co jest? Słabo ci? – usłyszałam i poczułam czyjąś rękę na ramieniu; nadzieja powróciła.

– Chciałam walkmana! – wydobył mi się z głębi duszy rozpaczliwy jęk. Dopiero wtedy zorientowałam się, że Olek stoi za daleko, by ręka na moim ramieniu mogła należeć do niego. Odwróciłam się i spojrzałam przytomniej. Dłoń i zatroskana gęba to był Adaś. O kurczę!

Tarasowałam drogę innym nabywcom i Olek wreszcie zwrócił na mnie uwagę.

– Ile ci zabrakło? – spytał opryskliwie, rozgarniając gąszcz wyciągniętych ku niemu rąk z kuponami.

– Spadaj, nic jej nie zabrakło! – Adaś pociągnął mnie w stronę wyjścia. – Chodźmy na taras, bo tutaj można zdechnąć!

Z rozpaczą patrzyłam na promienny uśmiech Olka przeznaczony dla kogoś innego.

Chwała Bogu, że Adaś wyprowadził mnie na świeże powietrze, bo jeszcze chwila, a puściłabym pawia. Czułam gorąco w okolicach żołądka i pustkę w sercu. Pozwoliłam się posadzić na ławce i przyjęłam lodowatą puszkę. Zachłysnęłam się pierwszym łykiem. To było piwo.

– Złapałem tylko to! – Adaś rozłożył ręce w przepraszającym geście. – Nie lubisz?

Zamiast mózgu miałam mydliny. Do licha! Jego nie lubiłam! Po co się wtrącał? Sama bym sobie poradziła! I skąd się, do diabła, tu wziął?

Nawet jeśli nie wypowiedziałam swych żalów na głos, widoczne były na mojej twarzy jak na ekranie telewizora i dla Adasia bardziej czytelne niż dla mnie samej. On zawsze potrafił wczuwać się w moje nastroje i prędzej ode mnie wiedział, o co mi chodzi. Zdążyłam już o tym zapomnieć. Teraz gapił się na mnie z mieszaniną ciekawości i dezaprobaty, na szczęście bez komentarzy.

Amok powoli mijał. Świadomość odzyskiwałam z pewnym trudem. Uszami i nosem wypływały ze mnie bańki i do oczyszczonych w ten sposób partii mózgu docierało, że Adaś znowu wyratował mnie z głupiej sytuacji. Powinnam być mu wdzięczna, ale zamiast tego miałam ochotę go udusić. Zawsze za mną łaził, jak tylko sięgnę pamięcią, i zawsze się tego wstydziłam, bo był straszliwie gruby. Raz nawet przyłożyłam mu workiem, żeby się odczepił. Wcześniej włożyłam tam kawał cegły i rozbiłam mu głowę. Od tamtej pory nosił na skroni znak w kształcie samolotu. Nie naskarżył na mnie, a ja zamiast wdzięczności czułam skrępowanie. Zupełnie tak jak teraz. Zerknęłam ukradkiem, by sprawdzić, czy blizna jest nadal tam gdzie dawniej. Tak, to był ten sam, naznaczony przeze mnie Adaś.

– Skąd się tu wziąłeś? – warknęłam.

Odsunął się na bezpieczną odległość i roześmiał:

– Czy zauważyłaś pewną prawidłowość? Zjawiam się w samą porę, by wyciągnąć cię z błota. Może to jakiś znak?

– A niech cię diabli! – Pociągnęłam długi łyk, a potem jeszcze jeden, głównie po to, by ukryć zażenowanie. Że też właśnie on musiał być świadkiem mojej śmieszności. Teraz dla odmiany zachciało mi się płakać. Pociągnęłam nosem. Adaś wzruszył ramionami i odchylił kieszeń. Miał w niej ciastka i gumę do żucia.

– Ksiądz długo ględził, a ja nie traciłem czasu. To przez to wychowanie w innej kulturze! – westchnął obłudnie. – Bierz, co chcesz! Na nieszczęśliwą miłość najlepsze są ciastka od przystojniejszego faceta!

Miał niski, wibrujący głos. Lubiłam, gdy mówił. Lubiłam, gdy się śmiał. W ogóle go lubiłam. Zjadłam ciastko, wytarłam nos i poczułam się znacznie lepiej. Zauroczenie Olkiem minęło, jakby ktoś nacisnął guzik i wyłączył film o nim. Sama nie wiem, co mnie tam opętało.

Wycofaliśmy się w stronę wystawionych na zewnątrz stolików. Nikt się nimi na razie nie interesował, bo wszyscy kłębili się wokół bufetów z żarciem. Dojrzałam Wilków i pomachałam do nich. Obładowani wszelkim dobrem i otoczeni sympatykami płci obojga wydostali się właśnie na zewnątrz. Przy hałaśliwym aplauzie wystawiali na stół zdobycze: kanapki, ciastka, cukierki. Znalazła się nawet cała miska sałatki śledziowej i butelka czerwonego wina. Pomyślałam, że mogłam wziąć te szklanki, byłyby teraz jak znalazł.

– Na koszt Tarwida! – wznieśli toast. – Żeby cnoty chrześcijańskie w nim pęczniały!

– Dostałaś tego walkmana? – zainteresowała się Aśka.

– Nie. Zabrakło mi kuponów. – Aż zdziwiłam się swoją obojętnością.

– Poważnie? – Julek zachichotał głupkowato. – Popatrz! Wyciągnął spod stołu pudełko i wysypał jego zawartość: setki kuponów. Niektóre spadły na ziemię, a część wpadła do sałatki śledziowej. Rzuciłam się, by je ratować, ale zdążyły już nasiąknąć olejem. Z jakiegoś niejasnego powodu rozśmieszyło mnie to. Omal nie popłakałam się ze śmiechu. Żal mi było tylko sałatki.

– Rety! Skąd je masz?

– Zwinęliśmy Olkowi spod lady! Chodziło nam o baloniki, a trafiło się to!

Zaczęliśmy zbierać z ziemi ocalałe i po przeliczeniu okazało się, że starczyłoby na telewizor.

– A po co nam telewizor? Mamy jeden! A ten śmierdziałby śledziami. Kto chce telewizor od Tarwida, niech bierze!

Nikt nie chciał.

– Bierz i leć po tego walkmana! – Julek wspaniałomyślnie przysunął je do mnie. Nie chciałam. Ostatecznie wepchnęliśmy wszystkie do sałatki, uklepaliśmy i całą zawartość wyrzuciliśmy w krzaki.

– A wiecie, że za pawilonem stoją trzy wozy policyjne? Dwa ściągnęli z województwa. Boją się chyba, żeby ktoś nie podpalił tej budy!

Butelka krążyła, a wraz z nią opowieści o przekrętach Tarwida. Ściszali głos, ilekroć ktoś przechodził. Nie włączałam się do rozmowy. Nie wiedziałam nic, co mogłoby ich zainteresować. Czułam się w jakiś sposób przekupiona butelką wina, piwem i ciastkami, które już zjadłam. Adaś też milczał, chociaż miałby wiele do powiedzenia. Widoki na odzyskanie domu bez aktu własności były coraz bardziej mgliste. Nie znalazł nawet adwokata, który chciałby się tym zająć. Nie miał zresztą dość forsy. Tarwid miał i forsę, i adwokatów. Nasze spojrzenia spotkały się i zamrugaliśmy z zakłopotania.

Podniosłam się.

– Idę do kibla!

Miałam nadzieję, że nikt za mną nie pójdzie.

– Iść z tobą? – spytała Aśka.

– Nie, dzięki, zaraz wracam!

Potrzebowałam chwili samotności. Obeszłam pawilon w poszukiwaniu najcichszego i najciemniejszego kąta. Znalazłam taki z ławeczką pod kasztanowcem. Usiadłam i oparłam się o pień.

Nade mną wisiał księżyc, wielki i okrągły jak taca ze stołówki. Jego blask bielił asfaltowe ścieżki, kosze na śmieci, rozrzucone butelki i puszki po piwie. Powietrze było rzadsze niż tam wśród tłumów. Pewnie sprawiło to wypite piwo, ale zadziwiająco wyraźnie słyszałam dźwięki: jakieś chichoty, szepty, syk otwieranych flaszek. Hałas, który dobiegł z części magazynowej, nie był nawet wart uwagi. Tylko dlatego, że pomyślałam o kundlu, odwróciłam głowę i przyjrzałam się ciemności. Na ścianie magazynu falowały cienie. Splatały się i rozplatały, układały w nierealne kompozycje. Patrzyłam bezmyślnie i nie chciało mi się rozumieć, co oglądam. Nawet gdy dotarło do mnie, że jestem świadkiem bójki, nie zrobiło to na mnie wrażenia. Znajdowałam się w jakimś oddaleniu od samej siebie.

– Jeszcze nie raz oberwiesz, ty pedalski gnoju, nim nażresz się swym bogactwem! – usłyszałam tak wyraźnie, jakby ktoś szeptał mi do ucha. Dwóch chłopaków okładało trzeciego i od razu wiedziałam, że ten trzeci to Olek. Zdziwiłam się, jak niewiele mnie to obeszło. Pomyślałam jedynie, że to niezbyt uczciwie, dwóch na jednego. Wierzyłam, że junior i tak za chwilę wstanie i pójdzie sprzedawać baloniki. Niewiele się pomyliłam. Gdy odeszli, zaczął gramolić się na kolana. Postanowiłam odejść, nim mnie zauważy, ale wtedy ni stąd, ni zowąd pojawił się nowy cień: szeroki, rozłożysty.

– Co jest? – usłyszałam.

– Nic takiego!

– Niiiic? Widziałem! Pobili cię, a ty twierdzisz, że nic? Uczę cię, że to ty masz być tym, który bije! Albo będziesz zachowywał się jak Tarwid, albo sam cię zatłukę!

Cień syknął, zamachnął się i z całej siły kopnął podnoszącego się chłopaka. Usłyszałam głuchy jęk, a potem serię kopnięć. Jęk, kopnięcie, jęk, kopnięcie, jęk... Zamknęłam oczy. Myślałam o tym, że powinnam krzyczeć, wzywać pomocy, ale myśl wędrowała jakimiś bezdrożami wszechświata, przemieszczała kilometrami włókien nerwowych, a na koniec zablokowała się w dolnej partii brzucha. Jak krzyknę, puszczą mi zwieracze. Skoncentrowałam się na swoim problemie.

Czas stawał i ruszał z miejsca, zatrzymywał się i znów ruszał. W chwilach przestoju mogłam sobie porozmyślać. Próbowałam w jakiś wielce zawiły sposób wytłumaczyć sobie to, co widziałam. To, co tam się działo, pewnie było fragmentem jakiejś gry między ojcem a dzieckiem.

Mój ojciec też lubił wymyślać różne gry, na przykład gubił mnie w tłumie. Pamiętam obezwładniający strach, gdy stałam pośród olbrzymów potrącana, obijana, poszturchiwana. Krew tętniła mi w skroniach, szumiało w uszach, a przed oczami wirowały czerwone plamy. Przeżywałam tak ogromny stres, że popuszczałam w majtki. Nawet nie usiłowałam się rozglądać, wołać, bo z góry wiedziałam, że to na nic. Poznałam reguły tej gry szybciej, niżby sobie tego życzył. Wiedziałam, że gdzieś tam jest, przyczajony, przyklejony do załomu muru. Stał i patrzył na mnie. Czekał na reakcję. Płacz sprawiał mu satysfakcję, dobrze się wtedy bawił i przedłużał moment odnalezienia. Moja obojętność psuła mu zabawę. Po paru minutach zjawiał się, szarpnięciem wyciągał z przepaści i wołał wesoło: „Ach! Tutaj jesteś, gapo!

Chodźmy na watę cukrową!'". Lepka słodycz na patyku była formą zadośćuczynienia. Dotąd na jej widok cierpnie mi skóra i odnoszę wrażenie, że otacza mnie tłum, który wsysa i pożera.

Gdy odzyskałam świadomość, Olek leżał bez ruchu, a Tarwid szedł w moim kierunku. W zwolnionym tempie oglądałam zbliżającą się postać. Trwałam w bezruchu z otwartymi ustami. Podobno dzikie zwierzęta w chwili skrajnego przerażenia drętwieją. To samo stało się ze mną. Przeszedł zaledwie o kilka kroków i nie zauważył mnie. Może ze strachu stałam się niewidzialna? Widziałam jego wściekłą twarz powiększoną jak w telebimie. Coś krzyczał: icja... icja... Głos falował, oddalał się. Policja! Minęło jeszcze kilka wieków, nim zorientowałam się, że już go nie ma. Zaczęło mi szumieć w uszach, jakby dopiero teraz ruszyło serce i wprawiło krew w ruch. Od tego szumu wszystko wokół nabrało innego znaczenia. Drzewa wyciągały do mnie rozcapierzone dłonie, a ludzie śmiali się skrzekliwie. Co czułam? Nic. Nic poza wielką pustką. Uciekłam. Pamiętałam, że muszę kierować się w stronę światła i muzyki. Szłam wsłuchana w dźwięki potęgowane ciemnością i czułam uderzenia atomów, między którymi musiałam się przedzierać. Bolało.

Nie wiem, jakim cudem znalazłam się w holu pełnym ludzi. Spotkałam siebie samą wpatrzoną w swoje odbicie w wielkiej lustrzanej ścianie. Myślałam, że będę przerażona, ale moja twarz była taka jak zwykle, ani śladu emocji. Ten widok mnie poraził; powinnam być przerażona. I byłam! Potwornie! W otchłaniach świadomości zamykały się kolejne bramy, rosły mury i obwarowania. Ogarnęło mnie wrażenie, że wszystko, co się wokół dzieje, jest na niby. Nie usiłowałam się przekonywać, że jest inaczej, bo takie widzenie świata podobało mi się, działało jak melisa, uspokajająco. Może w takim razie i ja jestem na niby?

Aż podskoczyłam, gdy poczułam dotyk na ramieniu. Pomyślałam, że ojciec odnalazł mnie w tłumie i ma dla mnie watę.
– Gdzie się podziewałaś? Szukaliśmy cię! – Adaś stanął obok. – Coś marnie wyglądasz!
– To po tym piwie – skłamałam.
Przyjrzał mi się uważnie. Wiedział, że coś jest nie tak, i ja wiedziałam, że on wie.
– Gdzie są Wilki? Może pójdziemy potańczyć, bo chyba zaczęła się dyskoteka! – przybrałam ton miłego ożywienia i nawet się nie zająknęłam. Takie udawanie jest banalnie proste, wystarczy wyobrazić sobie, że jest się kimś innym.
Adaś patrzył na mnie długą chwilę, nim odpowiedział:
– Pobili juniora. Trzeba było wezwać pogotowie. Zabierają go do szpitala. Wszyscy polecieli popatrzeć! Tarwid nadszedł w samą porę i widział napastników. Policja już ich ma. Może to ci sami, co napadli Hirka?
Zabrakło mi powietrza. Miałam uczucie, że spadam. Wysiłkiem woli utrzymałam na twarzy zaciekawioną minę. Udało mi się głównie dlatego, że w głębi mózgu błysnęła myśl, że oto otrzymałam wiadomość, którą powinnam docenić i zachować, ale ani nie wiedziałam, co to za wiadomość, ani do czego może mi się przydać. Myśl uleciała, chociaż próbowałam ją utrzymać z czystej ciekawości. Bez skutku.
– Masz ochotę jeszcze zostać czy odprowadzić cię do domu? Ja muszę już iść, bo czekam na telefon z Krakowa. Jutro podpisuję umowę w firmie, a przy okazji może uda mi się załatwić akademik – paplał, jakby chciał zainteresować mnie tymi banalnymi sprawami i wydostać z pustej przestrzeni, w której utknęłam.
Wyszliśmy na zewnątrz, by popatrzeć na odjeżdżającą karetkę. Obok radiowozu nadal trwała szamotanina.
– Nie, dzięki! Zostanę jeszcze trochę i wrócę z Wilkami!

Znów skłamałam. Nie miałam zamiaru zostawać, ale nie mogłam wracać z Adasiem. Po paru krokach zaczęłabym ryczeć i powiedziałabym mu, co widziałam. A przecież na dobrą sprawę sama nie rozumiałam, co tam się stało. Przecież to nie mogło się zdarzyć. Po prostu nie mogło. Pewnie wszystko mi się przywidziało. Niepotrzebnie piłam piwo.

– No to baw się dobrze! Wycieraj nos i słuchaj się babci! I nie wplącz się w nic głupiego!

Już na końcu języka miałam, że jak będę miała wplątać się w cokolwiek, to on i tak nie będzie miał na to wpływu. Podobnie jak ja sama. Na szczęście powstrzymałam się od komentarza. Cmoknęłam go w policzek i żwawo ruszyłam w stronę drzwi, za którymi dudniło jakieś wiejskie disco. Wątpię, by uwierzył, że tak spieszno mi do tych skocznych rytmów. Przy wejściu odwróciłam się; tak jak myślałam, stał tam i gapił się na mnie. Tych kilka lat w Anglii niczego chyba między nami nie zmieniło. Będę zmuszona znów zdzielić go jakimś workiem. Pomachałam i zdecydowanym krokiem weszłam do środka. Ogłuszyła mnie tępa muzyka, oślepiło pulsujące światło. Postałam chwilę, wypatrzyłam Aśkę i powiedziałam jej, że wracam do domu.

– Też idę! – wrzasnęła. Odetchnęłam z ulgą, że nie będę jednak szła przez miasto sama.

Szliśmy niespiesznym krokiem, wymieniając zasłyszane informacje. Dołączyło do nas jeszcze parę osób. Podobno Olek był nieprzytomny, gdy go zabierali, a Tarwida ledwo policjanci odciągnęli od tych dwóch chłopaków, bo chciał dokonać samosądu. A tamci to jacyś wariaci, bo siedzieli na tarasie i pili tarwidowe piwo. Zdziwili się, gdy policjanci ich skuli.

Na przemian robiło mi się zimno i gorąco. Niebo było puste, bez gwiazd, a ja, chociaż szłam, znajdowałam się w zamkniętej przestrzeni. Wszystko mnie uwierało. Tylko ja wiedziałam, jak było naprawdę, ale nie umiałabym im tego powiedzieć. Zamiast słów wyskakiwały ze mnie bańki i ulatywały bezdźwięcznie w kosmos.

– Ty, co ci jest? – Julka walnęła mnie w plecy.

– Chce mi się rzygać!

Chociaż raz tego wieczoru udało mi się powiedzieć prawdę.

Babcia nie pytała, jak było, a mnie nie chciało się opowiadać. Obie udawałyśmy zanik pamięci. Zjadłam kolację i wzięłam się do lekcji. Telewizor za ścianą jęczał, zawodził, lamentował. Powodzie, huragany, katastrofa kolejowa w Niemczech, zamordowany policjant, jawne kłamstwa rządu – nic optymistycznego. Zatkałam uszy, by odciąć się od chorego świata. Przedłużałam jak mogłam moment całkowitego pogrążenia się we śnie. Już tam byłam i wracałam, uczepiona jakiegoś szelestu, mamrotania babci, szczekania psa. Byłam wdzięczna tym psom, skrzypiącym deskom, ale w końcu uległam i znalazłam się w jaskini. Zagłębienie było płytkie, ale skulona, z kolanami pod brodą, pasowałam w sam raz. Bolała mnie głowa i brzuch. Włosy miałam pozlepiane krwią. Krew miałam na nogach, wylatywała ze mnie, ze środka. Słyszałam skradające się kroki i szelest rąk przesuwanych po ścianie. Zaszczekał pies i chwyciłam się tego dźwięku, dzięki niemu wydostałam się ze snu. Zwlokłam się z łóżka i otworzyłam szerzej okno. Kundel jednym susem znalazł się w pokoju.

– Nie podobało ci się w komórce? – spytałam, a może tylko jęknęłam. Gotowa byłam ucałować go w pysk za to, że mnie obudził.

Wlazł od razu pod łóżko, a ja, uspokojona jego równym posapywaniem, dospałam do rana bez snów. Gdy babcia przyszła mnie budzić, już go nie było.

– Co to okno takie rozwalone? Jeszcze kto wlezie! – rozpoczęła poranną konwersację. – Mało to łobuzów kręci się po nocy? Wczoraj podobno pobili młodego Tarwida. Nic nie mówiłaś!

Nakryłam się kołdrą i udałam, że nie słyszę.

Siedząc na kiblu, myślałam o śnie, który mnie prześladował, którego się bałam i chciałam, żeby przestał mi się śnić, i jednocześnie przyzwalałam, by śnił się nadal, bo to przecież tylko sen. Prawdziwe życie i tak jest o wiele groźniejsze i trudniejsze do pojęcia.

– Usnęłaś tam, do cholery, czy co? – stukanie w drzwi łazienki rozbudziło mnie na dobre.

15

Wygrałam te idiotyczne wybory. Nie do wiary, ale wygrałam je, chociaż nie kiwnęłam w tej sprawie palcem. Gorzej, całkiem o nich zapomniałam! Miałam dość innych wrażeń, o których też nie chciałam pamiętać. Wydawało mi się, że wystarczy nie brać udziału w zabawie i po problemie. Niestety, okazało się, że zaniechanie działania nie zawsze jest skuteczne. Powinnam była wycofać swoją kandydaturę, ale nie spodziewałam się, że ktokolwiek potraktuje poważnie moją osobę. Przecież mnie nie znali! Byłam dla nich nowsza nawet od internetu, zainstalowanego przez Tarwida miesiąc temu. Z internetu mogli korzystać codziennie w bibliotece, a o moim istnieniu większość nie miała pojęcia. Tymczasem, kurde, wygrałam!

Tak naprawdę zwycięstwo miałam w kieszeni w momencie, gdy zorientowali się, kim jest moja mama. Traf chciał, że w sobotę nadali w dwójce jej reportaż. Aśka zaalarmowała całe miasto.

– Coooo??? Nie oglądasz własnej matki? Wszyscy oglądają! – nadała przez telefon komunikat i natychmiast się rozłączyła.

Dobrze, że to ja odebrałam. Babcia zaaferowana była bałaganem w moim pokoju.

– Jak ty chcesz do czegoś w życiu dojść, skoro nie potrafisz utrzymać ładu nawet wokół siebie? – gderała, układając książki według wielkości, a swetry według kolorów. – Kto dzwonił?

– Aśka! Pytała, co z matmy! – zełgałam na poczekaniu i gorliwie przyłączyłam się do porządków. Nie chciałam, żeby obejrzała ten reportaż. Znałam go; opowiadał o kobietach ze szpitala psychiatrycznego, kompletnych wariatkach, z którymi ciężko się porozumieć. Powodem szaleństwa były urazy z dzieciństwa, czas okazał się dla nich marnym lekarstwem. Mama miała mnóstwo kłopotów z uzyskaniem zezwoleń, zgody różnych ludzi i instytucji. Ciężko było nakręcić dłuższy kawałek materiału za jednym zamachem; one raz chciały, raz nie chciały opowiadać. Trzeba było wyczekiwać chwili, gdy kontakt będzie możliwy. Znalazła sojusznika w lekarzu, któremu też zależało, by ludzie zobaczyli, co dzieje się z psychiką krzywdzonego dziecka. Taki reportaż powinien wstrząsnąć sumieniami, jeśli nie samych dręczycieli, to może krewnych, sąsiadów, ludzi, którzy są świadkami dziecięcych dramatów. Ciągnęło się to z rok. Parę razy musiałam jechać z mamą, bo nie było akurat pod ręką nikogo z ekipy. Po zmontowaniu reportaż okazał się na tyle wstrząsający, że nie wiadomo było, czy w ogóle puszczą go w telewizji. A jednak puścili!

Na wszelki wypadek namówiłam babcię na sprzątanie kuchni i przedpokoju, bo i tam widoczne były ślady mojej bytności. Nie wiem dlaczego, ale chciałam oszczędzić jej tych okropieństw. Sama też nie miałam na nie ochoty.

Ciekawe, czy ojciec oglądał?

Przez ten reportaż diabli wzięli moją anonimowość. Jeśli ktoś w szkole miał jeszcze jakieś wątpliwości, pytał Wilków, czy to ta... od tamtej... Jasna sprawa, że podczas wyborów moje notowania okazały się nie do przebicia, bo jako córka swojej

matki niewątpliwie we krwi mam stawanie w obronie pokrzyw-
dzonych przez los. Nikt inny nie miał szans. Dostałam trzy
czwarte głosów.

Wybory odbyły się we wtorek na pierwszej lekcji. Przyszłam
dopiero na trzecią, bo zaspałyśmy z babcią. Tak naprawdę nie
miałam ochoty iść na WF i czekałam, aż babcia mnie obudzi.
Gdy weszłam do szkoły, przywitały mnie porozumiewawcze
spojrzenia i wzniesione do góry kciuki. Odpowiadałam wdzięcz-
nym uśmiechem, bo myślałam, że to jakiś dzień dobroci dla nie-
znajomych. Zorientowałam się dopiero na polskim. Próbowałam właśnie przypomnieć sobie, jak się pisze: drużba, dróżba
czy może drurzba, gdy zazgrzytał głośnik. Ostatnie przekreśli-
łam, ale dwa pierwsze wyglądały równie dobrze. Polonistka jęknęła, bo musiała przerwać dyktando, a minuta dyrektorskiego
monologu wystarczyła, byśmy wymienili poglądy ortograficzne.
Wśród westchnień i pierdnięć usłyszałam:

– Iiiiiiii........ informuję, że.....eeeeeee.... uuuuu.....iiiiiii......naj-
większą liczbę głosów....oooooooo.....iiiiii......uuuuuu......otrzyma-
ła......uuuuu...Malina.....uuuu....owska....eeee......Gratuluję!

– Hura! – Wrzaski klasy uświadomiły mi, że się nie przesły-
szałam.

– O kurde! – wyrwało mi się z głębi wypłoszonej duszy.

Ze zbaraniałą miną przyjęłam gratulacje od polonistki i pobiegłam do dyrektora, żeby to wszystko odwołać, wyjaśnić, prze-
kreślić, zapomnieć.

– Jestem tu chwilowo! Za miesiąc może mnie tu już nie być!
– tłumaczyłam zdławionym głosem w nadziei, że ten mądry
człowiek zrozumie moją sytuację i wybawi z kłopotu.

– Niestety! – rozłożył ramiona z udawanym współczuciem. –
Wybory były praworządne i demokratyczne. Niczego nie będziemy
odwoływać! Trzeba było wcześniej się namyślić! Zresztą nie ma

tego złego, co by na dobre nie wyszło. Wyjedziesz, to nie będzie cyrku z rzecznikiem aż do nowego roku szkolnego. Póki co, mam nadzieję, że nasza współpraca będzie układała się pomyślnie!

Uśmiechał się wyrozumiale, a ja starałam się nadać swej twarzy wyraz jakiejś pozytywnej reakcji na treść jego wywodów. Wątpię jednak, by udało mi się ukryć przerażenie.

– Też mam taką nadzieję! – wycharczałam z wysiłkiem. Byłam zdruzgotana i chciało mi się płakać. Musiało być to aż nadto widoczne, bo popatrzył na mnie przeciągle i pokręcił głową.

– Nie ma się czym przejmować! Zaproponuj na początek samorządowi uczniowskiemu jakieś nowinki z innych szkół, takie działanie pro publica. Ja po pewnych wahaniach wyrażę zgodę i oboje zyskamy uznanie: ty dlatego, że masz odwagę występować o nowe prawa uczniowskie, ja – bo liczę się ze zdaniem młodzieży! W innych sprawach też będziemy współpracować, nieprawdaż?

Kiwałam głową, że jak najbardziej. Byłam tak ogłupiała, że zgodziłabym się na wszystko, cokolwiek by zaproponował. Nie wątpię, że czuł się usatysfakcjonowany.

– Na jutro każę uprzątnąć twój gabinet. I jeszcze raz gratuluję! Mama pewnie będzie z ciebie dumna!

Wątpię. Nawet jej o tym nie powiem.

Uścisnął mi dłoń jak partnerowi, a ja poczułam się jak gówniara wpuszczona w pomidory.

– To dzięki mnie! – wyznała skromnie Aśka. – Uświadomiłam plebsowi, kim jest ciotka! Żyjemy w czasach kultury promocyjnej. Człowiek, który się nie promuje, nie istnieje!

Westchnęłam z rezygnacją.

– Zabiję cię! I nie odezwę do końca życia!

Popatrzyła na mnie ze zdumieniem. Oczekiwała wdzięczności, a ja miałam pretensje. W końcu wzruszyła ramionami i powiedziała:

– Czym się przejmujesz? Przecież ta funkcja to lipa. Ktoś składa skargę, ty słuchasz, kiwasz głową ze współczuciem, każesz spisać żale na A-4 i na ogół w tym momencie delikwentowi gniew mija. A jeśli nie, to ty i tak wrzucasz pismo do kosza, a po tygodniu mówisz, że mimo starań nic nie dało się załatwić. Proste? Proste! Nawet rząd tak robi. Sprawy i tak same się rozwiązują! – objaśniała z rozbawieniem. – Na początek załatw jakiś dzień bez pał i możesz cały rok chodzić z podniesioną głową, że niby masz wpływ na Ciało!

– Wypchaj się! – naskoczyłam na nią ze złością. Wkurzyło mnie, że jej rozumowanie pokrywa się z tym, co usłyszałam od dyrektora. Czy moja strachliwość jest aż tak widoczna? Dyrektor ledwo na mnie spojrzał, wiedział, że może mi zaproponować układ. Niech to szlag!

– Jak to takie proste, to dlaczego sama tego nie robisz? – spytałam z goryczą.

– Bo mnie nikt by nie wybrał! Jak nie ty, to wygrałby Łysy z czwartej a, a to palant. Nie mogłam pozwolić, by dostał tę fuchę i gabinet na dodatek! Gabinet nam się przyda!

Nam? A więc Aśka załatwiała przy okazji swoje prywatne sprawy! Tego się po niej nie spodziewałam. Wrobiła mnie dla jakiegoś cholernego gabinetu? Świadomość zdrady i wykorzystania była tak gwałtowna, że w jednej chwili się uspokoiłam. Uszło ze mnie powietrze, a wraz z nim złość i gniew, i co tam się jeszcze wylęgło. Przestraszyłam się, że delikatna równowaga, którą w sobie z takim trudem wypracowałam, ulegnie zachwianiu.

– Piersi do góry! – rozkazał Julek. – Zaczekaj, jak junior wyzdrowieje, zaraz zacznie ci się kłaniać. Tarwidowie mają skłonność do szukania kontaktów z ludźmi wpływowymi, a ty jesteś od dzisiaj człowiekiem wpływowym!

– Akurat mi na tym zależy! – warknęłam, starając się, by zabrzmiało to przekonująco. Wbrew wysiłkowi, jaki podjęłam, głos mi zadrżał. Wilki zrozumiały to opacznie. Milka popatrzyła na mnie krzywo i pokiwała głową.

– Nie przeżywaj tak! Przecież nikt nie bierze cię poważnie. To znaczy nie ciebie konkretnie, ale tej funkcji. Wybór rzecznika to impreza tej samej rangi co „dzień solidarności z narodami afrykańskimi modlącymi się o deszcz". Jest hasło, trzeba je zrealizować, bo władze wyższe tak wyobrażają sobie szkolną demokrację, ale w rzeczywistości wszystkim to zwisa!

Syczała do mnie z takim przekonaniem, że prawie jej uwierzyłam. Trochę mi ulżyło. Może nie będzie tak źle. Wilki orzekły, że są ze mnie dumne, i musiałam im jeszcze postawić lody.

– To, że was jest więcej, wcale nie znaczy, że macie rację! – usiłowałam uzewnętrznić swoje wątpliwości, ale kazali mi się zamknąć i zająć lodami.

Posłuchałam.

– Chyba zwariowałaś! – wykrzyknęła babcia, gdy zdobyłam się na odwagę, by jej o tym powiedzieć. Liczyłam, że przy zupie pomidorowej i kotlecie rybnym łatwiej będzie nam obu strawić ten sukces. – Nauczyciel ma zawsze rację, a twoim psim obowiązkiem jest uczyć się i nie pyskować! Masz pilnować swojego nosa, a nie wtrącać się w cudze sprawy. Najlepiej, jak każdy będzie strzegł własnego tyłka! – pouczała mnie gniewnie, wymachując wazówką.

Jej uwagi z reguły sprowadzały mnie na ziemię, ale akurat teraz nie musiała w nie wkładać tyle wysiłku. Zgadzałam się z nią w stu procentach. Moje zdanie nie miało znowu żadnego znaczenia. Prowadziła wewnętrzną dyskusję, nie zwracając na mnie uwagi.

Talerz z zupą postawiła z takim impetem, że połowa wylała się na stół, a reszta na moje kolana. Odsunęłam się gwałtownie i dopiero rumor przywrócił jej świadomość i ostudził emocje. Chociaż nie do końca.

– Ciekawe, kto cię do tego namówił? Czy nie twoja matka? – spytała jadowicie. – Sama zajmuje się praniem cudzych brudów i ciebie do tego przyucza!

Tego już było za wiele, nawet dla mnie.

– Moja matka jest, zdaje się, twoją córką, więc i ona po kimś musiała odziedziczyć swoje ciągoty. Ciekawe po kim?

Odechciało mi się jeść. Zresztą, po tych lodach wcale nie byłam głodna. Położyłam się w ubraniu na łóżku i bez żadnych wstępów znalazłam się w jaskini. Nawet nie jestem pewna, czy zdążyłam zasnąć. Powietrze drżało, a atomy wielkie jak ziarna grochu odrywały się od stropu. Nie spadały jednak, lecz fruwały wokół jak motyle bez skrzydeł, uderzały o siebie, odbijały się od nierównych ścian, zmieniały tor lotu i trafiały we mnie. Bombardowały moje ciało, przebijając je na wylot. Nie czułam uderzeń ani bólu. Obserwowałam tylko siebie – nie, nie siebie, kogoś, kim byłam, patrzyłam, jak celne strzały dziurawią, miażdżą, rozrywają na strzępy jego – mnie, aż przeistoczyłam się w atomy i już mnie nie było, choć nie umarłam. Nie było mi z tym źle. Wprost przeciwnie. Wypełniałam sobą świat, a mnie wypełniała rozkoszna nicość. Czysta, niczym niezmącona błogość. A potem nagle i boleśnie atomy zaczęły się sklejać i przez moment przeżyłam jakąś pomyłkową podwójność. Byłam Elką i nienawidziłam go za to, co zrobił. Chciałam zadać mu ból, by wiedział, jak to jest, gdy się umiera. Pragnęłam go zabić. Wypełzłam ze swojej niszy. Ból brzucha usztywnił nogi, przesuwałam się powoli. Powinnam biec, ale nie było to możliwe. On tam był i obserwował mnie z rozbawieniem.

Obudziłam się lepka i cuchnąca. Musiałam długo stać pod prysznicem, by zmyć z siebie senne majaki. Na stole w kuchni znalazłam kartkę: *Idę do przyjaciółki.*

Ja też musiałam się przejść.

- Hej! - tuż za rogiem zatrzymał mnie czyjś okrzyk. Zwolniłam i odwróciłam się niechętnie. Nie byłam w nastroju do pogawędek. Na końcu języka miałam słowa o tym, że się spieszę i od tego pośpiechu zależy mnóstwo ważnych rzeczy. Spojrzałam przez ramię i dosłownie wryło mnie w ziemię. Olek. Cały w siniakach, plastrach i z ręką na temblaku, ale to był on, we własnej osobie. Przepowiednia Julka sprzed paru godzin sprawdziła się. Poczułam, jak drętwieję.

- Cześć! Mam sprawę do ciebie. Słyszałem, że zostałaś rzecznikiem. Mogłabyś...

Boooże! Tylko nie to! Nie miałam zamiaru wtrącać się w jego osobiste sprawy.

- No?

Nie zabrzmiało to zbyt inteligentnie, ale nie mogłam się zmusić do niczego innego.

- Mam sprawę, ale wymaga pięciu minut. Masz tyle?

Chyba nie zauważył, jak się zjeżyłam. Zresztą nie patrzył na mnie, tylko przeze mnie w głąb ulicy. Ze szwu sterczała mu nitka. Odwróciłam wzrok i przełknęłam szybko ślinę, żeby się opanować. Poraziło mnie wspomnienie tamtego wieczoru. Najbardziej przestraszyłam się, że mógł mnie wtedy widzieć. Gotowa byłam iść w zaparte. To nie ja, wcale mnie tam nie było, niczego nie widziałam, wszystko zapomniałam.

- Wnioski przyjmuję od jutra. I tylko na terenie szkoły!

Tylko to przyszło mi do głowy. Byłam spanikowana i chciałam już iść.

Skoncentrował wzrok na mnie. Na jego twarzy pojawił się wyraz niedowierzania i niepewności. Miałam nadzieję, że obrazi się i zostawi mnie w spokoju, ale on zaśmiał się, unosząc obandażowaną rękę.

- Nie wiem, kiedy będę na terenie szkoły!

- Wniosek możesz napisać tą zdrową i podrzucić przez

okno! – powiedziałam i uśmiechnęłam się nieoczekiwanie dla samej siebie. Czułam, że łagodnieję. Nie chodziło mu o tamto. A jeśli nie o tamto, mogłam posłuchać i prawie żałowałam, że się tak wrednie odezwałam.

Niestety, tak pięknie rozpoczętą rozmowę przerwał nam klakson samochodu. Przez twarz Olka przebiegł skurcz. Odwrócił się na pięcie jak tancerka.

– Zadzwonię, to pogadamy! – zawołał już w biegu.

Jeeeezu! Zadzwoni! Czułam, jak pęcznieje we mnie miłość i miękną kolana. Zmiękły jeszcze bardziej, gdy w limuzynie ujrzałam roześmianą gębę starego Tarwida. Olek biegł ku niemu w podskokach jak łania. Tyle było entuzjazmu w jego ruchach, że mnie zjadło. Stałam z rozdziawionymi ustami i gapiłam się na nich. O kurczę blade! Tarwid zauważył moje cielęce zagapienie i spytał o coś. Olek kiwnął głową i wsiadł do samochodu, szczerząc zęby w promiennym uśmiechu. A niech mnie... Czegoś takiego nie widziałam nawet w telewizji.

Odwróciłam się i odeszłam. Cały czas czułam na sobie uporczywe spojrzenie. Bałam się zgadywać, czyje. Samochód ruszył z piskiem i przejechał tak blisko, że drobne kamyki wyrzucone spod kół uderzyły mnie w nogi. Kątem oka ujrzałam wykrzywioną arogancko twarz. Auto zniknęło za zakrętem, a złe spojrzenie nadal paliło mnie w kark. Belzebub. Przypomniało mi się tamto słowo i poczułam nieprzyjemny skurcz na wspomnienie jego złych oczu. Biedny Olek.

Odechciało mi się spacerów. Wróciłam do ogrodu. Potrzebowałam spokoju, bo w głowie miałam jedno wielkie kłębowisko. Podobno chaos był tylko na początku świata. W moim życiu ten stan trwa nieustannie.

Usiadłam pod śliwą. Między gałęziami prześwitywało blade światło, tworząc na trawie rozedrganą mozaikę. Zabłąkany motyl nie mógł się zdecydować, gdzie przysiąść. Plamy słońca umykały przed nim. Wreszcie wzbił się wyżej i zniknął w gąszczu liści. Chciałam, by wrócił – miałabym na czym skupić uwagę. Wpatrywałam się w mroczny tunel, póki nie zaczęły łzawić mi oczy. Uciekłam z cienia, przeszłam przez ogród i usiadłam na skraju urwiska. Tutaj panowała jasna, pastelowa cisza. Zwiesiłam nogi nad przepaścią i siedziałam tak długo, aż wróciła mi równowaga ducha. Dopiero wtedy poszłam do domu. Babcia już była i szorowała zawzięcie ceratę.

– Matka dzwoniła! – oznajmiła i zawiesiła głos, jakby chciała coś dodać. Ale nie dodała.

– Co mówiła?

– Ja tam nie wiem! Jak będziesz w domu wtedy, gdy trzeba, to się dowiesz! – przycięła mi.

Wzruszyłam ramionami.

– Nie łaź już nigdzie! Mam dla ciebie robotę! Nazbierasz chrustu na ognisko!

Akurat to zajęcie mi odpowiadało. Do wieczora naściągałam na skraj urwiska stos suchych gałęzi. Zeszłej nocy zapłonęły na stokach pierwsze ognie. To tutejszy zwyczaj, przyniesiony nie wiadomo skąd i przez kogo. Pewnie przynależny jest tej ziemi tak jak pnąca się ku niebu Pieniawa i słońce wylewające się zza niej każdego ranka.

– Czy te ognie coś oznaczają? – spytałam, wpatrując się w rozświetlone zbocze.

Wzrok babci powędrował za moim.

– Trudno powiedzieć. To ślad jakichś pradawnych obrzędów, przejętych przez naszych przodków od tych, co żyli tu przed nami. Nie wiadomo dlaczego, ale co roku o tej porze ludzie po prostu zapalają nocą ogniska i siedzą przy nich do rana, pilnując, by nie zgasły. Większość wierzy, że dusze, które dotąd nie zaznały ukojenia, przychodzą, by przysiąść i odpocząć. Ogień przeznaczony jest dla nich. Ci, co palą ogniska, podświadomie przeczuwają, że ktoś z ich bliskich oczekuje takiego wsparcia. Patrz, ile ich jest! – babcia zatoczyła krąg ramieniem.

Na stoku po przeciwnej stronie płonęły setki ognisk. Chyba pół miasta wyległo tej nocy na zbocze.

– Przepiękne! – szepnęłam. – I straszne zarazem, że co do tylu dusz krewni mają wątpliwości!

– Nikt nie jest bez grzechu! – mruknęła babcia i zaczęła rozdzielać chrust i polana na dwie kupki. Szykowała dwa ogniska.

– Dla kogo to drugie? – zdziwiłam się.

– Dla włóczęgi! – odpowiedziała niechętnie i odsunęła się ode mnie. Zrozumiałam, że mam się odczepić. Uniosłam ręce do góry. Nie ma sprawy!

Obserwowałam, jak łamie każdy patyk na pół i wrzuca sprawiedliwie: raz tu, raz tam. Snopy iskier unosiły się w górę, mieszały nad naszymi głowami i gasły.

– To jest dla Elki! – wskazała bliższe i podsunęła mi uschniętą gałąź.

Łamałam patyki i dorzucałam do ognia. Nie zapytałam więcej o to drugie, choć mnie korciło. Uznałam, że to sprawa babci i jak będzie chciała, sama mi powie. Chyba jednak nie chciała. Przeżuwała jakieś słowa, może modlitwy, a może zaklęcia. Mruczała i nasłuchiwała, jakby w oczekiwaniu odpowiedzi. Wyglądała jak stara czarownica.

Myślałam trochę o Elce, że jej dusza nie ma już chyba ochoty wałęsać się po świecie, a Bóg miał dość czasu, by darować winy, jeśli w ogóle były jej winami. Większość moich myśli kierowała się ku żywym; myślałam o tym, że będą musieli mieć kogoś przychylnego, kto kiedyś zapali dla nich takie ognisko. I o Olku, że siedzi teraz przy którymś i czaruje swoje własne demony. Parę patyków wrzuciłam za chomika, tak na wszelki wypadek, gdyby jego dusza nadal miała do mnie żal.

Przyszedł wujek Wilk z butelką wina i ciotka z koszykiem pełnym smakołyków. Za nimi w dziesięciominutowych odstępach nadciągnęło Stado. Nie zapalili własnego ogniska. Z namaszczeniem dorzucali chrust do naszych obu, raz do tego, raz do tamtego, jakby wiedzieli, o jakiego włóczęgę chodzi. Powstrzymałam się od pytań; skoro babcia nie uznała za stosowne mnie wtajemniczyć, to bez łaski. Nie chciałam wprowadzać między nas skrępowania. Wilki miały powód do radości, bo lekarze pozwolili zabrać Hirka do domu. Musieli tylko skombinować specjalne łóżko. Cieszyłam się razem z nimi. Gadaliśmy do późnej nocy. Nikomu nie chciało się spać. Przyjemnie było tak siedzieć ramię w ramię z ludźmi, których się zna i lubi, i gapić się na płonące zbocze ze świadomością, że wszyscy mają wątpliwości. Patrzyłam, jak wujek sprawdza, czy siedzimy na kocach, czy nikomu nie jest zimno, jak wysyła chłopaków po dodatkowe swetry, jak otacza Aśkę ramieniem, a Julka kładzie mu głowę na drugim, i nie mogłam nie myśleć o swoim ojcu. Nie pamiętam, by kiedykolwiek mnie przytulał, co najwyżej zdobywał się od czasu do czasu na pobieżne cmoknięcie w czubek głowy.

Musiało być we mnie coś takiego, za co mnie nie lubił; jakaś wada, która nie pozwalała mu kochać mnie tak, jak ojcowie kochają swoje dzieci. Czasami schylał się i miałam jego twarz na wysokości swojej. Wpatrywał się we mnie z intensywną uwagą, dając do zrozumienia, że coś ze mną jest nie tak.

„Gdybyś była taka jak inne dzieci, nie musiałbym się na ciebie gniewać!" – przemawiał z wysokości.

Obserwowałam te inne i naśladowałam ich słowa, gesty w nadziei, że stanę się taka, jaka być powinnam. Daremny trud. Im bardziej się starałam, tym większa była jego niechęć. Przyglądał mi się ukradkiem, chcąc na czymś przyłapać. Coś przewidywał i szukał na to dowodu. Gotów był cierpliwie czekać. Z całej siły pragnęłam go zadowolić, ale nie wiedziałam, czego się właściwie spodziewał i co powinnam zrobić, by poczuł się usatysfakcjonowany.

Stopniowo zaczęłam czuć się winna. Trzęsły mi się ręce, gdy patrzył. Krew uderzała mi do głowy, zasychało w gardle, przerywałam zabawę i siedziałam nieruchomo, póki nie zajął się czymś innym. Czasami mijały wieki, nim mogłam się ruszyć. Wyobrażałam sobie, że jestem daleko stąd, kimś zupełnie innym i nie znam człowieka siedzącego obok.

Szarzało, gdy poszliśmy spać. Właściwie nie opłacało się kłaść, ale dobra i godzinka. Byle nie do jaskini, zdążyłam pomyśleć, ale jej wnętrze wessało mnie, ledwo zamknęłam oczy. Zupełnie jakby czatowała na mnie pod powiekami. Rety, znowu? Znałam już każdy szczegół tego snu. Nie odczuwałam strachu, bo ręce zaciskały się nie na mojej szyi i nie moja głowa uderzała o skałę, a spocona dłoń wędrowała nie po moim ciele. A jednak miałam wrażenie, że jestem tam naprawdę. Czułam chłód i zapach wilgotnych kamieni, pod nogami chrzęścił żwir, a mrok gęstniał z każdą chwilą. Nie potrzebowałam światła, bo znałam każdą odnogę jaskini, każde zagłębienie ścian. Szłam uważnie, bo czasami zdarzało się coś nieoczekiwanego, czego wcześniej nie było, nowy element układanki. Powinnam w porę go dostrzec i zapamiętać, to właśnie była moja rola w tej grze.

Zanim zadzwonił budzik, ujrzałam włóczęgę. Stał za załomem skalnym. Nie był tym, kto trzymał mnie za gardło. Po prostu stał i patrzył.

16

Przysnęłam. Jak przyszła Aśka, byłam w piżamie i wydłubywałam ropę z oczu. Nie czekała, bo pierwszy był polski, a za spóźnienie pisze się karny test z ortografii. Spodnie po wczoraj-szym ognisku nie nadawały się do szkoły. Tak samo bluza. W mojej szafie wszystko było zmięte. Dno i beznadzieja. Babcia chodziła za mną krok w krok i komentowała:

– Jeeezu! Co za bajzel! Dopiero co posprzątałam! Nie wiem, co na to bałaganiarstwo mówi twoja matka, ale to mój dom i ma być porządek!

Nie wiem, co chciała tym osiągnąć, ale moja reakcja chyba ją rozczarowała. Zamiast przyspieszyć szamotaninę, zwolniłam tempo. W jednej chwili uspokoiłam się, a emocje spłynęły w ka-nał. Usiadłam, ziewnęłam parę razy, z rozgrzebanej sterty wyję-łam coś czystego, resztę wepchnęłam na półkę i docisnęłam drzwi. Pierwszą lekcję odpuściłam sobie z premedytacją.

– Gdzie jest żelazko? – spytałam w drodze do łazienki.

Babcia obserwowała mnie z ledwo tłumionym rozdrażnieniem.

– Ale cię matka wychowała! – podsumowała wszystko, co jej się we mnie nie podobało, i wyszła do kuchni.

Wzruszyłam tylko ramionami. Rzecz w tym, że przy trybie życia, jaki prowadzimy, moje wychowanie następuje samoistnie, bez nadmiernej ingerencji mamy. Podobno człowiek rodzi się z już ukształtowaną osobowością i wszelkie zewnętrzne bodźce mają niewielki wpływ na to, jaki będzie. Jedni rodzą się silni psychicznie, inni słabi. Niektórzy rodzą się źli. Jesteś złym dzieckiem! Ojciec z jakiegoś powodu był o tym przekonany.

Babcia miotała się po kuchni, ciskając przekleństwa na bu-dzące się muchy. I tak wiedziałam, że każde słowo skierowane jest do mnie. Może i mam jakieś zalety, ale babcia jak dotąd żadnej nie dostrzegła. Zupełnie jak tata.

– No dobra! Już wychodzę! – zawołałam w głąb kuchni, na-ciągnęłam sweter i wyszłam. Zdawałam sobie sprawę, że teraz będzie się złościć o to, że niepotrzebnie szykowała mi śniada-nie. I teraz sama będzie musiała je zjeść. Na zdrowie!

Specjalnie się nie spieszyłam. Nie miałam zamiaru wchodzić w połowie lekcji. Zdziwiłam się, gdy przed szkołą ujrzałam tłum. Tak wyglądało to z daleka. Z bliska były to rozbawione grupki z różnych klas. Nie byli na lekcjach! Z jakiegoś powodu cała szkoła wyległa na boisko. Spojrzałam na zegarek, do końca lekcji było jeszcze dwadzieścia minut. Coś się stało. Może alarm pepoż albo telefon o podłożonej bombie. Już kiedyś przeżyłam taką ewakuację, potem musieliśmy odrabiać stracone lekcje w sobotę.

– Co się stało? – spytałam pierwszych z brzegu.

– Okradli szkołę!

– I nie ma lekcji?

– No!

– Fajnie! – nie mogłam się powstrzymać od wyrażenia radości. – A co ukradli? – Niewiele mnie to obchodziło, ale wypadało spytać.

– Komputer i coś tam jeszcze!

Wyglądało, że inni również mieli to w nosie. Komputer – jak i resztę – ufundowała Rada Rodziców, czyli Tarwid. No trudno! Kupił jeden, kupi i drugi. Nie ma o co lać łez.

Przesiedzieliśmy na boisku dwie lekcje. W szkole trwała rewizja, a raczej przeszukiwanie różnych dziwnych miejsc. Dyrektor miał nadzieję, że jakiś dowcipniś przeniósł komputer i teraz boi się przyznać. Niestety! Zdążyłyśmy zmarznąć, zanim nas wpuścili. Profesorstwo było tak zszokowane kradzieżą, że i pozostałych lekcji właściwie nie było. Cały dzień spekulowaliśmy na temat złodzieja. Jak wszedł? Jak wyniósł? Ostatecznie komputer to nie szpilka, a sala jest dobrze zabezpieczona. Doszliśmy do zgodnego wniosku, że zrobił to swojak. Nikt obcy nie miał szans. I wziął tylko jeden, a miał ich pod ręką kilkanaście. Dziwne. Nauczyciele podobnie chyba kombinowali, bo dyrektor nie wezwał nawet policji.

Szczerze mówiąc, nic mnie to nie obchodziło. W jakiś po-krętny sposób byłam nawet wdzięczna złodziejowi, bo nie mu-siałam tłumaczyć się ze spóźnienia, a matematyk był tak zaafe-rowany, że przez pomyłkę postawił mi tróję z równania. Do połowy dobrnęłam sama, w środku się zamieszałam, a końców-kę podyktował mi Ciołek. Facet popatrzył tylko z grubsza na ca-łość, skupił się na wyniku i zaczął pisać cztery, ale zerknął, że to ja, i postawił trzy. Bogu niech będą dzięki! A złodziejowi kom-puter niech dobrze służy.

Gdy wychodziłam ze szkoły, otarłam się o Tarwida. Pod-jechał swoim lśniącym samochodem niemal pod same drzwi. Pogardliwym spojrzeniem zlustrował hol i skierował się do dyrektorskiego gabinetu. Kątem oka spostrzegłam Olka. Roz-płaszczył się w zagłębieniu okiennym, a potem chyłkiem wy-mknął się na zewnątrz. Poczułam do niego sympatię, gdy tak przebiegał cichcem przez boisko. Przez moment myślałam, że powróciło zakochanie, ale nie, to była tylko litość.

Rozpierała mnie duma z powodu trói i chciałam pochwalić się babci, ale nie było jej w domu. Zostawiła kartkę, że poszła do spowiedzi, a że ma wiele do opowiadania i dostanie dużą po-kutę, więc pewnie wróci późno. Mam odgrzać sobie obiad. A jak dostanie za dużą pokutę, to wygarnie księdzu, co jej leży na wątrobie, i wtedy wróci jeszcze później.

Nie byłam głodna. Dopisałam, że też zjem później, a teraz idę się przejść.

Miałam ochotę posiedzieć na Wędrujących Skałkach. Po-szłam po Aśkę, ale była zajęta, bo na nią wypadła kolej obiera-nia ziemniaków na obiad. Nie chciało mi się jej pomagać.

– Wynocha! – wskazała drzwi, a ja pospiesznie skorzystałam z możliwości ucieczki.

Na Skałki poszłam sama. Właściwie byłam zadowolona, nie należę bowiem do ludzi, którzy nudzą się w swoim towarzystwie. Zauważyłam, jak wielu ludzi nie potrafi funkcjonować, jeśli ktoś nieustannie nie zaprząta ich myśli, nie zajmuje ich wolnego czasu. Chcą, by ktoś ciągle do nich mówił, śpiewał; byle co, byle kto, aby tylko nie zostawali sami ze sobą.

Szłam niespiesznie przez miasto, przyglądając się turystom i gołębiom. W ich zachowaniu było jakieś podobieństwo: przesadne napięcie, hałaśliwość i zaaferowanie drobiazgami. Skręciłam w boczną uliczkę, zalegający na niej cień odstraszał spacerowiczów. Dzięki temu na Wędrujących Skałkach było prawie pusto.

Znalazłam płaski kamień i rozłożyłam się wygodnie. Słońce jeszcze grzało, a wiatr delikatnie unosił mi włoski na nogach. Wspaniałomyślnie ofiarowałam sobie godzinę tej przyjemności jako nagrodę za dzisiejszą tróję. Na razie nie będę musiała martwić się dwoma jedynkami, może jakoś wybrnę. Metr ode mnie zatrzymała się w bezruchu jaszczurka. Obie gapiłyśmy się na nitkę babiego lata.

Jaszczurkę po chwili spłoszył szmer. Zamiotła ogonem i znikła. Szkoda.

– Cześć! – usłyszałam.

Uniosłam się na łokciu. Przesłoniłam ręką oczy i nie chciało mi się go od razu poznać. Siedział na sąsiedniej skałce i rysował patykiem wzory na piasku. Nie zauważyłam go wcześniej albo nie usłyszałam jego nadejścia. Przymknęłam powieki w nadziei, że zniknie.

– Cześć! – mruknęłam i poczułam mimowolne drżenie w dole brzucha. Zawiał chłodniejszy wiatr i uznałam, że to dlatego. Usiadłam.

– Miałeś zadzwonić! – usłyszałam swój głos, zanim cokolwiek pomyślałam. Boże, co ja wygaduję! Czułam, że się czerwienię. Dobrze mi tak.

– Miałem? – zdziwił się, poczułam się jak idiotka. Zapragnęłam zniknąć. Otworzyłam usta i zamknęłam je zaraz, bo wyjaśnienia mogły wydać się jeszcze głupsze. Wstałam, żeby uciec. A przed minutą było mi tak dobrze. Zareagowałam zbyt pospiesznie, a on spostrzegł moje zakłopotanie, poznałam to po jego zadowolonej minie. Przeciągnął tę chwilę o sekundę za długo. Dupek.

– A, tak! – Łaskawie skinął głową, że sobie przypomniał. – W sprawie graffiti! Chciałem, żebyś poparła mnie u dyrektora, ale to nieaktualne. Odechciało mi się. Miałem co innego na głowie! – Zaśmiał się głupkowato.

– Przykro mi! – odezwałam się ni w pięć, ni w dziewięć, bo pomyślałam o guzach i szwach, i aż wstrzymałam oddech z powodu skojarzenia.

Nie zaskoczył, że głupio się odezwałam. Gapił się na moje nogi.

– Siadaj, przecież nie gryzę! – mruknął ugodowo.

Zerknęłam na zegarek i odetchnęłam głęboko. Miałam jeszcze dwadzieścia minut; świadomość ograniczonego czasu dodała mi otuchy. Usiadłam. Właściwie miałam ochotę odejść, bo denerwował mnie jego protekcjonalny ton. Jednak zostałam, powodowana głównie ambicją. Nie chciałam, by pomyślał, że się go boję. Sama zresztą nie wiem dlaczego. W każdym razie zostałam, ale postanowiłam bardziej kontrolować swoje reakcje. Chciałam mu zadać jedno pytanie. Powiał wiatr i poczułam zapach mięty. Wciągnęłam głęboko powietrze i żeby się nie rozmyślić, spytałam szybko:

– A ci, co cię napadli, siedzą jeszcze w areszcie?

Nie patrzyłam na niego, ale na pierzastą kulę ostu. Kilka srebrnych nitek fruwało wokół Olka. Znieruchomiał. Napiął się, aż opadły mu powieki, i widać było, jak w tym bezruchu mocuje się z przygniatającym go ciężarem. Mogłam się poruszyć, roześmiać, obrócić wszystko w żart, powiedzieć, że się spieszę, i zapomnieć, o co spytałam, ale nie zrobiłam niczego. Z uporem czekałam na odpowiedź. On też mógł warknąć, że to nie moja sprawa, żebym się odchrzaniła, ale nie zrobił tego.

– Wypuścili ich, bo to nie byli ci. Nie rozpoznałem ich – powiedział głucho i zdałam sobie sprawę, że był to akt odwagi. Zrobiło mi się go żal. Znowu.

Milczał zagłębiony we własnych myślach, a ja nie mogłam znieść tej ciszy; była zbyt mroczna, a on nie był kimś, z kim mogłabym sobie pomilczeć. Przełknęłam ślinę i zwierzyłam się obłudnie, jak zazdrościliśmy mu kiedyś, że będzie znał sztuczkę z wyczarowywaniem monet.

– Dotąd nie potrafię! – bąknął, a jego twarz wykrzywił grymas. Wrócił jednak do rzeczywistości i zaczął rozmawiać. Interesowała go praca mojej mamy. Widział parę jej reportaży i wyznał, że chciałby prowadzić takie życie jak ja, ciągle w ruchu, bez przerwy gdzie indziej. Nie chciał uwierzyć, że to nic przyjemnego. Nie starałam się go zresztą przekonywać. Cieszyło mnie, że czegoś mi zazdrości. Opowiedziałam nawet parę kawałków, które mama już zrobiła, a nie było ich jeszcze w telewizji. Słuchał zafascynowany. Chyba dlatego wyolbrzymiałam nieco swój udział w pracy mamy. Co mi tam! Imponowało mi jego zainteresowanie; rosłam we własnych oczach i było mi fajnie z własną ważnością. Potem zaczęliśmy przywoływać wspomnienia sprzed lat.

– A pamiętasz, jak niedźwiedź wyszedł na drogę?

Tego nie pamiętałam, za to inny okruch przeszłości wynurzył się z głębin pamięci. Stało się to samoistnie, bez najmniejszego wysiłku czy chęci z mojej strony. Kiedyś, gdy zbyt opieszale zareagował na gwizdnięcie, ojciec kazał mu zdjąć spodnie i wymierzył kilka pokazowych uderzeń rózgą na gołe pośladki. Przy nas. Dotąd pamiętam zakłopotanie, jakie mnie ogarnęło na widok gołego tyłka i dyndającego między nogami żałosnego siusiaka.

Myśli są chyba rodzajem energii, którą nieoczekiwanie ktoś może przechwycić. Trach! i przebiega z jednego mózgu do drugiego, nawet gdy tego nie chcesz. Olek zbladł i spojrzał na mnie z lękiem, zażenowaniem, głębokim zawstydzeniem. Zastanawiał się, czy pamiętam tamto jego upokorzenie.

– Nie pamiętam! – powiedziałam szybko. Zbyt szybko. Raptem zaczął się spieszyć. Zerknął na zegarek, a ja automatycznie zrobiłam to samo. Rety! Minęły dwie godziny! Wstał i ja też wstałam.

– Przyjemnie się rozmawiało, ale muszę już iść! – powiedziałam pierwsza.

Razem zeszliśmy na dół. Spieszyło mu się i szedł dość szybko. Pewnie chciał się uwolnić od mojego towarzystwa, ale jakoś to do mnie nie dotarło. Dyszałam i gnałam jak głupia, bo wyobraziłam sobie, że babcia już wróciła i wścieka się, że mnie nie ma. Odrobinę imponowało mi też, że idę z Tarwidem. Wcale jednak nie pragnęłam, żeby nas ktoś zobaczył. Pożegnaliśmy się przy pierwszej przecznicy. Pognał, aż się za nim zakurzyło. Gdy zniknął za rogiem, zatrzymałam się, wydyszałam zmęczenie i uświadomiłam sobie, że zachowałam się jak idiotka. Kolejny raz.

Do domu przestało mi się spieszyć. Wlokłam się noga za nogą, naśladując turystów, którzy z puszkami piwa w rękach szukali wolnych miejsc przy plastikowych stolikach. Zachodzące słońce odbijało się w okiennych szybach, wywołując złudzenie pożaru wewnątrz mieszkań. Nikt prócz mnie nie zwracał na to uwagi. Kobiety wychylone z okien omawiały zawartość kaloryczną ugotowanych przez siebie obiadów i perspektywy nieszczęśliwej miłości z wieczornego serialu. Ich dzieci grały w piłkę na jezdni. Nikt chyba nie powiedział bachorom, że to niebezpieczne. Nadjechał samochód i patrzyłam, w które uderzy, ale dzieci rozpierzchły się jak gołębie. Czerwień rozlała się na tylnej szybie, wypełniła wnętrze samochodu, przeniknęła przez zakurzone szyby i została na jezdni. Dzieci znów się pojawiły. Dziewczynka z warkoczykiem wdepnęła w zabarwioną kałużę i w czerwonych trampkach pobiegła dalej.

Ja też ruszyłam, choć przez moment nie mogłam sobie przypomnieć, dokąd idę.

Gdy chwila niepamięci minęła, pomyślałam, że sprawdzę, czy babcia nie zasiedziała się u przyjaciółki. Miałam akurat po drodze. I bingo! Siedziała przy kaplicy w towarzystwie kilku emerytek. Żadna z nich nie wyglądała na przygnębioną; śmiały się ochryple i dopiero na mój widok przywdziały poważne miny.

– Czego chcesz? – spytała babcia opryskliwie, zła, że popsułam im zabawę.

– Martwiłam się! – skłamałam.

Wzruszyła ramionami, że za grosz mi nie wierzy, ale podniosła się. Inne też zaczęły żegnać się pospiesznie, szukać lasek, torebek, konewek, zawstydzone swą niedawną beztroską. Było mi przykro, że wpakowałam się nie w porę.

Za kaplicą mignęły czerwone tenisówki. Widocznie i dla dzieci cmentarz był miejscem, gdzie można się świetnie bawić.

– Chodźmy do Eli! – powiedziałam nagle, bo przypomniało mi się, że od pogrzebu jeszcze nie byłam na jej grobie. Zapomniałam. Do diabła, zwyczajnie nie chciało mi się pamiętać! Zrobiło mi się wstyd. Wyobraziłam sobie zaniedbany pagórek ze stertą uschłych badyli. Byłoby mi pewnie lżej, gdyby okazało się, że i babcia nie pamiętała. Ależ byłam beznadziejna! Grób był uporządkowany, przykrywała go marmurowa płyta z napisem: Córce – matka.

– Piękny! – Dotknęłam gładkiego marmuru. – Nic nie mówiłaś!

– Nie pytałaś! – mruknęła i wzruszyła ramieniem. – Ta śmierć nie była dla mnie zaskoczeniem. Zdążyłam się przygotować. To po części i mój grób. Dzień po dniu umierałam razem z nią przez te lata. Doświadczyłam śmierci i teraz nie ma ona dla mnie znaczenia. Gdy umrę, pochowacie mnie tutaj!

Nie skomentowałam ostatniego polecenia.

– Dziwna choroba, trzydzieści lat snu! – zaczęłam zastanawiać się głośno, mając nadzieję, że zirytuję babcię na tyle, by skłonić ją do zwierzeń.

– Umierania! – wycedziła zimno.

– I przez te trzydzieści lat lekarze nie znaleźli sposobu, żeby przywrócić jej świadomość? – sondowałam dalej.

– Na takie choroby nie ma lekarstwa! – Usiadła ciężko na ławeczce i pochyliła się w moją stronę. – Co jeszcze chcesz wiedzieć?

Liczyła na to, że się speszę i wycofam. Speszyłam się, ale nie wycofałam. Skoro już zaczęłyśmy... Zajrzałam jej prosto w oczy.

– Najlepiej wszystko!

Widziałam, jak kurczy się w sobie, ale nie odwróciłam wzroku. Sama się sobie dziwiłam, że potrafię być taka bezwzględna, ale ciekawa byłam odpowiedzi. Powie prawdę czy skłamie?

– Wszystko wie tylko ona i Bóg! – mruknęła po długiej chwili i zamilkła. Pomyślałam, że już niczego z siebie nie wydusi, ale czekałam. Nie mogłabym sobie darować, gdybym teraz odpuściła. Powzdychała, powzdychała i wreszcie wydusiła:

– Została zgwałcona. Lekarze tak powiedzieli, ale nie ona. Nic nie powiedziała. Ukryła to. Bała się czy wstydziła, a może mówiła, tylko ja byłam zbyt zajęta, by wysłuchać, przytulić, wyciągnąć to, co ją gnębiło. Wydawało mi się, że nie mam czasu. Na nic nie miałam czasu. Dobre, co? Nie miałam czasu, by dostrzec strach własnego dziecka. Zawsze patrzyłam na tę weselszą i mnożyłam przez dwa. Byłam złą matką!

Minęła nas hałaśliwa grupa turystów. Zakładali się ze sobą, że jeszcze dziś wejdą na Pieniawę. Idioci. Babcia też ich usłyszała i pokręciła głową. Miałyśmy czas, by poszukać innego tematu.

– Dostałam dziś tróję z matmy! – pochwaliłam się, gdy dodreptałyśmy w milczeniu do naszej ulicy.

Babcia zerknęła na mnie z ukosa i prychnęła:

– Tylko tróję? Marniutko!

No cóż! To, co przyszło mi na myśl, nie byłoby dla niej krzepiące. Pomyślałam, że i jako babcia też się nie sprawdza.

17

Atak nastąpił niespodziewanie.

– Co za diabeł? Malina! Co za diabeł? Rzucił się na mnie! Mnie też otarł się o nogi, ale ja od razu wiedziałam, że to mój pies. Babcia wrzeszczała, tupała, wymachiwała torbą i bliska była histerii.

– To nie diabeł, tylko pies! – próbowałam ją uspokoić, ale na próżno.

– Pies? Jaki pies? Chyba wściekły! – gorączkowała się. – Ciągle się tu jakiś kręci! Chyba chce nas pozagryzać!

– Nic nam nie zrobi, znam go, to włóczęga. Daję mu czasem jeść!

– Jeść mu dajesz? Jeść? Wynocha!

Najpierw pomyślałam, że to do mnie, ale nie. Chodziło o psa. Biedak. Pewnie musiał być bardzo głodny, skoro z takim entuzjazmem rzucił się do powitań. Z tej radości pomylił mnie z babcią i dostał za to potężnego kopa i jeszcze torebką przez łeb. Z piskiem umknął w krzaki. Pechowiec.

– Ostrzegałam, żebyś trzymał się od babci z daleka! – mruknęłam w jego kierunku. – Poczekaj, niedługo przyjdę!

Chciałam wyjść od razu z torbą odpadków, ale babcia nie odstępowała mnie na krok. Była podenerwowana psią napaścią i poprzednią rozmową. Jedyne, co mogło ją uspokoić, to słowotok. Opowiedziała mi perypetie rodzinne połowy mieszkańców miasta. Może chciała mi uświadomić, że nie tylko w naszej rodzinie dzieją się rzeczy niezgodne z wartościami. Nie mogłam jej zostawić, póki się nie wypowie. A swoją drogą, sporo wiedziała. Tymi rewelacjami można by zapełnić rocznik kolorowego tygodnika dla pań. A i mama znalazłaby coś dla siebie. W końcu umilkła. Wyciągnęła z komody stare kryształowe lustro i przyglądała się bezmyślnie swemu odbiciu. Odetchnęłam z ulgą w nadziei, że to koniec przedstawienia. W chwili gdy zamierzałam wyjść, rozległ się huk. Słychać było jednocześnie brzęk tłuczonego szkła, rumor i przeraźliwy skowyt. Miałam wrażenie, że wali się cały dom.

– Jezu! – jęknęła babcia. – Wojna! Mówili coś w telewizji, ale nie myślałam, że tak blisko!

– Oj, babciu, to tylko coś spadło z dachu! – powiedziałam, by ją uspokoić, choć też wydawało mi się, że coś w nas walnęło.

– Tynk! – wrzasnęła i zerwała się tak gwałtownie, że potrąciła stolik. Złapałam go w ostatniej chwili, ale kilka przedmiotów i tak zsunęło się na podłogę. Lusterko roztrzaskało się w drobny mak.

– Cholera! Siedem nieszczęść! – oświadczyła babcia i uspokoiła się momentalnie. Odetchnęła głęboko. – Chodźmy zobaczyć, kogo zabiło!

Byłam bardziej rozdygotana od niej. Tynk. Tyle razy o nim mówiła, a ja sądziłam, że to tylko codzienna porcja starczej paplaniny. I masz ci los. Miała rację. Wyrzuty sumienia przybrały formę sopli lodu i przykleiły się do pleców.

Na ugiętych nogach szłam za babcią. Nie wzięłyśmy latarki i po omacku dotarłyśmy na tyły domu. Pod nogami chrzęściło szkło i pokruszona zaprawa. Na trupa natrafiła babcia. Nadepnęła mu na ogon. Zaskowyczał, a my odetchnęłyśmy z ulgą, że ofiara przynajmniej częściowo żyje. Od razu zorientowałam się, kto to. Obiecałam, że zaraz przyjdę, i nie przyszłam. Pewnie znudziło mu się czekać i chciał wskoczyć przez okno do mojego pokoju. Już nieraz tak robił, tyle że dzisiaj okno było zamknięte. Jednak jestem potworem. Mogłam przynajmniej pomyśleć o oknie!

Na macanego zlokalizowałyśmy początek i koniec psa. Był sztywny jak trup, a sierść pokrywały grubą warstwą okruchy szkła. Babcia delikatnie zgarnęła większe kawałki. Chciałam pomóc, ale natrafiłam na żywe, pulsujące mięso. Cofnęłam rękę ze wstrętem. Wstrząsnęły mną dreszcze i o mało nie zwymiotowałam. Lodowy sopel rozpuszczał się pod koszulą.

– Cicho! Cicho! – przemawiała babcia łagodnie do zwierzaka. Zawsze sądziłam, że nie znosi psów, kotów i małych dzieci.

– Nie cierpię psów! – przytaknęła moim myślom. – Ale to stało się przeze mnie. Już dawno powinnam odbić tynk! Idź po koc! – rozkazała.

Wróciłam z kocem i latarką. Kundla chyba sparaliżowało. Z trudem ułożyłyśmy go na kocu i przytargałyśmy do domu. Na karku miał sporą ranę, ale krew już nie płynęła. Musiał być nieźle oszołomiony, bo nie zaprotestował, gdy babcia przemywała mu zranione miejsca. Ściągnęła brzegi i przyłapała plastrem. Polizał jej rękę. Na mnie nawet nie spojrzał.

Zrobiłam mu legowisko w kącie pokoju. Napił się trochę wody, położył łeb na łapach i obserwował nas. Pewnie do końca nie dowierzał tej dobroci. Takich ran jak dzisiejsza miał przynajmniej kilkanaście.

Musiałam spać w pokoju babci, bo w moim nie było szyb. Zanim zasnęłam, przyrzekłam, że jutro ściągnę Wilków i zrobimy porządek z tynkiem.

Obudziłam się skoro świt. Słyszałam, jak babcia zamawia telefonicznie szklarza. W czasie śniadania mało się do mnie odzywała, zajęta psem. Podsuwała mu kawałki kiełbasy, a on ciągał tylne nogi za sobą, ale apetyt mu dopisywał. Zeżarł trzy serdelki. Udawał, że mnie nie poznaje. Nie to nie. Zostawiłam ich zajętych sobą i poszłam do szkoły. Musiałam jednak wrócić z połowy drogi, bo zapomniałam spodenek gimnastycznych. Babci nie było, a kundel opierał się przednimi łapami o parapet i wyglądał na podwórko. Szybko wyzdrowiał!

– Ty oszukańcu! – machnęłam w jego stronę majtkami, ale nie zwrócił na mnie uwagi. Usiłował dojrzeć coś na podwórku. Wyjrzałam i zobaczyłam babcię wyciągającą drabinę z komórki.

– Babciu, co ty wyprawiasz! – wrzasnęłam.

– To co muszę! – oznajmiła z sarkazmem na tyle donośnie, by Kasprzakowa słyszała. – Jak człowiek jest pozostawiony sam sobie, musi umieć radzić sobie ze wszystkim! Jeszcze dwa lata temu właziłam na dach i przybijałam dachówki! I teraz też sobie poradzę! Odbiję tynk, zanim znowu kogo zabije!

Zrozumiałam, że tłumaczenia nie zdadzą się na nic. Jak wyjdę, zrobi to. Nie mogłam pozwolić, by dała popis swej zaradności. Wujek był w pracy, chłopaki w szkole... Musiałam sama zacząć; strącić co grubsze kawałki, żeby ją zadowolić przynajmniej na pół dnia. Rety!

Postawiłyśmy drabinę i wlazłam na nią. Tynk faktycznie ledwie się trzymał. Szczebel po szczeblu weszłam do wysokości okna. Złapałam się kurczowo drabiny jedną ręką, a drugą, uzbrojoną w młotek, walnęłam z całej siły. Nie miałam bladego pojęcia, co powinnam robić, ale znalazłam się w sytuacji bez wyjścia i musiałam sobie poradzić. Spadł płat wielkości boiska. Roztrzaskał się na ziemi, wzbijając tumany pyłu. Wdrapałam się wyżej i uderzyłam jeszcze raz. Zamknęłam oczy i pomodliłam się do anioła stróża, żeby trzymał drabinę. Taka wysokość przyćmiewa mi wzrok i zatyka płuca. Dziwne, że w górach nie odczuwam lęku wysokości. Spadł kolejny płat.

Babcia z uwagą obserwowała moje poczynania.

– Spóźnisz się na lekcje! – usłyszałam i aż podskoczyłam. Drabina zachwiała się niebezpiecznie.

– Och, babciu, nie strasz mnie! – powiedziałam do pająka spacerującego po murze. Tynk odrywał się przy najlżejszym dotknięciu. Zacisnęłam zęby i weszłam szczebel wyżej. Raz kozie śmierć, najwyżej zlecę, a babcia będzie miała wyrzuty. Cały dom się chwiał, a metr nade mną utworzył się kolejny pęcherz. Strącenie go przekraczało moje siły. Na szczęście dzwonek do drzwi zmusił babcię do opuszczenia posterunku. Przyszedł szklarz. Odczekałam chwilę i zeszłam z drabiny. Otarłam pot z twarzy. To, czego dokonałam, było prawdziwym bohaterstwem. Mam nadzieję, że przynajmniej kundel docenił moje poświęcenie. Powiem chłopakom, to przyjdą z wujkiem i zrobią resztę jak należy. Tyle babci powinno na razie wystarczyć. Teraz i tak musiałam się przebrać, umyć i lecieć do szkoły. Jedną lekcję już zarwałam. Ostatnio zaczęłam popadać w rutynę.

Cały ogród zaścielony był potrzaskanym śmieciem. Kurczę! Będę musiała później to wszystko uprzątnąć!

Wreszcie wypadłam z domu. Gnałam na złamanie karku, na skróty. Miałam jeszcze pięć minut do dzwonka. Jak polonistka będzie dopijała kawę w pokoju nauczycielskim, to może nawet dziesięć. Och, żeby dopijała!

Ocucił mnie pisk hamulców. Nie zauważyłam czerwonego światła. Właściwie zauważyłam, ale nie miałam czasu czekać. Czarny ford zatrzymał się tuż przy mnie. Odetchnęłam, gdy zobaczyłam za kierownicą Olka.

– Podwieźć cię? – spytał.

– Oooo – zdziwiłam się i ucieszyłam zarazem. Ucieszyłabym się, gdyby nawet to był sam diabeł.

Ruszył tak, że wszyscy się obejrzeli. Poczułam swąd gumy. Minutę później zahamował przed szkołą, przy dziurze w ogrodzeniu. Wyjął mi z włosów kawałek gruzu.

– Odbijałam tynk! – wyjaśniłam. – Dzięki za podwiezienie. A ty co, nie idziesz do szkoły? – spytałam, widząc, że nie zamierza wysiadać.

Pokręcił głową, że nie.

– Nie mam czasu! – dodał.

– A co masz innego do roboty? – zdziwiłam się, bo głupio mi było wysiąść bez okazania bodaj odrobiny zainteresowania. – Miałeś robić jakieś graffiti! – przypomniałam, nasłuchując jednocześnie dzwonka.

Wydął wargi, co miało oznaczać, że to nie moja sprawa.

– I tak nic z tego nie będzie! Strata czasu! – warknął.

– Gadasz jak moja babcia! – roześmiałam się. Usłyszałam dzwonek, ale zanim wejdą i rozsiądą się, minie jeszcze chwilka.

– O mnie? – spytał i mignęła mi myśl, że nie jest zbyt lotny.

– Nie. O mojej mamie, a raczej o jej pracy! – wyjaśniłam.

Spojrzał na mnie zezem i bąknął:

– A kiedy twoja mama przyjeżdża?

– Może w przyszłym miesiącu! – odpowiedziałam pospiesznie. Sekundy mijały, musiałam już lecieć; moja odpowiedź z jakiegoś powodu spodobała mu się.

– Będę wieczorem w Irish Pubie! – powiedział ni stąd, ni zowąd.

– Nigdy tam nie byłam! – palnęłam bez zastanowienia, otwierając drzwi. Dopiero po chwili zdałam sobie sprawę, że zabrzmiało tak, jakbym się wpraszała. Samo tak wyszło. Zaćmiło mi mózg z pośpiechu.

– Przyjdź, jak chcesz! – mruknął, niezbyt zresztą zachęcająco. – Jesteśmy zwykle w niższej sali. Znajdziesz. Koło siódmej, ósmej!

– Jak będę miała trochę czasu! – odpowiedziałam już w biegu, mając nadzieję, że oboje potraktujemy swoje słowa niezobowiązująco. Od pierwszej sekundy wiedziałam jednak, że nie będę mogła doczekać się siódmej.

Do klasy wpadłam równocześnie z polonistką. Ukłoniłam się, uśmiechnęłam i odpowiedziałam na pytanie, zanim ono padło:

– Mama będzie w przyszłym miesiącu i chętnie umówi się na spotkanie! – Miałam świetny humor i znowu samo tak wyszło. Ciekawe, jak powiem to mamie?

– Co się stało? – spytała szeptem Aśka, mając na myśli spóźnienie.

– Olek mnie podwiózł! – wyjaśniłam, bo tylko o tym pamiętałam.

Aśka pokręciła głową z dezaprobatą, ale siedząca przed nami Magda odwróciła się i gapiła na mnie z otwartymi ustami. Chyba zrobiłam na niej wrażenie.

Cały dzień był bez znaczenia. Dostałam mierną z fizyki, ale nie miałam co do tego pewności. Wszystko mnie cieszyło, nawet ta mierna. Przepychałam godziny, ale każda składała się z lepkich, gęstych minut, a one przyklejały się do zegara i odgradzały mnie od siódmej. Nie przyznałam się Aśce, bo znalazłaby sposób, żeby mnie zniechęcić.

Miałam wrażenie, że popołudnie trwa wieczność. Wskazówki zegara odcinały po kawałeczku gęstniejący kisiel. Boooże!

Zrobiłam zakupy, ułożyłam ubrania w szafie, odrobiłam lekcje, nauczyłam się dwudziestu angielskich słówek, a na zegarze była dopiero piąta. Sprawdziłam, czy nie jest zepsuty.

– Co się tak miotasz? – Babcia spoglądała na mnie nieufnie. Na szczęście zajęta była niańczeniem psa, a ten cwaniak nadal udawał ciężko chorego. Tylko łypał w moją stronę białkami oczu, czy go nie wydam. Nie miałam zamiaru. Sama też nie miałam najczystszego sumienia.

– Idziemy do pubu pograć w bilard!

Zadowoliła się tym wyjaśnieniem. Pewnie zrozumiała, że idę z Wilkami. O to mi właśnie chodziło.

Wreszcie nadszedł wieczór. W nowych dżinsach i obcisłej bluzce czułam się niezwykle atrakcyjnie. Wczoraj nadeszły pieniądze od mamy. Wsunęłam kilka papierków do kieszeni. Dodały mi pewności. Wyszłam kwadrans przed siódmą w nadziei, że spotkam Olka i nie będę musiała go szukać po salach niższych i wyższych. Niestety, nie spotkałam. Minęło mnie paru podpitych typów. Zaczęli gwizdać i poczułam się nieswojo. Weszłam pospiesznie do środka. Znalazłam się w lustrzanym holu i zobaczyłam wiele przerażonych twarzy. Przyjrzałam się i poznałam siebie. Minęło parę chwil, nim zmusiłam usta do ułożenia się w coś na kształt uśmiechu. W oczach i tak pozostała niepewność.

Na skórzanych kanapach siedziały rozbawione grupki. Smugi dymu w świetle reflektorów wiły się jak węże. Serce miałam w gardle i najchętniej zwiałabym stąd. Wiedziałam jednak, że nie darowałabym sobie tchórzostwa. Nie mogłam jednak przypomnieć sobie, dlaczego przyjście tu wydawało mi się dobrym pomysłem. Jeezu, ale ze mnie idiotka!

Moje niezdecydowanie zwróciło uwagę jakiegoś faceta. Coś do mnie powiedział, ale muzyka zagłuszyła słowa. Spojrzałam na zegarek, dając do zrozumienia, że czekam na kogoś, a ten ktoś się spóźnia. Gość gestem dał do zrozumienia, że w razie czego mogę na niego liczyć. Coraz mniej mi się tu podobało. Powinien po mnie wyjść, pomyślałam ze złością, ale zaraz przypomniałam sobie, że ani nie obiecywałam, że przyjdę, ani on tak naprawdę mnie nie zapraszał. Sama tego chciałam!

Już miałam się wycofać, gdy drzwi na lewo otworzyły się z hukiem i grupa pijanych mężczyzn wytoczyła się z sali. Zamknęłam oczy i przeszłam obok nich. Znalazłam się wewnątrz.

Pod filarem był wolny stolik, więc ruszyłam w jego kierunku jak lunatyk. Nie myślałam o niczym i tak było najlepiej. Miałam wrażenie, że wszyscy mnie obserwują i zastanawiają się, po co tu przylazłam. Zrobiło się cicho, ale trwało to tylko moment i okazało się, że to tylko moje uszy zatkane były przez jakiś nerwowy skurcz. Odetchnęłam głęboko i powoli zaczęły docierać dźwięki muzyki, głośne rozmowy, śmiech. Nikt nie zwracał na mnie uwagi. Podeszła kelnerka i z ironicznym uśmiechem zaczęła sprzątać ze stołu. Może w jej minie nie było ironii, tylko zawodowa obojętność. To ja sama czułam się nieswojo.

– Co podać?

Domyśliłam się raczej, niż usłyszałam to pytanie.

– Nic. Czekam na kogoś! – wychrypiałam.

– Podam colę. Będzie przyjemniej czekać! – powiedziała z uśmiechem mającym mi dodać otuchy. Musiałam wyglądać niezbyt inteligentnie.

Kiwnęłam głową, że to dobry pomysł.

Dopiero gdy przywykłam do przydymionego półmroku, zobaczyłam go w drugim końcu sali. Nietrudno było ich zauważyć; nawet w tym hałaśliwym otoczeniu stanowili najbardziej wrzaskliwy element. Tak zajęci byli sobą, że nie zwracali uwagi na resztę ludzi. Miałam jeszcze szansę, by wyjść, lecz nie skorzystałam z niej, jakby ktoś stał za moimi plecami i uniemożliwiał włączenie wstecznego.

Olek rozejrzał się po sali, a ja niemal bez udziału woli uniosłam się i pomachałam ręką. Naprawdę nie miałam zamiaru tego robić. Sekundę wcześniej postanowiłam, że płacę za colę i wychodzę. Ten chłopak nie był kimś, na kim mi zależało. Nie podniósł się nawet, tylko kiwnął, że mam się do nich przysiąść. Bez chwili wahania wzięłam swoją szklankę i manewrując między stolikami, ruszyłam w tamten kąt sali. Cały czas miałam świadomość, że postępuję głupio. Mimo to szłam, właściwie wbrew samej sobie. Ogarnęło mnie uczucie ubezwłasnowolnienia i nie umiałam mu się przeciwstawić.

– Hej! – powiedziałam, bo co niby mogłam powiedzieć? Mruknęli coś bez specjalnego entuzjazmu. Olek nie ruszył nawet dupy, żeby przysunąć mi krzesło. Przy sąsiednim stoliku było wolne i sama je sobie przyciągnęłam. Nie wysilił się też, żeby mnie przedstawić. Może nie pamiętał, jak mam na imię? A może rzeczywiście nie było komu. Towarzyszyło mu kilku zdrowo zamroczonych chłopaków i trzy tlenione dziewczyny z nabrzmiałymi twarzami. Przed każdym stała szklanka piwa, na pewno nie pierwsza. Przyglądali mi się krytycznie i gdy pojawił się przede mną ogromny kufel z pianą na wierzchu, bezcelowe były tłumaczenia, że nie mam ochoty. Upiłam trochę, a oni powrócili do przerwanej rozmowy. Nie przebierając w słowach, opowiadali jakieś wydarzenie, czy może raczej film. Chyba jednak film, bo co chwila odwoływali się do mojej pamięci:

– I on wtedy mu kopa z lewej i w mordę, i kopa, jeszcze raz, pamiętasz? To ona jemu podprowadziła te dolary, nie? A tamten dupek ręce na kark, a ten mu po szyi, co nie? Ale mu dokopali, z jaj jajecznicę zrobili, co nie?

Najpierw nie mogłam skojarzyć i patrzyli na mnie jak na kogoś nie z tego świata. Za którymś razem potaknęłam, że owszem, tak było, i od razu stałam się równiachą. Tleniona trąciła mnie łokciem zachęcająco i wydudlała z pół szklanki. Musiałam jej towarzyszyć, co przyjęli z uznaniem i wynagrodzili serią gwizdów. Gdy po jakimś czasie zorientowałam się, o jaki film chodzi, nie mogłam opanować zdumienia, że zapamiętali tylko mordobicie. Przecież film był o czymś innym! Jeeezu! Jakakolwiek dyskusja nie miała jednak sensu. Przekrzykując się, wymieniali doświadczenia ze stoczonych walk. Co mocniejsze kawałki akcentowali tupaniem i waleniem w stół pięściami. Dziewczyny śmiały się i obcinały mnie niechętnym wzrokiem, gdy nie dość entuzjastycznie reagowałam na relacje z wybryków ich menów. Jeeeezu!

Po godzinie miałam ich serdecznie dość. Olek przez większość czasu wpatrywał się bezmyślnie w ścianę. Miałam ochotę uciec, ale oszołomiło mnie wypite piwo. Powinnam jeszcze zapłacić za swoją colę. Skupiłam się w sobie i zaczęłam wypatrywać kelnerki. Nie bardzo mogłam liczyć na Olka, bo wydawał się zdrowo podpity. A niech to szlag! Zaryzykowałam i przekrzykując tumult, wrzasnęłam mu do ucha, że muszę już iść. Z trudem skupił wzrok na mnie. Ale gdy do niego dotarło, co mówię, zerwał się i zdecydowanym gestem przywołał kelnerkę. Zjawiła się natychmiast. Zapłacił grubym banknotem. Za resztę kazał przynieść piwa dla kumpli.

Wyszliśmy.

Powietrze orzeźwiło mnie.

Czułam niesmak.

– Ale masz kolegów! – powiedziałam z przekąsem. Postanowiłam, że gdy tylko dojdziemy do głównej ulicy, machnę na niego ręką i pobiegnę do domu. Zrobiło się późno.

Przeszliśmy kilkanaście kroków, nim jego zamroczony umysł przyswoił moje słowa. Spojrzał na mnie niechętnie i mruknął:

– To idioci! Ale wśród idiotów czuję się najlepiej. Nie muszę się zgrywać na lepszego, niż jestem. Dzięki takim jak oni zwiększa się odrobinę moje poczucie wartości!

Nie przerywałam mu, niech sobie gada. Raz tylko na niego spojrzałam i czym prędzej odwróciłam wzrok. Znowu w jego twarzy było coś nieprzyzwoitego, nagiego, otwartego do dna.

– Nienawidzę uzależnienia, zniewolenia. Nienawidzę swojego strachu przed przekroczeniem granicy, która została mi wyznaczona. Nie mogę zrobić kroku dalej, niż sięga smycz, nie potrafię wyrwać się z tego kręgu...

Przyspieszyłam kroku. Nie chciałam tego słuchać. Wolałam myśleć, że paruje z niego litr wypitego piwa. Był pijany i czkał co chwila. Starałam się wzbudzić w sobie odrazę i prawie mi się udało, ale jakąś częścią umysłu pojmowałam, o czym mówi, i było mi go żal.

Nie liczył chyba na moje zrozumienie czy współczucie, ale potrzebował słuchacza. A ja byłam zła i na dodatek zmarzłam.

– Chodźmy prędzej! – powiedziałam przynaglająco. Wszystko było nie tak. Nie wiem, czego się spodziewałam po tym spotkaniu, ale zdecydowanie nie tego.

Posłusznie przyspieszył kroku, jak pies Pawłowa, który reaguje na określony bodziec. Zrobiło mi się jeszcze zimniej, aż mną wstrząsnęło.

– Kiedy przyjeżdża twoja mama? – spytał nagle. Chyba zapomniał, że już dzisiaj o to pytał.

Ucieszyłam się, że zmienił temat.

– Może w przyszłym miesiącu!

Ożywił się. Chciałam spytać, o co chodzi mu z tą moją mamą, ale zaniósł się śmiechem pełnym pasji, aż zachrypiało mu w gardle. Przeraził mnie. Nagle schylił się, podniósł kamień, zważył go w dłoni, podrzucił kilka razy, a potem zrobił półobrót, zamachnął się i cisnął nim z całej siły w głąb ulicy. Mignęła mi myśl, że stały tam rzędy zaparkowanych samochodów, i w tym momencie rozległ się brzęk tłuczonej szyby. Zaśmiał się, a ja poczułam przejmujące zimno. O kurczę!

– Chodźmy stąd!

Nie wiem nawet, czy to był mój głos czy jego. Stał jeszcze przez chwilę i wsłuchiwał się w ciszę. Zrobiło mi się niedobrze. Uciekłam. Zatrzymałam się dopiero za rogiem. Przybiegł zaraz za mną.

– Jak mogłeś? – wychrypiałam.

– To łatwe! – powiedział z pewnym zdziwieniem, a na dowód podniósł następny kamień.

Wytrąciłam mu go z dłoni. Serce waliło mi jak oszalałe.
– Jesteś wariat! Chuligan! Bandzior! – wrzeszczałam, a on
śmiał się piskliwie. Więcej w tym było histerii niż zadowolenia.
Wariat! Zostawiłam go i uciekłam. Biegnąc, przysięgałam, że nigdy
więcej... Przeczuwałam, że ten wieczór nie tylko jutro wspominać będę ze wstydem.

Babcia siedziała jeszcze u Kasprzakowej. Widziałam jej cień
w oknie. Przynajmniej wymyślanie usprawiedliwień miałam
z głowy. Za to kundel obwąchał mnie dokładnie i odwrócił się
z obrzydzeniem. Miał rację! Nie zjadłam kolacji, bo i tak nie mogłam niczego przełknąć.
Położyłam się spać i nawet nie usłyszałam, kiedy babcia wróciła.
Śnił mi się włóczęga. Stał i patrzył wprost na mnie. W jego
wzroku nie dostrzegłam potępienia. Raczej oceniał, ile jestem
warta: dam radę, czy się przestraszę i zamknę w swojej skoru-
pie. Musiał być blisko, bo odór moczu i rzygowin był tak silny,
że się przebudziłam. Pies też nie spał, z uniesionym łbem spo-
glądał w okno. Wstałam i zamknęłam je. W świetle księżyca na
trawniku bielił się gruz. O kurde! Zapomniałam powiedzieć
Wilkom. Jutro muszę zrobić z tym porządek. To postanowienie
uspokoiło mnie na tyle, że znów zasnęłam.

18

Rano zwlekałam z wyjściem. Kanapki rosły mi w ustach i nie
chciało mi się gadać. Babcia łapczywie przerzucała strony kolorowego tygodnika. Poleciała do kiosku z samego rana i teraz
czekała, aż wyjdę, żeby się do niego przyssać. Chciała znać sen-
sacje wcześniej od Kasprzakowej, by móc zaskoczyć ją szczegó-

łami kolejnej ludzkiej tragedii. Uniosła brwi i zaczęła stukać palcem w obrazek. Zdążyłam wyciągnąć rękę w obronnym geście: nic nie chcę wiedzieć!

Czułam się okropnie i najchętniej zostałabym w domu pod pretekstem jakiegoś bólu, ale mina babci wskazywała, że nie byłoby to mądre rozwiązanie. Miała co do mnie wątpliwości, ale nie wiedziała, z której strony do nich podejść. Szukała porady w odpowiednich rubrykach, ale to co znalazła, dotyczyło pielęgnacji stóp. Nie pasowało.

Na sąsiednim podwórku darł się z dziką zawziętością kogut. Przewiercał na wylot mózg tym swoim kukuryku. Cierpienie koiła myśl, że ktoś kiedyś ukręci mu łeb.

– Babciu, mogłabyś ugotować rosół!

Wniosek zbyła milczeniem. Z udawanym zainteresowaniem wpatrywała się w cennik noclegów na Korsyce.

Wyszłam tak, by nie spotkać się z Aśką. Zaraz by się zorientowała, że mam coś na sumieniu. Zaczęłaby zadawać pytania, a ja jeszcze nie wiedziałam, czy mam ochotę na zwierzenia. Miałam zamiar spławić każdego, kto chciałby zatrzymać mnie na pogawędkę. Nie wiem czemu, opętała mnie myśl, że raptem wszyscy chcieliby ze mną rozmawiać. Niby o czym?

A jeśli wczoraj ktoś mnie widział? Jeeezu!

Olek czekał na skwerku. Właśnie tego najbardziej się obawiałam. Udałam, że go nie widzę, i spróbowałam wyminąć. Ruszył za mną.

– Nie chcesz ze mną rozmawiać!

Było to raczej stwierdzenie niż pytanie. Kiwnęłam głową i przyspieszyłam kroku. Miał, niestety, dłuższe nogi.

– Mnie też głupio! Wolałbym, żeby ojciec nie dowiedział się o tym wygłupie! Chciałbym cię prosić... – zawiesił głos i nie dokończył swej prośby. – Pokryję koszty!

Zrobiło mi się luźniej koło serca. Ma wyrzuty sumienia, a więc nie jest skończonym łotrem.

Szliśmy szybko i nie rozmawialiśmy, bo nie było o czym. Dopiero przed szkołą zdałam sobie sprawę, że cały czas czekał na odpowiedź. Miękkość w okolicach serca natychmiast znikła. Nie ufał mi. Oczekiwał przyrzeczeń. Drań! Tchórz! Dupek!

– Nie bój się! Nie powiem nikomu! – rzuciłam przez ramię. Starałam się, by zabrzmiało to zgryźliwie.

Zastąpił mi drogę.

– Przyrzekasz?

Pytanie zadał tonem, który zmuszał do odpowiedzi, i to tylko takiej, jakiej oczekiwał. W przeciwnym razie... Czyżby mi groził? Skrzywiłam się i chciałam powiedzieć coś obraźliwego, ale w tym momencie stanęła mi przed oczami scena w parku. Zamknęłam otwarte już usta. Nawet nie mogłam spojrzeć mu pogardliwie w oczy, bo uciekł nimi w bok.

– Przyrzekam! – mruknęłam i wyminęłam go.

– Przyjdziesz dziś do pubu? – spytał, ale tym razem jego głos brzmiał przymilnie. Poczułam się zdezorientowana.

– Raczej nie – bąknęłam, wbiegając po schodach. Nawet nie spojrzałam, jak zareagował, bo nie miało to znaczenia. Zakochanie, jeśli kiedykolwiek nim było, właśnie zdychało.

Na półpiętrze wyminęłam matematyka. Patrzył na mnie nieprzyjaźnie. Czyżby obserwował nas przez ostatnie minuty? Jeśli tak, to widział oczywiście tylko to, co chciał widzieć.

– Co tak długo? – syknęła gniewnie Aśka.

– Rozmawiałam z Olkiem! – odszepnęłam, dokładając starań, by zabrzmiało to dumnie. Chyba udało się, bo prychnęła i wydęła wargi, a Magda popatrzyła przeciągle przez ramię. W jej małych, zbyt blisko osadzonych oczach jarzyła się na pomarańczowo zazdrość. Aśka też to zauważyła i kopnęła mnie pod ławką, wykrzywiając się do pleców Magdy. Śmiałyśmy się przez całą fizykę. Profesor tłumaczył temat urywanym szeptem słyszalnym tylko w pierwszych ławkach. I tak nikt go nie słuchał. A jemu to nie przeszkadzało. Opowiedziałam Aśce co nieco z wczorajszego wieczora. Sporo pominęłam, resztę podkolorowałam. Magdzie aż uszy poczerwieniały od podsłuchiwania. Wymusiłam na Aśce, żeby nie wygadała babci. Nie bardzo chciała, ale wreszcie uległa.

– Do pierwszej głupoty! – oznajmiła twardo.

– Nie będzie żadnej głupoty! – przyrzekłam i w chwili, gdy to mówiłam, wierzyłam w szczerość swoich słów. – Żadnej!

Matematyk przyszedł spóźniony, trzepnął drzwiami, aż tynk się posypał, od samego progu miał pretensje, że nie dość spontanicznie powiedzieliśmy mu dzień dobry.

– A ty, Kołodziejski, masz taką ciężką czwórę, że nie chce ci się jej podnieść? Przyszły inteligent, cholera, a kultury za grosz! Jak cię ojciec i matka nie wychowali, to ja cię nauczę!

Ojojojoj! Facet majtki założył na lewą stronę czy co? Cisza była jak w kościele, baliśmy się zbudzić demona. Niestety, demon już się wyspał!

Sprawdził listę obecności do połowy i zamknął dziennik z hukiem, uznawszy, że zachowujemy się za głośno.

– Wyjąć kartki! – szczeknął.

Kurczę, jeszcze tego mi brakowało.

Usiłowałam skupić się na zadaniu, ale profesor był wyjątkowo źle nastawiony do całego świata. Kręcił gałkami starożytnego radia, pstrykał klawiszami, usiłując znaleźć coś, co go zainteresuje. Nic go nie interesowało. Wysłuchał prognozy dla rolników. Muzyka ludowa nie przypadła mu do gustu. Skupił się na relacji z wypadku kolejowego w sąsiednim kraju; minęło ze sto lat, nim policzyli trupy. Wreszcie wyłączył radio, uff. Miałam nadzieję, że to już koniec, ale się przeliczyłam. Wyjął gazetę i zaczął nią szeleścić. Szurał krzesłem i zagadywał nas o mało istotne sprawy.

Bolała mnie głowa. Trzeci raz zaczynałam liczyć ten sam piętrowy ułamek. To głędzenie było ponad moje siły. Nie wytrzymałam.

– Czy pan profesor mógłby ewentualnie zachować ciszę? Spojrzał na mnie zezem. Chyba o to mu chodziło: sprowokować kogoś. Aśka tylko pokręciła głową. Dałam się wpuścić!

– To znaczy, że mam się zamknąć? – spytał jadowicie. – Jak się koleżance rzeczniczce nie podoba zachowanie nauczyciela, może zgłosić skargę do dyrektora!

Zrobiło mi się zimno. Pochyliłam głowę nad kartką, ale liczby latały we wszystkie strony. Aśka kopnęła mnie pod ławką, żebym się zamknęła i nie podejmowała dyskusji. Nie miałam zamiaru, ale on wgapiał się we mnie do końca lekcji. Zabrał nam kartki pięć minut wcześniej, niż obiecał, i dał do zrozumienia, że to przeze mnie. Chyba skopałam zadanie, chociaż umiałam je zrobić. Popatrzył krytycznie na to, co napisałam, i wycedził:

– Upojne wieczory spędzane w knajpie wpływają negatywnie na rozwój umysłowy!

Odwróciłam się i wyszłam. Nogi miałam jak z gumy, ale pragnęłam zejść mu z oczu jak najprędzej. Bałam się, że nim dotrę do drzwi, usłyszę coś o rzucaniu kamieniami.

Dopadłam do drzwi swojej klity i zamknęłam się od wewnątrz. Wszystko się we mnie trzęsło. Miałam sobie za złe irytację sprzed kwadransa i to, że nie potrafiłam nad sobą zapanować. Po co mi ta awantura? Facet wziął mnie na celownik i będzie tak długo próbował, póki mnie nie zgnoi i nie udowodni sam sobie, że miał co do mnie rację.

Ktoś pukał i szarpał klamką, ale udałam, że mnie tu nie ma. Gabinet przydał się jako kryjówka, choćby przed Wilkami.

A swoją drogą, on też musiał być wczoraj w tamtej spelunie. Może obawiał się, że widziałam go w jakiejś niefortunnej sytuacji, i wolał pierwszy zaatakować? Tak czy owak, siaja!

Aśka całą drogę biadoliła, mając mi za złe występ na matmie.

– Po co ci to było?

– Nie dobijaj mnie! – próbowałam się bronić. – Przecież nie zrobiłam tego specjalnie. Samo tak wyszło!

– To jeszcze gorzej! – orzekła. – Jesteś zbyt spontaniczna! Może gdzie indziej takie zachowanie jest dopuszczalne, ale nie tutaj! Trzymaj język za zębami, bo narobisz sobie kłopotów!

O w mordę! Ja spontaniczna! Mama by się uśmiała. Wyrwało mi się i tyle!

Aśka wpadła w kaznodziejski ton i spodobała się sobie w tej roli. Mędziła i mędziła, jakby ją kto nakręcił. Ale z niej kiedyś będzie jędza.

– Zaczekam tutaj! – powiedziałam, gdy skręciła do sklepu. Miałam ochotę zostawić ją i iść do domu, ale wcześniej obiecałam, że pomogę przydźwigać zakupy, które zrobi.

Gdy znikła za drzwiami, odwróciłam się, by przysiąść na murku, i zawisłam tyłkiem w powietrzu. No nie! Parę metrów dalej siedział Olek. Rzucał groch gołębiom i przyglądał mi się od niechcenia. Spróbowałam zrobić resztę obrotu i polecieć za Aśką, ale figura, którą wykonałam, nie bardzo się udała. Uniesieniem brwi docenił mój wysiłek i klepnął ławkę obok siebie zapraszającym gestem. Rozum podpowiadał, żeby bez względu na to, co sobie pomyśli, brać nogi za pas, ale wbrew logice przyjęłam zaproszenie. Tłumaczyłam swojemu rozumowi, że to tylko na chwilkę, póki Aśka nie wyjdzie ze sklepu. Przecież to spotkanie jest czystym przypadkiem, nie mogę się obwiniać o to, co niesie los.

Gołębie kręciły się pod nogami, podfruwały i znów przysiadały. Miałam niemiłe wrażenie, że zaraz któryś na mnie narobi. I miałby rację.

– Zdechną z przejedzenia! – powiedziałam cierpko. Przyłapałam się na tym, że mam pretensje do niewinnych stworzeń.

– To co robisz dziś wieczorem? – spytał gołębia.

Milczałam tak długo, póki nie spojrzał. Nie znoszę, gdy ktoś, mówiąc do mnie, patrzy w inną stronę. Trochę trwało, nim odwrócił się do mnie twarzą. Był przystojnym chłopakiem i tym razem naprawdę zapraszał mnie na randkę. Kilka tygodni temu byłabym wniebowzięta, teraz kombinowałam, jak się wykręcić.

– Palę z babcią ognisko! – wymyśliłam wreszcie po długim zastanowieniu. – Jak chcesz, możesz się przyłączyć!

Roześmiał się. Zęby miał jak z telewizyjnej reklamy.

– Twoja babcia żywcem upiekłaby mnie w tym ognisku!

– Skąd wiesz? – Nawet nie usiłowałam zaprzeczać.

– Nienawidzi mojego ojca, a ja jako krew z krwi jestem równie niebezpieczny i godny pogardy! Nie dziwię się. Ja na jej miejscu myślałbym podobnie.

– Dlaczego? – spytałam, skupiona na wypatrywaniu Aśki. Przez witrynę sklepową widziałam kolejkę do kasy. Zamierzałam wstać, gdy będzie płaciła za swoje zakupy. I wtedy rozdźwięczała się jakaś struna w mózgu, zmuszając do skupienia na tym, co powiedział. Ze zgrzytem słowa Olka cofnęły się, bym mogła przeanalizować je ponownie.

– Dlaczego go nienawidzi?

Spojrzałam uważniej, ale w jego twarzy dostrzegłam panikę, jakby to, co powiedział, wyrwało się niechcący i teraz tego żałował. Nerwowym ruchem rzucił groch między gołębie, a one, spłoszone, rozfrunęły się z krzykiem. Wyglądał na przestraszonego. Gdy spostrzegł, że mu się przyglądam, zacisnął dłonie tak mocno, że strzeliło mu w stawach, po czym wzruszył ramionami.

Chciał okazać lekceważenie, ale wypadło to jak spazm poprzedzający wybuch płaczu.

Przez rynek przeszła wycieczka dzieciaków. Ostatnia dreptała dziewczynka; nawet niespecjalnie się zdziwiłam, że miała na nogach czerwone tenisówki. To chyba jakaś ostatnia moda.

– Bo ja wiem? – powiedział lekkim tonem, gdy dzieci zniknęły w cukierni. – Czymś tam jej się przysłużył. Tak jak wszystkim! Spojrzał przelotnie, jak to przyjęłam. Zdążył ochłonąć i przeklinał się za to, co mu się wcześniej wyrwało. Liczył, że nie zwróciłam uwagi na tamte słowa. Moja obojętna mina uspokoiła go, choć nie powinna. W przeciwieństwie do niego potrafiłam skrywać swoje uczucia. Ogarnęło mnie znane już uczucie toczącej się gry. Zorientowałam się, że i Olek miał w niej swoją rolę. Co wiedział o babci? Być może znał odpowiedzi na pytania, których nie potrafiłam jeszcze zadać.

Nie zauważyłam, kiedy Aśka wyszła ze sklepu. Stała z pakunkami na ulicy i machała do mnie torbą z ziemniakami.

– No to jak? Pójdziemy do dyskoteki? Potem możemy zapalić ognisko za jakąś zabłąkaną duszę!

Zgodziłam się. Kurczę, zgodziłam się i nawet nie miałam sobie tego za złe. Nawet jeśli wcześniej miałam jakieś opory, to zapomniałam jakie.

– Jesteś szurnięta! – oceniła mnie Aśka i dała do dźwigania cięższą torbę. – Babcia cię zabije!

– Wcale jej nie powiem! I mam nadzieję, że ty też nie wygadasz!

– Specjalnie na to nie licz!

Z zaciśniętymi zębami dodźwigałam zakupy pod same drzwi Wilków. Nawet nie podziękowała za pomoc. Gdyby mi się chciało, mogłabym wytłumaczyć, że nie chodzi mi wcale o Olka, ale o babcię, mamę, o mnie, o coś, co powinnam już dawno wie-

dzieć, a on jest jedyną osobą, od której mam szansę dowiedzieć
się tego czegoś. Ale Aśka była na mnie zła, a ja nie potrafię rozmawiać z ludźmi, którzy syczą. Rozstałyśmy się bez słowa.

Babcia też miała o coś nerwy. Gadała tylko do psa, a mnie
omijała jak cuchnące jajo. Powód jej rozdrażnienia bielił się
w ogrodzie. Gruz! Boże, gdzie ja mam głowę? Znowu zapomniałam powiedzieć chłopakom. Zjadłam obiad i poszłam na
gruzowisko. Załadowałam wiadro do pełna, robiąc wiele hała-
su, by słyszała, że się staram. Niestety, mój zapał wygasł już na
wstępie, bo nie miałam pomysłu, gdzie to wyrzucać. Należałoby
wykopać spory dół, a dzisiaj nie miałam na to ani czasu, ani
ochoty. Wyniosłam wiadro w krzaki i tam zostawiłam. Nie będę
się szarpać. Jutro ściągnę Wilków. Znowu jutro!

Babcia nie skomentowała moich poczynań. Siedziała przed
telewizorem i oglądała wiadomości. Same okropieństwa.

– Rety, co się na tym świecie wyprawia! Znowu dzieciak
zabił dzieciaka! – westchnęła ciężko, gdy usiadłam obok niej. Wyglądała na przygnębioną, jakby osobiście dotykały ją te potworno-
ści. Odetchnęłam z ulgą, że to nie o mnie chodzi, przynajmniej nie
bezpośrednio. Zabrałam pilota i przełączyłam na kanał muzyczny.
Niektóre piosenki brzmiały optymistycznie. Zrobiłam to za późno.

– Co jest, że w dzieciach tkwi tyle bezmyślności i okrucień-
stwa? – spytała ze łzami w oczach.

Ależ ją naszło! I to akurat teraz!

– Bo ja wiem? – próbowałam zlekceważyć temat. Miałam zamiar zaraz wyjść, a nie mogłam zostawić jej w takim stanie. Telewizor to nie było dobre towarzystwo. Wyłączyłam go. Cisza
zaostrzyła atmosferę wyczekiwania na odpowiedź. A jakiej ja
niby odpowiedzi mogłam udzielić?

– Dzieci nie wiedzą, co to jest śmierć. Linia oddzielająca życie od śmierci jest dla nich płynna albo nie ma jej wcale. Może

odpłacają za jakieś swoje krzywdy, nie przewidując skutków. Pewnie zawsze tak było, ale ludzie nie mieli telewizorów i nie wiedzieli nawet, co się dzieje w sąsiednim mieście. Założę się, że nieletni zabójcy trafiali się zawsze, również w czasach twojej młodości! – paplałam bez opamiętania.

– Skąd wiesz? – krzyknęła histerycznie. Ścisnęła mnie za ramię tak mocno, że zabolało. Miałam zamiar wyciszyć emocje, a jeszcze bardziej ją zdenerwowałam. Co ja takiego powiedziałam?

– Tak mi się wydaje!

Musiały ją gnębić jakieś zgryzoty, bo zacisnęła powieki i odwróciła się ode mnie. Wstałam, żeby iść do kuchni i zrobić herbatę.

– A co ma zrobić matka takiego mordercy? – krzyknęła piskliwie i zagrodziła mi drogę laską.

– Oj, babciu, za bardzo to przeżywasz! – Odsunęłam lachę i poszłam do kuchni. – Zrobię coś do jedzenia!

Przyniosłam herbatę i zaczęłam głośno uczyć się angielskiego. Prychała gniewnie, że jej przeszkadzam, ale nie dałam się wygonić do swojego pokoju. Zadawałam pytania i czekałam na odpowiedź.

– Nic nie rozumiem! – denerwowała się.

– Nie szkodzi! Jak się zatrzymam, mów YES albo NO! – poinstruowałam.

Powoli wciągnęła się, ale po kwadransie doszła do wniosku, że to strata czasu. Lepiej jak upiecze placek, bo ma przyjść Kasprzakowa.

Uff, byłam uratowana. Mogłam iść.

Umówiliśmy się, że będzie czekał na zewnątrz. Przyrzekłam sobie, że wrócę do domu, jeśli zapomni o umowie. Nie zapomniał. Czekał, tak jak obiecał. Nawet z daleka pomachał ręką. Zdawałam sobie sprawę, że ta serdeczność jest na pokaz, ale było mi miło. Zwłaszcza że kłębiące się przy wejściu dziewczyny patrzyły na mnie krytycznie. Uniosłam w odpowiedzi brwi, że sama nie rozumiem, co on we mnie widzi. Były wyraźnie zdegustowane.

Olek wyglądał bosko. Nigdy jeszcze nie byłam na randce z tak przystojnym chłopakiem. Postanowiłam na godzinę wyłączyć rozum i wyluzować się. Ostatecznie nie robiłam niczego złego. Przecisnęliśmy się przez tłum oblegający gry komputerowe. W głębi sali było luźniej i ciemniej. Wkraczanie w mrok miało w sobie coś magicznego, dziejącego się poza mną. Wszystko traciło na jakiś czas znaczenie. Czułam, jak opada ze mnie napięcie. Śmiałam się, gadałam głupstwa i chciałam, by ta chwila oszołomienia trwała jak najdłużej. Ale gdzieś na dnie mózgu jak drzazga tkwiła świadomość, że owa beztroska tak naprawdę nie dotyczy mnie. Zupełnie jakbym stała z boku i obserwowała tę roześmianą dziewczynę i zastanawiała się, skąd ją znam.

Wilki cały czas kręciły się w pobliżu. Aśka ściągnęła całe Stado. Dobrze się bawiłam i ani myślałam reagować na ich przywołujące gesty. Olek też zauważył te podchody.

– Przyszłaś z obstawą? – zapytał.

– Nie, skąd! Nawet ich nie znam! – zaszczebiotałam i z miejsca poczułam się obrzydliwie. – Nie wiem, skąd się tu wzięli! – dodałam i zauważyłam, że się tłumaczę. Poczułam się jeszcze gorzej.

Dobry nastrój powoli mijał. Musiałam się przejść do kibelka, żeby pomyśleć, co robić dalej. Tam dorwała mnie Aśka. Wetknęła nogę między drzwi i odebrała szansę na chwilę odosobnienia.

– Wiesz, że wszyscy gadają tylko o tobie i Tarwidzie? – zasyczała gniewnie. – Zostaw go i chodź do nas!

Zesztywniałam. Nie lubię, gdy traktuje się mnie jak element życia zbiorowego. Moje głupie poczucie wolności sprawia, że gdy ktoś próbuje mną dyrygować, postępuję na przekór, wbrew logice, wbrew rozsądkowi.

– Ślubu z wami nie brałam!

Słowa jeszcze nie przebrzmiały, a mnie już było głupio, że je wypowiedziałam. Aśka znała mnie wystarczająco dobrze, by wiedzieć, że wcale tak nie myślę, i czekała, licząc, że się wycofam. Ale ta jej pewność wkurzyła mnie jeszcze bardziej. Milczałam. Coś się we mnie zaparło. Gotowa byłam przeprosić za to, co powiedziałam, i iść z nią, bo Olek nic przecież dla mnie nie znaczył, ale klucha utknęła mi w gardle i nie pozwalała przejść słowom.

– Jesteś głupia! – orzekła Aśka bez specjalnego gniewu. – Ale cóż, na rozsądek nikt nie ma patentu. Jesteśmy tam, gdzie zwykle, w razie gdyby wrócił ci rozum!

– Nie kłopoczcie się o mnie! – mruknęłam ugodowo. Chciałabym wyjaśnić, że to tylko gra, a Olek jest jej częścią, bo ma informacje, które mnie są do czegoś potrzebne. Takie wyjaśnienie nie przyniosłoby uspokojenia nawet mnie, a co dopiero Aśce.

Łazienka zapełniła się tłumem rozgadanych dziewczyn i dalsza rozmowa stała się niemożliwa.

Aśka popatrzyła na mnie z niesmakiem.

– Mam nadzieję, że wiesz, co robisz!

No cóż! Nie miałam najmniejszego pojęcia, ale na swój sposób było to przyjemne.

– Chodźmy stąd! Pójdziemy gdzie indziej! – zaproponował Olek, gdy wróciłam.

– Po co? Przecież tu jest fajnie! – zdziwiłam się.

Zerknął na zegarek, dając do zrozumienia, że bez względu na moją decyzję on i tak pójdzie.

– No nie wiem! – Nie ufałam mu aż tak, żeby włóczyć się nie wiadomo gdzie. Wahałam się.

– OK. Przecież nie musisz! – Znów popatrzył na zegarek. – Na chwilę wychodzę, a ty się przez ten czas zastanów!

Patrzyłam w ślad za nim bez specjalnego niepokoju. Ostatecznie jak chce, niech idzie. Dołączę do Wilków i po sprawie. I tak nie miałam szans, by sprowadzić rozmowę na interesujący mnie temat. Rozejrzałam się i wtedy spostrzegłam, że inni też się na niego gapią. Gdy zniknął za kotarą, spojrzenia przeniosły się na mnie. Zrozumiałam, że ostrzeżenia Aśki nie były bezpodstawne. Cały czas byliśmy obserwowani; rozmawiali o nas, wyobrażali sobie, co nas łączy, spekulowali, dlaczego wyszedł, czy wróci, czy zostawi mnie samą. Szeptem wymieniali uwagi i czekali na dalszy ciąg przedstawienia.

Poczułam się jak towar na wystawie sklepowej z przyklejoną na plecach ceną. Siedziałam sztywno, nie bardzo wiedząc, jak postąpić. I wtedy zjawiła się Magda. Wyłoniła się z szemrzącego tłumu i przysiadła na brzeżku krzesła.

– Cześć! Fajnie się bawicie. Może przysiądziecie na chwilę do nas? – zaproponowała niby bez większego zainteresowania, ale w jej głosie wyczuwalne było napięcie. Bardzo jej zależało, bardziej, niż chciała to okazać. Dzięki niej decyzję podjęłam natychmiast.

– Dzięki, ale zmieniamy lokal!

Nie potrafiła ukryć rozczarowania. Zazdrościła mi. Tak jak i oni wszyscy. Gdy Olek wrócił, byłam już gotowa do wyjścia. Niech się ciągną!

Nie wiem, czy każdy człowiek ma jakieś przeznaczenie, ale wychodząc miałam świadomość, że tak właśnie musiałam postąpić, żeby rola, którą gram, miała sens.

– Do diabła! Nie słyszałam, kiedy weszłaś! – Babcia otworzyła drzwi do łazienki. Właśnie owijałam ręcznikiem mokrą głowę.

– Oj, babciu, dawno już jestem! Chyba przysnęłaś, skoro nie słyszałaś! – jęknęłam i zaczęłam ściągać majtki, żeby ją zmusić do wyjścia.

Poskutkowało. Wyszła.

– Gdzie się podziewałaś tak długo? – darła się przez drzwi. – Matka dzwoniła, a ja nawet nie potrafiłam powiedzieć, gdzie jesteś!

– Paliliśmy ognisko! – powiedziałam prawie zgodnie z prawdą. Owszem, zapaliliśmy, takie z czterech patyków. Przyłączyli się do nas znajomi Olka, te same typy co wtedy. Byli chyba umówieni, bo nie czekali na zaproszenie, po prostu przysiedli się. Mieli ze sobą wódkę i prochy. Przydźwigali też skrzynkę piwa dla Olka. Chodziło o jakiś zakład, ale robili tajemnicze miny, z których wynikało, że nie chcą przy mnie o tym mówić. Dużo natomiast opowiadali, ile ostatnio wypili, kogo skopali i gdzie najtaniej można zaopatrzyć się w trawę. Gadali o tym w kółko, wplatając coraz to nowe szczegóły.

Siedziałam między nimi, więc musiałam też coś mówić, potakiwać, wyrażać podziw bądź zainteresowanie. Wiedziałam, że ta rozmowa to nie żadna rozmowa, tylko taki sposób zabijania czasu. Powinnam traktować ją lekko, tu wpuścić, tam wypuścić, ale czułam, jak od takiego bredzenia mózg mi gąbczeje, a kleista maź wypełnia czaszkę. Wieczór przeciekał między palcami, a wraz z nim coś ważniejszego od tego ględzenia. Nie potrafiłam określić, o co mi chodzi. Zaczęło być mi ciasno we własnych butach.

– O co ci chodzi? – Pryszczatemu zaczął przeszkadzać mój brak entuzjazmu.

– Niewygodnie mi! – Akurat jemu nie musiałam się tłumaczyć.

– Trza se było przynieść fotel! – zaśmiał się ironicznie, chociaż nie wrogo. Tlenione przyłączyły się ze swoim głupkowatym chichotem; słabo już kontaktowały.

Patrzyłam na otwierające się i zamykające usta, nadgryzione próchnicą zęby, rozmazany makijaż... Boże, co ja tutaj robię? Skręt krążył wkoło, ale tylko udawałam, że się zaciągam. Byli zbyt oszołomieni, by zwracać na mnie uwagę. Piwo wypiłam z własnej woli, bo inaczej nie wytrzymałabym z nimi nawet kwadransa. Po dwóch godzinach miałam dosyć.

– Chyba już pójdę! – mruknęłam.

Spodziewałam się, że będą mnie zatrzymywać. Nic bardziej mylnego. Przyjęli to z ulgą. Moje towarzystwo też im nie odpowiadało. Mieli coś do obgadania z Olkiem. Po to się przecież tu spotkali. Przynieśli piwo, bo wygrał jakiś zakład. Pewnie niezbyt uczciwy, inaczej nie mieliby takich oporów. Olek miał coś na sumieniu, ale nie chciałam wiedzieć co. Byłam im wdzięczna, że nie wciągali mnie w swoje bagienko.

Wstałam. Olek nawet się nie ruszył. Pies z nim tańcował.

Pół drogi szłam po omacku. Zanim doszłam do ulicy, wywaliłam się trzy razy. Do domu weszłam przez okno. Byłam na tyle świadoma, by nie pokazywać się w takim stanie babci. Ledwo stałam na nogach. Pociągnęłam skręta jednak ze dwa razy. Nie zapaliłam światła, tylko rozebrałam się i na palcach przeszłam do łazienki. Włożyłam palec do gardła i zwymiotowałam. Potem puściłam zimną wodę na głowę. Gdy wpadła babcia, zawijałam głowę ręcznikiem i udawałam, że mydło wpadło mi do oka. Napuściłam do wanny zimnej wody i siedziałam w niej, póki nie zmarzłam. Jako tako doszłam do siebie.

– Paliliśmy ognisko! A tam nie było telefonu. I tak wyszłam najwcześniej. Wszyscy jeszcze zostali, a ja sama szłam przez miasto! – poskarżyłam się, żeby babcia też miała swoją porcję poczucia winy.

Mówiłam szczerą prawdę, ale kundel warknął na mnie. Obwąchał i warczał, patrząc mi w oczy. Odwróciłam wzrok. Miał rację. Dobrze, że babcia nie rozumiała psiej mowy. Wykrzywiłam się, a on machnął pogardliwie ogonem i położył się przy jej nogach, tyłem do mnie. Oboje byli na mnie źli. Swoje wiedzieli, ale nic nie mówili.

Czułam się podle i nie mogłam sobie z tym poradzić. Babcia poszła spać, a ja łaziłam po mieszkaniu jak potępieniec. Zatrzymałam się przed lustrem i przyjrzałam tamtej ponuraczce. – Malina! – powiedziałam do niej z naganą w głosie. – Nie rób głupot! Wykrzywiła się obrzydliwie. Doskonale wiedziała, o co mi chodzi, ale udawała głupią. Zrobiła niewinną minę i potrząsnęła głową. – O co ci chodzi? Przecież nie robię nic złego! Patrzyłam na odbicie w lustrze i widziałam całkiem obcą osobę. Przeraziła mnie myśl, że niechcący stałam się kimś innym. Zamknęłam oczy i po omacku powędrowałam do swego pokoju. Nakryłam głowę kołdrą, by ukryć się przed własnym sumieniem. Miałam nadzieję, że będą mi się śniły koszmary i dzięki nim poczuję się rozgrzeszona. Niestety, w tym, co śniłam, nie było nic przykrego, bo to, że stał tam, zagapiony w przestrzeń, trudno nazwać koszmarem.

Obudziłam się z bólem głowy.

19

– Jak wczoraj było? – spytała Aśka z przekąsem.

Czekałam na nią z nosem przy szybie, ale musiała pójść inną drogą. Chciałam pogadać, wyjaśnić, przyznać się do swego zidiocenia, ale nie dała mi szansy. I tak dobrze, że w ogóle się odzywała.

– Dawaj zadania, bo nie zdążyłam zrobić! – mruknęłam. Nadal było mi niedobrze i nie mogłam wykrzesać nawet odrobiny energii.

Przyjrzała mi się krytycznie.

– Aaa, to znaczy, że marnie było! – Machnęła ręką i odwróciła się plecami. Zatkała uszy i przeglądała notatki z ostatniej lekcji. Po upływie sekundy kiwnęła głową, że mam sobie poszukać w jej torbie właściwego zeszytu. Spisywałam w milczeniu pracę domową, czekając na wymówki, ale udawała, że mnie tu nie ma. Wiedziałam, że po tym, co było wczoraj, to ja powinnam uczynić pierwszy krok, ale potrzebne mi było jakieś słowo zachęty. Obie miałyśmy świadomość, że wytworzyła się między nami próżnia, niewielka, taka na wyciągnięcie ręki, i trzeba było szybko coś zrobić, żeby ją przekłuć, ale zadzwonił dzwonek, a fizyk upatrzył sobie Aśkę i kazał jej tłumaczyć jakieś tajemne wzory. Aśka i wzory! Nie umiałam jej pomóc; nie wiedziałam nawet, na której stronie otworzyć zeszyt, a to co podpowiadali, było dla mnie równie niezrozumiałe jak samo pytanie. Dostała sztywną i ogarnęło mnie przykre wrażenie, że to częściowo moja wina. Na przerwie pocieszał ją Ciołek, a dla mnie zabrakło przy niej miejsca. Postanowiłam, że w drodze do domu zrobię ten pierwszy krok.

Dzień był jakiś gęsty, męczący, wypełniony wzorami, życiorysami, analizami, skutkami... Wszystkiego było za dużo. Pękała mi głowa. Olek kilkakrotnie przemknął po korytarzu, ale byłam zbyt zajęta powtarzaniem, zapamiętywaniem, spisywaniem na dłoni, by o nim pomyśleć. Na dużej przerwie zatrzymał mnie i szepnął, że będzie czekał w Pelikanie. Traf chciał, że obok stała Magda i gapiła się na niego z tak głodnym wyrazem twarzy, że mimowolnie kiwnęłam głową. Już w następnej sekundzie zdałam sobie sprawę, że zrobiłam to głównie z jej powodu, ale było za późno na anulowanie kiwnięcia, bo Olek zniknął, a mnie przez głośnik wzywał dyrektor. Zmrużone zawistnie oczy Magdy były marną satysfakcją. Byłam na siebie zła.

Sekretarka bez uśmiechu wskazała mi drzwi gabinetu. O kurczę, coś nie grało; zwykle nastawiona była bardziej przychylnie. Na wszelki wypadek zrobiłam błyskawiczny rachunek sumienia, ale nie, jeśli chodzi o szkołę, byłam w porządku. Chyba że wyszła na jaw sprawa wybitej szyby samochodowej. Ugięły się pode mną nogi.

Byłam tu już parę razy, by omówić podstawy prawne mojego działania, ale tym razem nie o to chodziło. Dyrektor siedział za biurkiem z gradową miną. Wskazał krzesło.

– Siadaj!

Pomyślałam, że skoro proponuje pozycję siedzącą, nie jest źle. Istotnie, nie chodziło mu o mnie, ale o plastikowego faceta z biologicznej sali. Plastikmen został dziś z samego rana zamordowany: ktoś rozpruł mu wnętrzności wiertarką. Poczułam ulgę i usiadłam wygodniej. Wiadomość nie tyle mnie rozbawiła, ile sprawiła drobną przyjemność. Nie lubiłam Plastikmena i siadałam zwykle tak, by nie mieć go w polu widzenia, co było trudne, bo stał w eksponowanym miejscu, obok profesorskiego biurka, i świecił mi w oczy bebechami. Był idealnie przezroczysty, a za pomocą klawiatury wprawiało się w ruch każdy układ z osobna albo wszystkie razem, w zależności od potrzeb. Tę pomoc naukową ufundował również wiadomo kto. Dla mnie ten szklany gość był bardziej odrażający od ukrzyżowanej żaby, zezującej ze słoja. Dowodził, że jestem automatyczną maszyną, która została włączona siedemnaście lat temu, a moje zadanie sprowadza się do dostarczenia jej codziennej porcji jedzenia, którą już sama przekształca w energię. Wcześniej przyjęłam do wiadomości, choć z niejakim trudem, że dźwigam w sobie kościotrupa. Gdy poznałam Plastikmena, przeraziło mnie, jak mało jest w moim ciele miejsca dla mnie samej, tylko gdzieś między gardłem a oczami; reszta to automatyczne układy. Zgroza.

Nikt jeszcze nie wiedział o nowym skandalu. Jako jedyna spośród uczniów zostałam wtajemniczona w dyrektorskie problemy. Ciekawe, dlaczego ja? Poczułam lekkie ukłucie niepokoju. I słusznie.

– Chciałbym dowiedzieć się, kto jest sprawcą tego barbarzyństwa! Jestem pewien, że to któryś z uczniów! Nie powiedział tego wprost, ale dał do zrozumienia, że liczy na mnie. Mam mu donieść, gdy coś usłyszę. Ten, co to zrobił, na pewno puści farbę, a wśród uczniów wieści rozejdą się błyskawicznie. A niech to!

W myślach powtarzałam angielskie słówka, bo nie wiedziałam, jak się zachować. Starałam się utrzymać na twarzy wyraz zainteresowania, choć miałam ochotę zaśmiać mu się w nos i wyjść. Niech szuka sobie innego donosiciela, ma ich pewno tutaj niemało. Zamiast tego kiwnęłam głową ze zrozumieniem, że owszem, jak tylko się czegoś dowiem... Jednocześnie miałam ochotę dać sobie kopa w tyłek.

Zaczęła się już lekcja, ale nogi same zaprowadziły mnie do kibla. Najpierw długo siedziałam na sedesie, bo zaczął boleć mnie brzuch, a potem wsadziłam rękę za drewnianą ściankę i znalazłam paczkę papierosów i zapalniczkę. Wiedziałam, że tam są. Wiedziałam też i o innych rzeczach, ale na te inne nie miałam ochoty. Na papierosa tak. Byłam zdołowana: i Olkiem, i Aśką, i teraz tym. Czułam się winna, choć nie wiedziałam, czemu. Zupełnie jak dawniej. Miałam wrażenie, że cień ojca przemknął mi za plecami, poczułam suchość w ustach. On też uważał się za wyrocznię, za boga; spłodził mnie, więc miał prawo kształtować mnie na swój obraz i podobieństwo. Wyobrażał sobie, że może mnie zaprojektować i wytresować. Wierzył w to szczerze, a ja długo starałam się nie przysparzać mu trosk. Wyczuwałam, czego chciał, i postępowałam zgodnie z jego życzeniem, przynajmniej wtedy, gdy patrzył. W sumie niewiele mnie to kosztowało, a był to prosty i pewny sposób na święty spokój. Zresztą bałam się go, bo łatwo wpadał w gniew i nigdy niczego nie darował. Mama nie wiedziała o moim przerażeniu i tak było lepiej. Widziałam przecież, że i ona nie potrafiła poradzić sobie z własną niepewnością. W naszym domu panowała próżnia; gdy wchodził, wsysał powietrze i sprawiał, że obie z mamą unosiłyśmy się bezwładnie. Nie potrafiłyśmy odnaleźć nawet siebie, a on robił wszystko, by stać między nami. Nie przewidział tylko, że i strach może spowszednieć. Jeśli żyje się w ciągłym napięciu, a chce się pozostać przy zdrowych zmysłach, trzeba szukać drzwi, którymi można zwiać. Mama uciekła do redakcji, ja w świat wyobraźni. Tam to ja byłam bogiem, a on papierową kukiełką. Umiałam nawet fruwać i gdybym tylko chciała, mogłabym mu pokazać, jak to się robi.

A potem zorientowałam się, że i ja mogę sprawiać ból, i zabiłam chomika.

Wypaliłam pół fai i zdecydowałam, że powiem Aśce o Plastikmenie i o tym, czego zażądał ode mnie dyrektor. Ani myślałam trzymać tego w tajemnicy. Nikt nie może mnie zmusić do hodowania w sobie nowego strachu. Jeszcze dzisiaj będzie o tym wiedziało pół miasta, a ja skorzystam z okazji i zrzeknę się funkcji rzecznika.

Spodobała mi się ta perspektywa, ale nie mogłam nigdzie spotkać Aśki, a gdy wreszcie ją dopadłam, obściskiwała się w kącie z Ciołkiem. Poczekałam, aż się odkleją, ale powiedziała, że zamierza zostać po lekcjach i poprawić fizykę, bo dzięki Ciołkowi doznała olśnienia i już umie to, z czego dostała gałę. Trudno, musiałam zdobyć się na cierpliwość.

Najpierw czekałam na skwerku, ale zaczął padać deszcz, więc postanowiłam wejść do pubu, którego okna wychodzą na rynek. Stamtąd jej nie przegapię, a dodatkowa fizyka kiedyś się przecież skończy. Dopiero gdy weszłam i zobaczyłam Olka, przypomniałam sobie o umówionym spotkaniu. Niech to diabli! Zrobiłam w tył zwrot, ale już mnie zobaczyli i zaczęli tłuc kuflami o stół. Musiałam podejść, żeby przestali. Traktowali mnie jak swoją, głównie dlatego, że byli zdrowo nabuzowani. Olek musiał już dawno wyjść ze szkoły, skoro zdążył się tak zaprawić.

– Nie, dziękuję! – Odsunęłam piwo, które postawili przede mną. – Dzisiaj muszę być wcześniej w domu!

– Musi to na Rusi! – czknął pryszczaty i zamaszystym gestem przysunął napełniony po brzegi kufel. Część wychlusnął mi na spodnie. O kurczę, teraz na odległość będę cuchnęła browarem!

– No widzisz! Już masz mniej do wypicia! – Olek rozłożył ręce.

Jakakolwiek dyskusja i tak nie miała sensu. Po prostu nie powinno mnie tu być. Odsunęłam krzesło, żeby wstać, i nogą zawadziłam o czyjąś torbę. Schyliłam się, żeby ją poprawić, i to, co zobaczyłam, spowodowało, że zostałam. Zwyczajnie przyssało mnie do krzesła. W torbie między książkami leżała wiertarka. Wiertło oblepione było stopionym plastikiem. Nie mogłam mieć wątpliwości co do tego, kto jest właścicielem firmowej torby.

Olek zauważył moje spojrzenie, zaśmiał się i kazał kelnerce przynieść butelkę wódki. Rozlali ją wprost do kufli. Specjalnie nie zmartwili się, że nie chciałam. Radio na kontuarze bębniło na cały regulator, a oni między kolejnymi łykami alkoholu wyłuszczali swe poglądy na życie. Rozprawiali o zabójstwie chłopaka z Warszawy i zastanawiali się, do czego kto byłby zdolny, gdyby zaistniała taka konieczność.

– W życiu każdego człowieka jest taka chwila, gdy chciałby kogoś zabić! – powiedział Olek ochrypłym głosem.

Nawet tamci umilkli, a Olek spojrzał na torbę i zaczął się histerycznie śmiać. Przyłączyli się, chyba wiedzieli, do czego posłużyła wiertarka. Nie zauważyłam, że małymi łykami popijam piwo. Zorientowałam się dopiero, gdy dotarłam do dna. Zobaczyłam przez okno Aśkę, ale teraz nie wiedziałam, co mogłabym jej powiedzieć, a czego nie. Nie zależało mi na kolejnej nieszczerej rozmowie.

Spóźniłam się. Znowu. Przyszłam dwie godziny później, niż obiecałam. I nie zadzwoniłam. Babcia trzaskała garami, myła czystą ceratę i ścierała zawzięcie niewidoczne plamki.
– Cześć! Już jestem! – zawołałam od progu, uprzedzając reprymendę. – Wiem, wiem, zachowałam się jak gówniara! Ale nie miałam jak zadzwonić, bo zatrzymała mnie polonistka i kazała opowiadać, jak się robi reportaż. Nie mogłam się wymigać! Jak łatwo przychodziło mi kłamać. Nie mogłam nawet w myślach na nikogo zwalić winy, bo sama zwlekałam z wyjściem. Na dobrą sprawę nikt mnie nie zatrzymywał i powinnam dawno wyjść, zamiast słuchać pijackiego bełkotu. Zamawiali kolejne piwa, bo Olek znowu wygrał od nich całą skrzynkę. Potem szłam wolno, by to, co wypiłam, miało czas wywietrzeć.

Babcia nie odezwała się, nawet na mnie nie spojrzała. Pewnie wiedziała, że bujam, i dalszymi pytaniami nie chciała pogłębiać mojego kłamstwa. Wściekłość pryskała z niej jak tłuszcz z mokrej patelni. Musiałam trzymać się z daleka, by nie znaleźć się w polu rażenia.

– Co na obiad? – spytałam i żeby nie dać jej dojść do głosu, od razu zaczęłam opowiadać o szkole. – Mówię ci, babciu, jaka dzisiaj była afera! Ktoś wypalił dziury w człowieku z pleksi. Jedyny przejrzysty facet w województwie nadaje się na śmietnik. Dyrektor dostał apopleksji. Ale jestem głodna!

Walczyła z pokusą trzaśnięcia drzwiami i zostawienia mnie z zimnym obiadem, ale zwyciężyła ciekawość.

– A kto to zrobił? – spytała, mieszając w garnku z zupą.

Ciekawe, jak by zareagowała, gdybym wyjawiła swoje podejrzenia? Później żałowałam, że nie powiedziałam o Olku.

– Przecież się nie podpisał! Ale to musi być jakiś wróg Tarwida, bo Plastikmen był jego darowizną!

– Aaa, to rzeczywiście krąg podejrzanych jest dość szeroki!

– Babcia należycie skupiła się na najnowszych rewelacjach.

Miałam nadzieję, że jeszcze dzisiaj rozpowie o tym sąsiadkom.
– No i dobrze ktoś zrobił! Kto to słyszał trzymać w szkole gołego faceta. Nawet jeśli był z pleksi!
Burza minęła.

Włączyłam telewizor. Uśmiechnięta spikerka relacjonowała przekaz z trzęsienia ziemi w Turcji. Ekran pęczniał od trupów, a pod zwałami gruzu można się było domyślać następnych. Liczba 12 tysięcy brzmiała w ustach blondynki niemal ironicznie. Chyba nie rozumiała tego, co kazali jej przekazać. Zresztą, sama nie byłam lepsza; gdyby nawet wymieniła inną liczbę, choćby 100 tysięcy, odebrałabym to bez emocji. Wiertarka w torbie Olka przeraziła mnie stokroć bardziej.
– Tynk z ogrodu trzeba posprzątać! Już od tygodnia leży, a ciebie to nie obchodzi! – powiedziała babcia, siadając w fotelu obok. – Na wszystko masz czas, tylko nie na to!
Mówiąc, wpatrywała się z uwagą w ekran, i to mnie zmyliło.
– Jutro posprzątam! – jęknęłam. – Dzisiaj jestem skonana!
To był mój błąd. Powinnam była palnąć się dłonią w czoło i zwiać do ogrodu. Niestety, mój instynkt samozachowawczy uległ przytępieniu; resztki piwa unosiły mnie lekko nad ziemią i nie wyczułam nadchodzącego trzęsienia.
– Pewnie! – zaczęła nawet dość umiarkowanym tonem. – To musi być męczące, gdy człowiek jest czymś nieustannie zajęty, a wie, że to, co robi, jest głupie!
– A co ja takiego robię? – zdziwiłam się, zdając już sobie sprawę, że niepotrzebnie brnę w dyskusję, która nie może skończyć się dla mnie dobrze.
– Włóczysz się z łobuzami i wyrabiasz sobie złą reputację! – Dla podkreślenia swoich słów walnęła laską o podłogę.
Pies przywlókł się z głębi mieszkania i usiadł tak, by mieć nas obie w polu widzenia. Przeczuwał cwaniak przedstawienie. Roz-

śmieszyła mnie ta reputacja; nawet nie sens, ale samo brzmienie staroświeckiego słowa. Nie zapanowałam nad mimiką i to dopiero ją rozwścieczyło.

– Zadzwonię do matki, żeby cię zabrała! Jak ma ochotę włóczyć się po świecie, niech mną się nie wysługuje! Miejsce dziecka jest przy matce. To ona powinna ci tłumaczyć, co wypada dziewczynie, a co nie! W końcu to ona ciebie wychowuje, po co ja mam świecić oczami przed ludźmi!

Nie miałam jak się wymknąć, bo stała na wprost mnie i zagradzała jedyną drogę ucieczki. Nie miałam wyjścia, musiałam wysłuchać całej litanii, przeplatanej spisem moich wad i przewinień. W końcu sama sobie byłam winna. Żeby jakoś przetrwać, liczyłam w myślach barany. Sto trzydzieści sześć. Niemało się uzbierało na moim koncie. Babcia miała wszystko przemyślane i poukładane, bo nie robiła nawet przerw na przecinki, gdy mi wygarniała bałagan w pokoju, kurz na półkach, głupią bluzę zakładaną do szkoły, marne stopnie, późne powroty do domu, niezjedzone kolacje, receptę, którą noszę w kieszeni od tygodnia, brudne szklanki w zlewozmywaku, zadeptany przedpokój, martensy, że takie paskudne, zakupy, których nie zrobiłam, choć obiecałam, zapach papierosów i jeszcze czegoś, jakby piwa, ogród zawalony śmieciem...

– Chyba sama pójdę sprzątać, bo na ciebie nie ma co liczyć! A może właśnie na to czekasz, żebym ja, stara, poszła dźwigać gruz, bo jaśnie panienka w gości tylko przyjechała?

– Babciu! – jęknęłam. – Mam już wystarczająco duże poczucie winy. Nie musisz się bardziej starać. Już się biorę!

Przebrałam się i wyszłam do ogrodu. Wiadro nadal stało w krzakach. Ależ bajzel! Nic dziwnego, że się w końcu wkurzyła.

– Za brzózką jest dół! – wrzasnęła przez okno, widząc, że bezradnie kręcę się w kółko. – Jak okaże się za mały, to na skraju jest rozpadlina. Możesz w nią wrzucić resztę!

Wielkie dzięki.

Zaczęłam zbierać co większe kawałki, licząc, że jak znikną te grubsze, to będzie mniej widać. Guzik prawda. Przy dziesiątym wiadrze zwątpiłam, czy w ogóle dam radę uprzątnąć chociaż część tego bałaganu. Do dołu był kawał drogi, a za każdym nawrotem jeszcze się wydłużała. Nie sądziłam, że to taka okropna robota. Mogłabym się wymknąć i polecieć po Wilków, na pewno by nie odmówili, ale było mi głupio. Musiałabym tłumaczyć, przepraszać, obiecywać. Jakoś nie miałam nastroju.

Z łoskotem wrzucałam gruz do wiadra. Pojękiwałam głośno, ale babcia pozostawała nieczuła na moje cierpienie.

– Malina, czego ty się właściwie spodziewasz po znajomości z młodym Tarwidem? – usłyszałam za plecami. Nawet się nie odwróciłam, bo nie miałam siły. A więc o to chodziło. Cała awantura o gruz, bałagan w pokoju, brudne martensy była zaledwie wstępem do zasadniczej rozmowy. Powinnam się była tego domyślić. Aśka wygadała.

– A czego niby mam się spodziewać? – mruknęłam opryskliwie, wymachując szuflą i łomocząc wiadrem. – To kolega, chodzę z nim do szkoły!

– I nie tylko! – warknęła babcia.

Szarpnęłam wiadro, aż strzyknęło mi w krzyżu, i ruszyłam ścieżką przez krzaki. Miałam nadzieję, że nie polezie za mną. Nie poszła, ale i tak wiedziałam, że rozmowa nie została zakończona. Jeeezu!

Zwolniłam tempo pracy. Ładowałam po pół wiadra i chodziłam na sam skraj urwiska. Siadałam i patrzyłam na chmury. Wszystko mnie bolało, a najbardziej świadomość, że znowu sprawiłam zawód. I żebym chociaż miała coś w zamian, jakąś drobną satysfakcję, ale skąd! Nawet jeśli próbowałam zakochać się w tym dupku, to i tak nic z tego nie wyszło. No i lepiej, bo przecież go nawet nie lubiłam, a i on mnie chyba niespecjalnie. Czy się jeszcze czegoś spodziewałam? Chyba nie. Co najwyżej, że wyciągnę od niego, co wie o konflikcie mojej babci i jego ojca. Ale to pewnie nic ważnego. Mogę bez tego żyć.

Zapach kawy unoszący się z okna uświadomił mi, że konam. Babcia uchyliła firankę i kiwnęła na mnie. Skwapliwie skorzystałam z prawa łaski. Odstawiłam wiadro i powlokłam się do domu. Rękoma dosięgałam ziemi. Jutro nie podniosę się z łóżka.

– Usmażyłam ci naleśniki, chociaż z roboty nie jestem zadowolona!

Uniosłam ramiona w niemej prośbie o litość. Popatrzyła na mnie jak na kogoś, kto się i tak do niczego nie nadaje, i machnęła ręką. Postawiła przede mną talerz parujących naleśników. Ależ byłam głodna! Zdążyłam zjeść trzy, nim wróciła do tematu Olka.

– No więc?

Nie chciało mi się udawać, że nie rozumiem, o co jej chodzi.

– To przystojny chłopak! – wymamrotałam z pełnymi ustami.

– Masz czas na chłopaków! – stwierdziła kategorycznym tonem.

Włożyłam do ust prawie cały naleśnik. Żułam w najbardziej odrażający sposób, licząc, że nie będzie mogła na mnie patrzeć i da mi spokój.

Niestety, nie poskutkowało. Z zainteresowaniem przyglądała się moim wysiłkom. Chyba ją to nawet bawiło, w przeciwieństwie do kundla, który odwrócił się z obrzydzeniem i poczłapał do pokoju, by popatrzeć na telewizję. To jego nowa pasja, dla niej zrezygnował z włóczęgostwa; mógł wpatrywać się w ekran całymi godzinami.

– Pewnie zaczął się odcinek „Marii z przedmieścia" – kiwnęłam za nim głową, mając nadzieję, że i babcia pójdzie w ślad za nim.

Znowu pudło.

– Babciu, jestem już uświadomiona, jeśli to masz na myśli!

– Dobrze, że jesteś uświadomiona. To w końcu sprawa twojej matki! – Wpatrywała się we mnie z lekkim zakłopotaniem. – Mnie chodzi konkretnie o Tarwida. Nie chcę, żebyś miała z nim cokolwiek wspólnego!

– Dlaczego? – spytałam, bardziej zaciekawiona niż rozzłoszczona.

Obrzuciła mnie nieprzyjaznym spojrzeniem i widziałam, że na końcu języka miała ostrą, kto wie, czy nie prawdziwą odpowiedź, ale powstrzymała się. Żuła jakieś słowa i po zmarszczkach na czole poznałam, że się zastanawia. W końcu przełknęła ślinę i zamiast prawdy powiedziała:

– Wiesz, co mówią na mieście? Że te szkolne sprzęty niszczy młody Tarwid. Zakłada się z kolegami o butelkę piwa!

Zatkało mnie.

– Oj, babciu, wierzysz w to? – Chciałam lekceważeniem zmniejszyć szok wywołany jej informacją. Miała rację, a myliła się tylko w jednym szczególe; zakładali się o całą skrzynkę, a nie o jedną butelkę. Ależ ze mnie idiotka; do mnie ta oczywistość dotarła zaledwie przed paroma godzinami.

– Owszem! – Patrzyła mi prosto w oczy i miałam niemiłe wrażenie, że widzi mnie na wylot. – W tym, co ludzie gadają, zawsze jest sporo racji. I pamiętaj, że gdy sprawa się wyda, Tarwid wybroni syna, a winą obarczy jakiegoś durnia. Żebyś ty nim czasem nie była. Trzymaj się od nich obu z dala, póki matka po ciebie nie przyjedzie!

A myślałam, że rozejdzie się po kościach.

Wykręciła numer, ale nikt nie odebrał. Mamy o tej porze nie mogło być w domu. Zaczęła kartkować notes w poszukiwaniu numeru komórki. Nie miałam zamiaru jej pomagać. Ze spokojem patrzyłam, jak usiłuje uporać się z długachnym rzędem cyfr.

Dwa razy się pomyliła. Po zerze powinna poczekać na sygnał. Nie wiedziała o tym i nie połączyło.

– Wykręć mi numer! – rozkazała ze złością.

Nie usłyszałam. Zjadłam ostatni naleśnik, umyłam talerze i poszłam do swojego pokoju. Chyba zrezygnowała, bo poza wrzaskami dobiegającymi z telewizora nie słyszałam innych głosów. Nie chciało mi się odrabiać lekcji. Wprowadziłam grę do komputera i z pasją strzelałam do ludzików. Na miejsce zabitych pojawiali się nowi. Od początku wiedziałam, że muszę przegrać. Patrzyłam, jak bomby rozrywają moich przeciwników na strzępy. Jeszcze jeden i jeszcze, i jeszcze. Trach, trach, trach. Proszę, jak potrafię zabijać. I niepotrzebna tu żadna nienawiść, tylko dużo złości, na cokolwiek, na kogokolwiek. Rozwalałam ludziki aż miło. Rozkładali ramiona, unosili się i opadali jak szmaty. Mogłam wyobrazić sobie, że mają twarze. Trach, trach. Wciągało mnie to. Ilu zdołam zabić, nim sama zginę? Podobno dwunastolatek, który zabił swojego kolegę, był zdziwiony, że człowiek ma tylko jedno życie. Nauczył się, że w komputerze ma ich z reguły pięć.

Przegrałam.

Włączyłam inną dyskietkę, ale okazało się, że to nie gra, tylko notatki mamy do książki, której pisanie zarzuciła jakiś czas temu. Między gry musiały trafić niechcący. Znałam je; były wstrząsające, o gwałtach dokonywanych na dzieciach. Były tam wywiady z ofiarami i gwałcicielami. To jedyne notatki, których mama nie dała mi do przepisania, ale nie mogły się przede mną przecież ukryć. Przeglądałam je wielokrotnie, ale zawsze odkładałam na miejsce, żeby mama myślała, że je dobrze ukryła. Nie wiem, jakim cudem znalazły się w pudełku z moimi dyskietkami.

Tekst przesuwał się przed oczami i nagle, ni stąd, ni zowąd, w moje myśli wtargnęła Elka, dziesięcioletnia dziewczynka z mysimi ogonkami, w pomazanych atramentem czerwonych tenisówkach. Przyszło mi do głowy, że to książka o niej, o takich jak ona dzieciach, którym stała się niewyobrażalna krzywda. Dlaczego mama jej dotąd nie skończyła? Przypomniałam sobie chłód, który wpadł mi za koszulę na pogrzebie Elki. Wtedy pomyślałam, że to jej dusza. Teraz ta myśl powróciła, a wraz z nią wrażenie nieuchronności i słowa mamy wykrzyczane do babci, że wszystko ma swój ciąg dalszy, który jest prostą konsekwencją niezakończonej sprawy. Nadal nie rozumiałam kontekstu tamtych słów, ale nabrałam pewności, że powinnam tu zostać. Los po coś mnie tu przywlókł... I te sny...

– Babciu, nie dzwoń! – Odepchnęłam psa i usiadłam przy niej. – Koniec z głupotami!

Przyjrzała mi się nieufnie.

– Mówisz prawdę czy tylko mydlisz oczy?

– Jak bum cyk cyk! – walnęłam się w piersi. – Nie dzwoń, co?

– Zobaczę!

Skoncentrowana była na trzęsieniu ziemi w Turcji i nie bardzo mi wierzyła. Musiałam czekać na odpowiedź do końca wiadomości. Pies położył mi łeb na kolanach na znak, że mówię szczerze, a już on dopilnuje, żebym dotrzymała słowa. Mnie nie do końca, ale jemu zaufała.

Skinęła głową, ale po chwili, w trakcie relacji z katastrofy samolotu, dodała:

– Tu wszyscy wszystko widzą! Zaraz będę wiedziała, gdy mnie okłamiesz! A ja już nie przeżyję kolejnego starcia z Tarwidem!

Kolejnego? To już jakieś było?

Niepotrzebnie to powiedziała, bo już nie byłam pewna, czy uda mi się zerwać kontakt z Olkiem. Pies uniósł łeb i warknął, odsłaniając kły. Dobra, dobra, spróbuję!

20

Śniło mi się, że skoczyłam. Skoczyłam, bo to był tylko sen. Myślałam, że pofrunę, takie są przecież prawa snu, ale okazało się, że niekoniecznie. Spadłam. Obijałam się o występy skalne, rozdzierały mnie wystające korzenie, a gdy walnęłam o ziemię, zmieniłam się w krwawy strzęp. Dobrze przynajmniej, że nie bolało. W trakcie lotu zauważyłam, że ktoś stał i patrzył na mnie obojętnie. Zdałam sobie sprawę, że skoczyłam po to, by wzbudzić w nim żal albo poczucie winy. Chyba nic takiego nie odczuł, bo prychnął wydętymi wargami, pogrzebał czubkiem buta w krwawej mazi i odszedł. Poznałam go. Leżałam i płakałam nad swoją pomyłką.

Nie miałam siły się podnieść. Babcia wchodziła i wychodziła, potrząsała mną, wreszcie ściągnęła kołdrę i oświadczyła, że idzie po wiadro wody. Wolałam uwierzyć. Wstałam z przeświadczeniem, że w środku jestem jedną wielką miazgą: wymieszaną, wybełtaną, przemieloną. Nie chciało mi się nigdzie iść, a już najmniej do szkoły. Na miłosierdzie babci nie miałam jednak co liczyć. Nawet nie próbowałam. Musiałam jeszcze w to wewnętrzne błoto wcisnąć śniadanie. Kundel nie dał się skusić na bułkę z serem. On dostał serdelka.

W drodze do szkoły powtarzałam sobie zdanie przeczytane w jakimś poradniku dla przegranych: Dzisiaj jest mój najlepszy dzień, dzisiaj jest mój najlepszy... ale gdy przy monopolowym wdepnęłam w psie gówno, dałam sobie spokój ze sztucznym optymizmem i puściłam wiązankę znanych mi skądś słów. Poskutkowało. Przynajmniej przez chwilę czułam się dobrze.

Musiałam jednak prezentować się marnie, bo w szatni zaczepił mnie Cylak z IIIb. Zachęcającym gestem zaproponował lekarstwo na poprawę samopoczucia. Od Aśki wiedziałam, że to szkolny diler. Pokręciłam głową, a on zniknął.

Miałam nadzieję, że może chociaż Olka nie będzie dzisiaj w szkole i nie będę musiała od razu łamać danego babci słowa. Jak na złość był. Przysiadł się do mnie w pubie. Nie odpowiedziałam na jego ponure „cześć", bo byłam zapchana hamburgerem. Pod lewym okiem miał siniaka; udałam, że nie widzę. Wredniejsza część mojej jaźni uznała to za powód do podreperowania własnego nastroju; przynajmniej nie mam ojca, który trzyma mnie za włosy i wali pięścią w twarz. Co za szajs! – Pożycz mi na dzisiejsze popołudnie klucz do swojej klity! – szepnął mi do ucha. Jego oddech muskał meszek na szyi. Dla gapiącej się z kąta Magdy wyglądało to na dyskretny pocałunek. Puściłam do niej oko. Wydęła wargi i odwróciła wzrok. Niech i ona ma zmarnowany dzień. – Chciałem posiedzieć w ciszy i zrobić szkic do graffiti. Jutro mam pokazać projekt dyrektorowi, a w domu nie chcę tego robić! Dałam mu. Wyjęłam z torby i dałam. Byłam zadowolona, że dzięki tej drobnej uprzejmości nie spotkam go w żadnym niespodziewanym miejscu w mieście. Od razu poprawił mi się humor. Klita i tak nie była mi dzisiaj potrzebna. Podziękował uśmiechem, podrzucił klucz w dłoni, chuchnął i poszedł sobie. Przynajmniej dzisiaj dotrzymam danego babci słowa. Ledwo zniknął, przysiadła się Magda.

– Za tydzień robię u siebie imprezę. Masz ochotę?

– Na co? – mruknęłam i wepchnęłam do ust resztę buły.

– No, przyjść! – Uniosła brwi w lekkim rozdrażnieniu, że musi tłumaczyć takie oczywistości.

Wzruszyłam ramionami niezobowiązująco. Kto wie, co będzie za tydzień. I tak nie chodziło jej przecież o mnie. Ze swojego miejsca widziałam, jak Olek brał coś od Cylaka. Nie chciało mi się zgadywać co.

Booże, co za kaszana, a to dopiero południe! Na resztę dnia musiałam znaleźć jakieś bezpieczne zajęcie. Uczepiłam się Aśki, w nadziei, że dzięki niej dotrwam jakoś do wieczora. Nie była zachwycona. Usiłowała mnie nawet spławić.

– Idę do biblioteki! – oznajmiła zgryźliwie. Myślała, że mnie zniechęci, ale była w błędzie. W jednej chwili uznałam, że to miejsce w sam raz, by posiedzieć w spokoju i porozmyślać o swym głupawym życiu.

– Idę z tobą! – Uśmiechnęłam się przymilnie, udając, że nie dostrzegam wyrazu rozczarowania na twarzy stojącego opodal Ciołka. Nie mnie mieli dzisiaj w swoich planach. No cóż, nie zawsze dostaje się to, na co ma się ochotę.

Sama się o tym przekonałam po godzinnym siedzeniu w bibliotece. Nie miałam tam nic do roboty. Nudziło mi się. Kręgi światła na stolikach działały usypiająco. W atmosferze skupienia i uśpienia powróciło wrażenie spadania. Podłoga umykała spod nóg, sufit unosił się, a książka, którą wzięłam, miała jakiś dziwny układ liter, bo nic nie rozumiałam z tego, co czytam. Raz po raz zaczynałam od początku, ale nim dotarłam do połowy strony, łapałam się na tym, że lewituję ponad kręgami światła, ponad głowami, ponad sobą, ponad czasem, który przeżyłam. Ogarnęło mnie przeczucie czegoś nieuchronnego, co już się zdarzyło. Żałowałam, że tu przyszłam. Gdy zobaczyłam rozpłaszczoną na szybie twarz Julka, wiedziałam, że stało się coś złego. Po prostu wiedziałam o tym kilka chwil wcześniej.

Stuknęłam Aśkę i poderwałyśmy się jednocześnie. Julek zobaczył nas i zaczął machać ponaglająco. Wbiegliśmy do holu w tej samej chwili. Julek nie mógł wydobyć z siebie głosu. Przyniósł złą wiadomość i pragnęłam, by dyszał jeszcze z tysiąc lat i nie mógł powiedzieć tego, z czym przybiegł.

Aśka szarpnęła go za ramię.

– Jezu! Wyduś to z siebie!

Ja jeszcze nie byłam gotowa.

– Babcia... spadła... z drabiny... połamała się... – wydyszał.

Czas zatrzymał się po to, bym mogła przeanalizować informację. Czyja babcia? Jaka drabina? Kto się połamał – babcia czy drabina? Po cholerę na nią włazita? Ze sto lat upłynęło, nim dotarło do mnie przerażenie Wilków. Czułam, jak zapadam się w sobie, ale nie pytałam już o nic. Zostawiłam ich i ruszyłam pędem przez korytarz, potem ulicami, przez skwerek i ogrody. Cały czas odmawiałam zdrowaśki, bo to były jedyne słowa, jakie pamiętałam. W wyobraźni widziałam lecącego chomika i trupa babci roztrzaskanego na zagonku z fasolką.

Babcia zleciała z drabiny i złamała rękę. Tylko rękę. Dobrze, że się nie zabiła. Zabrała się do zrywania tynku. Uznała, że ktoś musi wreszcie to zrobić, i zdecydowała, że nikogo nie będzie prosić o łaskę. Jak poszłam do szkoły, wyciągnęła drabinę i zaczęła od miejsca nad oknem, gdzie przerwałam pracę. Złamał się pod nią trzeci szczebel. On już pode mną trzeszczał. Dobrze, że trzeci, a nie siódmy, pocieszałam się i jednocześnie wkurzałam, że tak łatwo potrafię się pocieszyć. Jeszcze trochę, a uznam, że nie było w tym wcale mojej winy; przecież sama tam wlazła, ja jej nie wpychałam. Kurczę! Miałam tyle czasu na załatwienie sprawy tynku, a nie zrobiłam tego. Nic mnie nie obchodził jakiś tam tynk, bo miałam swoje, ważniejsze sprawy na głowie. Ale ze mnie opiekunka!

Pies okazał się lepszy ode mnie, bo poleciał na podwórko Wilków i tak długo ujadał, aż przyciągnął ciotkę. Prawdziwy z niego Rambo!

Ciekawe, jak długo leżała nieprzytomna na ziemi?

Wyrzuty sumienia oblazły mnie jak wszy i miałam nadzieję, że zeżrą mnie żywcem i nie będę musiała patrzeć w oczy babci, a potem mamie. Nie pomyślałam, że najpierw czeka mnie przeprawa z kundlem. Siedział na werandzie i patrzył z takim wyrzutem, że zaczęłam ryczeć. Aż się zdziwiłam, bo od dawna żyłam w przekonaniu, że nie potrafię płakać tak zwyczajnie, ze smutku. Okazało się, że i owszem. Zanim nadbiegły Wilki, prawie utopiłam się w swoich łzach. Najpierw płakał mój strach, potem złość na babcię, a wreszcie żal. Nad kim? Oczywiście nad sobą. Nad swoją obojętnością, brakiem wrażliwości, życiem widza, który włącza się, gdy coś mu pasuje, a wyłącza natychmiast, gdy mu się to znudzi. Opieka nad babcią zmęczyła mnie już po kilku dniach. Resztę czasu tutaj spędziłam zajęta sobą. A co innego przecież obiecywałam! Dlaczego taka jestem?

Zrobiło mi się jeszcze gorzej, gdy wujek przywiózł ją zagipsowaną po szyję. Boooże, co ja narobiłam!

– Babciu, tak mi przykro! – kajałam się i gdyby kazali mnie rozstrzelać, przyjęłabym wyrok bez mrugnięcia. Należało mi się.

– Też coś! Sama sobie jestem winna. Stara baba, a głupia. Zapomniałam, że ten szczebel jest słaby. Sięgnęłabym przecież z krzesła! – mamrotała pod nosem.

Przysunęłam telefon i wykręciłam numer.

– Gdzie dzwonisz? – spytała nieprzyjaźnie.

– Do mamy!

– Po cholerę?

Musiałam wyjść do kuchni, bo rozkręciła telewizor na cały regulator. Bałam się reakcji mamy, ale niepotrzebnie.

– Już i tak miałam jechać – powiedziała spokojnie. – Przepraszam, że trwało to dłużej, niż się umawiałyśmy. Będę pojutrze. I powiedz tej jędzy, żeby się przygotowała na mój dłuższy pobyt!

– Powiedz – darła się z pokoju babcia – że obejdzie się bez jej łaskawości!

– Opiekuj się nią, póki nie przyjadę! Teraz będzie ci łatwiej, bo jest unieruchomiona! Całuski!

– Tylko nie mów, że przyjedzie! – warknęła babcia, gdy usiadłam obok. – W tym domu nie ma tyle miejsca!

W telewizji opowiadali, że rosyjski premier ma kłopoty. Co za ulga! Amerykańska Akademia Filmowa nie wie, komu przyznać Oscara, a w województwie mazowieckim odnotowano zwiększoną zachorowalność na grypę. No proszę, wszyscy mają problemy, nie jestem jakimś wyjątkiem.

Dzisiaj telewizor był moim przyjacielem, lepszym od psa. Nie wodził za mną ślepiami pełnymi wyrzutu, tylko przekonywał, że inni mają jeszcze gorzej. To, co mnie się przytrafiło, to drobiazg w porównaniu z dramatem mieszkańców jakiegoś kraju w Azji, którym huragan zniszczył domy i porwał cały dobytek. Przez chwilę prawie w to uwierzyłam. Warknięcie psa przywróciło mi świadomość.

– Babciu, nie boli cię? Co ci zrobić na kolację?

Jak ona będzie spała w tym pancerzu? Znowu zaczęło mnie szczypać pod powiekami.

Mama przyjechała dwa dni później. Przez cały ten czas nie ruszyłam się z domu. Ciotka Wilkowa próbowała wygonić mnie do szkoły, ale nie dała rady.

– Nie pójdę! – opierałam się ze wszystkich sił. – I tak bym nie uważała na lekcjach, bo myślałabym, czy znowu nie włazi na drabinę!

– Przecież ja z nią będę!

– Lepiej, jak popilnujemy jej razem!

– Ale ona będzie w gipsie kilka tygodni, nie możesz tyle czasu siedzieć w domu!

– Może później się przyzwyczaję, ale na razie nie mogę! – skamlałam, aż ciotka machnęła ręką.

Przez te dwa dni nie spuszczałam babci z oka. Wydawało mi się, że jak tylko ją stracę z pola widzenia, ona znowu zrobi coś głupiego, po to tylko, żeby udowodnić, jaka marna ze mnie opiekunka.

– Babciu, chcesz herbaty? A może zjesz kanapkę? Ugotuję ci galaretkę, bo od tego szybciej się zrasta! Nie masz ochoty na jajko na miękko? A może trochę rosołku? Nie boli cię? Chcesz kompotu? A może jednak?

– A idź w cholerę! – skwitowała moje starania.

– Babciu, jak cię boli, to powiedz, dam ci środek przeciwbólowy!

– Oj, dajże mi spokój! Nic mnie nie boli! – Moja nadgorliwość zdenerwowała ją. – Przynajmniej daj mi ochłonąć. Jutro będę miała na głowie jeszcze twoją matkę. Muszę nabrać sił, żeby to przetrzymać. Lepiej się zastanów, jak jej powiesz o trzech jedynkach z matematyki!

Ciekawe, skąd wiedziała o tej trzeciej? Ja jej nie mówiłam, bo dostałam ją zaledwie wczoraj. Matematyk upilnował mnie. Zawziął się i tak długo próbował, aż trafił. Wypadek babci spowodował, że na śmierć zapomniałam, a właściwie skorzystałam z okazji, by usunąć jedynki z pamięci. A niech to!

Babcia z ręką na szynie nie mogła zmieścić się w drzwiach i trzeba było zrobić przemeblowanie, a jedne całkiem zdjąć. Czekałyśmy z tym na Wilków. Chłopaki miały przyjść po lekcjach, ale nie było jeszcze jedenastej, jak nawiedziło nas całe Stado.

– W szkole było włamanie! – Przekrzykując się, od progu zdawali relacje ze zniszczeń, jakie zastali dziś w szkole. Policja kazała puścić uczniów do domu, żeby nie zniszczyli śladów, jeśli jeszcze jakieś zostały.

– Kurde, pogrom w sali komputerowej! Dwa całkiem wybebeszone, jeden roztrzaskany w drobny mak, wszystkie monitory rozbite, a w jednym został kamor wielki jak pięść! Zgroza! – Aśka była wstrząśnięta tak bardzo, że aż się jąkała, gdy o tym mówiła. Nawet gips babci niespecjalnie przyciągał jej uwagę. Z jakiegoś powodu sprawa demolki wcale mnie nie zainteresowała. Co za szkoła, pomyślałam jedynie i chętnie przeszłabym nad tym do porządku dziennego. Za to babcia z entuzjazmem włączyła się do rozmowy. Nie wiem, czy mi się zdawało, czy spoglądała na mnie znacząco.

– I nikt nic nie słyszał? – wypytywała z przejęciem.

– Nikt! Od szóstej do dziesiątej szkoła jest pusta. Gdy przyszedł nocny stróż, już było po wszystkim! Zawiadomił dyrektora, a dyrektor policję, ale Nowakowski przywlókł się dopiero dzisiaj rano. Szukał śladów, ale chyba niczego nie znalazł!

– Wszystkie komputery zniszczone? – wypytywała babcia, jakby chodziło o jej własny sprzęt.

– Kilka zostawił. Tych najstarszych. Dowcipniś, co? – złościła się Julka.

– To musiał być świr! Normalny włamywacz wolałby ukraść, jeśli miał już taką możliwość! – kombinował Milo.

– Albo o to mu chodziło! Żeby zniszczyć! Jakiś pies ogrodnika, sam nie zje i innemu nie da ruszyć! Mało tych wykolejeńców się kręci? – Ciotka Wilkowa załamała ręce.

– To swojak. Obcy nie wiedziałby, że szkoła nie ma całodziennego dozorcy i pozbawiona jest opieki między szóstą a dziesiątą! – kombinowała Julka. Wszyscy zapomnieli o babcinej ręce.

– Pewnie schował się w jakimś kącie i wyczekał na właściwą porę! – wymyśliła Aśka.

– Gdzie miałby się schować? – Julek skrzywił się powątpiewająco. – Sprzątaczki zaglądają w każdy kąt!

– Może nie w każdy! – poparła pomysł babcia.

Coś mnie zaniepokoiło. Klucz... Pożyczyłam go Olkowi. Odrzuciłam myśl, zanim wykiełkowała.

– Babciu, teraz będziesz mogła się przecisnąć? – skierowałam rozmowę na właściwe tory, bo kierunek, w którym uprzednio zmierzała, nie bardzo mi odpowiadał.

Poszła sprawdzić, a ja zrobiłam wszystko, by wymazać z pamięci skojarzenia dotyczące klucza. Nie miałam dość sił, by podążyć drogą wskazaną przez rozum.

Po obiedzie wujek z chłopakami zerwali tynk i obrzucili ścianę nową zaprawą. Zajęło im to raptem jeden wieczór. Poczucie winy wgniotło mnie w glebę niemal po szyję.

– No proszę! – dogadywała babcia. – Musiałam się połamać, żeby koty były bezpieczne!

Podtykała nam pod nosy gips i gorliwie wczuwała się w rolę bohaterki. Sprawa włamania szczęśliwie usunęła się na dalszy plan. Po wyjściu Wilków zapomniałyśmy o niej całkiem. Ja miałam na głowie matematykę, a babcia zbliżający się przyjazd mamy.

Mama przyjechała z całym majdanem. Aż sama się przeraziłam, gdzie to upchniemy, ale okazało się, że miała inne plany. Wpadła na chwilę, żeby się przywitać, i pojechała dalej, ale zaledwie parę przecznic, bo na Stoku wynajęła mieszkanie; ogrodami na skróty – pięć minut od domu babci. Kurczę, tego nie przewidziałam ani ja, ani babcia. Będziemy razem, chociaż osobno. Blisko siebie, ale nie na kupie. Mama to ma głowę! Wiedziałam, że znajdzie dobre rozwiązanie.

Po godzinie przybiegła, żeby nas zabrać do swojego nowego domu. Babcia stwierdziła, że jest ciężko chora i nie ma siły na jakieś wycieczki, a tak w ogóle nie jest ciekawa. Była, i to jeszcze jak, ale honor nie pozwalał jej ulec pierwszemu zaproszeniu. Może kiedyś łaskawie się zgodzi... Ja poleciałabym natychmiast, ale najpierw musiałam ściągnąć któreś z Wilków, żeby posiedziało z babcią. Nie wierzyłam jej zapewnieniom, że na krok nie ruszy się sprzed telewizora. Nikt nie chciał przyjść. Pozostała mi Kasprzakowa.

Willa stała na Pochyłości Stockiej, tam gdzie byłyśmy z babcią na spacerze. Wyglądała na nowiutką, tylko opuszczoną. W ogrodzie między iglakami trawa wyrosła po pas. Mama wprowadziła nas na piętro. Salon, dwie sypialnie z łazienkami, garderoby i jakieś inne zakamarki, kuchnia i wielki taras... Jeezu! W takich luksusach jeszcze nie mieszkałyśmy.

– Stać cię na to? – spytałam.

Zaśmiała się i okręciła na pięcie.

– Stać mnie na całą tę willę, ale po co nam cała? Tyle chyba wystarczy?

Salon był tak wielki, że można się było ganiać. Zmieściło się całe Stado Wilków i jeszcze było luźno. I był kominek. Chłopaki poleciały po drewno, żeby sprawdzić, jak działa.

– No, no! – kręcił głową wujek, oglądając podłogi, okna, drzwi, wszystko w najlepszym gatunku. – I ludzie budują takie domy po to, by spędzić w nich miesiąc wakacji?

– Tydzień! – sprostowała mama. – W tym roku był tu tylko przez tydzień. Resztę wakacji spędził na Majorce czy gdzieś tam! A wiecie, co robi? Serdelki! Trafiłam na niego podczas kręcenia reportażu o mieszkańcach zlikwidowanego pegeeru. Totalna nędza: knajpa, wino w skrzynkach, opieka społeczna, zalewajka gotowana na trzy dni i takie tam rzeczy. Któryś z dzieciaków wspomniał o serdelkach z pobliskiej masarni jako o symbolu luksusowego życia. Dwa dni po projekcji w lokalnej telewizji właściciel masarni zaczął otrzymywać zamówienia na serdelki z całego województwa. Obroty wzrosły mu dziesięciokrotnie. Oto, co może reklama. Gość był uszczęśliwiony, że może mi się zrewanżować. Ten układ jest dobry i dla niego, bo dom nie będzie stał pusty!

– Cholera! – jęczał wujek. – Mnie też musisz załatwić taką reklamę!

– To rzuć tę głupią pracę w urzędzie i weź się za jakiś biznes!

– Łatwo powiedzieć!

Dom był naprawdę świetny. Z tarasu widać było dachy całego miasta i wieżę kościoła, a w tle góry i wodospad; jakby się mieszkało piętro wyżej od całego świata. Kominek miał dobry cug, rozpaliliśmy w nim, rozsunęliśmy drzwi tarasowe na całą szerokość i w milczeniu patrzyliśmy na świat z pozycji ludzi bogatych. Nad nami był tylko wszechświat.

– A poza tym wydadzą mi książkę! – powiedziała mama, gdy zostałyśmy same. Usiadła za mną i objęła mnie ramieniem. – Zbiór reportaży!

– Hura! – Odwróciłam się i pocałowałam ją w policzek. Przy niej czułam się spokojnie i bezpiecznie. Już dawno nie byłam taka szczęśliwa. Jej obecność sprawiła, że problemy skurczyły się, rozmyły, oddaliły, stały się bardziej cudze niż moje. Zapragnęłam, by to, co się nawyprawiało przez ostatnie tygodnie, zamazało się w pamięci i mojej, i innych. Żeby można było wszystko zacząć jeszcze raz. Klatka STOP. COFANIE. START. W tamtej chwili, gdy czułam ciepło mamy na swoich plecach, myślałam, że to możliwe. Wystarczy, że dam sobie spokój z Olkiem.

21

W szkole nie było czym oddychać; śmierdziało jak w publicznej toalecie i tak jak tam, wchodząc, lepiej było wstrzymać oddech i niczego nie dotykać. Wokół krążyły podejrzliwe spojrzenia, prowadzono przyciszone rozmowy i nieustannie dociekano, kto mógł dokonać tych bezsensownych zniszczeń. Może komuś to było na rękę albo ktoś komuś chciał zrobić na złość? Co do jednego panowała zgoda: zrobił to swojak. Tylko kto?

Typowanie, eliminowanie, zawężanie grupy tych, którzy mogli to zrobić. Nikt nas nie prosił o pomoc w szukaniu bandziora, ale poczuliśmy się zmuszeni do działania. Każda klasa prowadziła śledztwo we własnym gronie i na własny użytek. Nikomu nie chodziło o dzielenie się rezultatami owych dociekań z innymi. Gdybyśmy nawet odszukali sprawcę, nie od nas uzyskałaby te informacje dyrekcja czy policja. Niech sobie sami szukają. Poszukiwania prowadziliśmy dla własnego dobra, by samemu nie znaleźć się wśród oskarżonych. Jeśli maczał w tym palce twój przyjaciel, to i ciebie będą podejrzewać, że o wszystkim wiedziałeś, a może miałeś w tym swój udział.

Ja nie znałam wszystkich na tyle dobrze, by silić się na skomplikowane operacje myślowe. Nawet nie brałam udziału w przyciszonych dyskusjach, bo po co. Miałam tylko jeden pomysł. Ciekawe, że podejrzenia co do Olka były powszechne. Nikt nie powiedział tego głośno, ale gdy się pojawiał, wszyscy milkli, usuwali się jak przed trędowatym. On zdawał się tego nie dostrzegać. Chyba cały czas był na haju.

– Spytaj go! – podpuszczała mnie Magda.

Ani mi się śniło.

– Sama go spytaj!

Chociaż nie powiem, korciło mnie.

Trzymałam się jednak od niego z daleka. Głównie dlatego, że rzadko bywał w szkole, a ja nie miałam na nic czasu. Krążyłam między dwoma domami i nie mogłam się połapać, gdzie jest moje miejsce. Wreszcie postanowiłyśmy z mamą, że nadal będę mieszkała u babci, przynajmniej do czasu, póki jej nie rozgipsują. Rozdzieliłyśmy dyżury, włączając w nie Aśkę, Julkę i Milkę, tak żeby ani na chwilę nie pozostawała sama. Na godziny przedpołudniowe mama zatrudniła pielęgniarkę i zapłaciła jej na tyle dużo, by kobiecie chciało się udawać głuchą na babcine pretensje.

– Do diabła! Nawet majtek nie mogę sobie podciągnąć! Nie sądziłam, że do tylu czynności potrzebne są dwie ręce. Kiedy mi zdejmą ten szajs?

– Musisz być cierpliwa! Jedz galaretki, to szybciej się zrośnie!

– Gdzieś mam twoje galaretki!

Na nasze szczęście było w domu urządzenie, do którego obsługi wystarczał jeden palec: pilot do telewizora. Dzięki niemu babcia wkraczała w świat szczęśliwości i mogła płakać cudzymi łzami, śmiać się cudzym śmiechem, martwić cudzymi kłopotami, pławić się w cudzym nieszczęściu, a potem przełączyć na inny program i obejrzeć prognozę pogody na jutro albo reklamę podpasek.

– Malina, dawaj szybko długopis, bo muszę zapisać, jak się nazywa ten lek na zgagę!

Do rzeczywistości wracała tylko wtedy, gdy musiała iść do łazienki i stwierdzała, że brak jej jednej ręki.

Mama zadomowiła się błyskawicznie. Dla niej dom jest zawsze tam, gdzie aktualnie przebywa. Wystarczyło, że wbiła gwóźdź, na którym powiesiła swój skarb – Wyczółkowskiego, kupionego za psie pieniądze na jakimś bazarze, ustawiła ulubiony fotel przy ulubionej ławie, upchnęła w wazonie wiecheć suchych kwiatów przywleczonych z przeszłości, podłączyła komputer i już była u siebie. Sprzątała, przybijała, upinała, rozpierała ją energia. Wiedziałam, że potrwa to dotąd, póki nie trafi na jakiś ciekawy temat. Wtedy wszystko zejdzie na drugi plan i nie będzie jej przeszkadzało, że jedna część zasłony leży za fotelem. Zastanawiałam się, kiedy ten moment nastąpi.

– Mam zamiar trochę pomieszkać, powychowywać cię, zanim całkiem dorośniesz! – oznajmiła w odpowiedzi na moje pytające spojrzenie, gdy po raz kolejny zastałam ją na drabinie.

Po podłodze walały się młotki, obcęgi, gwoździe, a do kontaktu włączona była wiertarka. Wielki Boże!

– Nie myślisz w takich chwilach o ojcu? – spytałam.

Spojrzała na mnie ze zdziwieniem.

– Dlaczego?

– Bo do tego przydałby się facet!

– Niekoniecznie! To nie takie trudne. A twój ojciec i tak by mi nie pomógł, tylko spytałby, czy jest obiad! Jakaś skarga w jej głosie sprawiła, że z zakamarka pamięci wyłonił się obraz sprzed tysięcy lat. Tata klęczał na podłodze i przyklejał płytkę. Poprzedniego dnia przewróciłam się o nią i rozbiłam głowę. Był zły, czułam to, bo powietrze wokół niego aż kłuło. Nie pozwolił mi iść do kina z Wilkami. Był wściekły z powodu płytki i dlatego kazał mi zostać w domu. Nie zależało mi specjalnie, bo już widziałam ten film. Wolałam nawet zostać i patrzeć, jak reperuje podłogę. Chętnie bym mu pomogła, ale warknął, bym trzymała się z daleka. Stałam i patrzyłam, jak atomy powietrza drgają wokół niego. Mama, nieświadoma burzy, która tu aż huczała, podeszła i pieszczotliwie dotknęła jego włosów. Drgnął jak rażony prądem i spojrzał na nią zimno. Zesztywniała, zerknęła na mnie speszona, a ja odwróciłam wzrok. Wiedziałam, że dobrze się stało, że nie poszłam z Wilkami. Nie powinna zostawać sama; moja obecność chroniła ją przed czymś niedobrym. Była za słaba, żeby dać sobie z tym radę.

Wstrząsnął mną dreszcz na wspomnienie tamtej chwili. A jednak nie doceniłam mamy. Potrafiła wyrwać się z niepewności i przeistoczyć w kolosa o stalowych nerwach i sile pędzącego huraganu.

– Ty też to potrafisz! – usłyszałam i chciałam wierzyć, że te słowa odnoszą się do moich myśli; że też nauczę się kiedyś być silną i niezależną.

Ale jej chodziło tylko o drabinę i przypinanie zasłon.

– Ja się boję! Mam lęk wysokości!

- Też mi wymówka! Ja też jeszcze wczoraj nie wiedziałam, że to potrafię! Włąź i nie marudź! Będę ubezpieczać cię z dołu! Usiadła na podłodze i przyglądała się moim wysiłkom.

- Krócej, szerzej, złap tu mocniej, popraw tę z lewej, ta jest szersza od tamtej, skróć ją trochę i dalej tak samo! Kiedy zwaliłam się wreszcie obok niej, śmiertelnie zmęczona, ręce mi odpadały, ale patrzyłam na swoje dzieło z dumą. Wyszło lepiej niż na obrazku w katalogu.

- No, nieźle! - Mama z uznaniem pokiwała głową. - W nagrodę coś sobie zjemy! Przyniosła parówki i musztardę. Gryzłyśmy je sobie niespiesznie, leżąc na podłodze. Fajnie było.

- Kochałaś go? - wróciłam do poprzedniego tematu. Załapała od razu, o kogo mi chodzi. Nawet specjalnie nie ociągała się z odpowiedzią. Przełknęła tylko parówkę, a to, co zostało, umoczyła solidnie w musztardzie.

- Pewnie. Przynajmniej na początku. Potem coraz mniej. Nie był taki, jaki myślałam, że będzie. Lubił patrzeć, jak gotuję, sprzątam, myję, piorę. Na tych obrazkach budował poczucie własnego bezpieczeństwa. Pewnie kochał mnie taką zaniedbaną, lekko przestraszoną, uzależnioną od niego kurę domową!

- A ty co? Nie nadawałaś się na kurę?

- Czy ja wiem? Każda kobieta chce nią być przez jakiś czas. Niektóre zostają nimi na zawsze. Póki byłaś malutka, nie miałam czasu, by o tym rozmyślać. Ale minął jakiś czas i zaczęłam odczuwać pustkę, czułam się zmęczona i nieatrakcyjna, sama siebie nie lubiłam, otumaniona codzienną bieganiną wokół garów, pralki i odkurzacza. W jakimś momencie zrozumiałam, że dłużej tego nie wytrzymam i muszę coś zrobić, żeby nie zwariować!

- Czy to, co czułaś, było z mojego powodu?

- Z twojego? Skąd! - Zaśmiała się. - Ty byłaś moją deską ratunku! To ty mi uświadomiłaś, że muszę coś ze sobą zrobić. To ciebie spytałam o pozwolenie na wyjście z tego zabijającego mnie kręgu!

– Pamiętam! Spytałaś, czy chcę iść do przedszkola, do którego chodzą Wilki! Pewnie, że chciałam. Zazdrościłam im, że tam chodzą!

– A dla mnie był to najpiękniejszy dzień w życiu! Wstała i podeszła do okna. Śledziłam, jak otwiera okno i wygląda na ulicę.

– Tacie to się nie spodobało?

– Niestety. Nie mógł tego znieść. Potraktował mnie jak zdrajcę i wroga. Zaczął walczyć o należne mu prawa. Potępiał mnie, bo ośmieliłam się zdobyć odrobinę wolności. Dla niego stałam się innym człowiekiem i nie mógł mi tego wybaczyć. Dlatego odszedł. Zostawił nas, by mnie ukarać i udowodnić, że nie dam sobie rady!

Odsunęła się wreszcie od okna. Zaciągnęła zasłony. Zrobiło się przytulnie. Zdziwiło mnie jej wyznanie.

– A ja przez wszystkie te lata myślałam, że odszedł przeze mnie! – powiedziałam niepewna, czy powinnam w ogóle o tym mówić.

– Przez ciebie? Dlaczego? – Była szczerze zdumiona.

– Przez chomika! – Wydobyłam to z siebie. – Zrzuciłam go z balkonu i traf chciał, że spadł prosto pod jego nogi. Patrzyliśmy wtedy na siebie, w jego oczach było coś takiego... jakby mnie nienawidził. Zanim zbiegłam na dół, już go nie było. I już nie wrócił!

Ledwo to z siebie wydusiłam. Po plecach spływał mi pot.

Mama patrzyła na mnie szeroko otwartymi oczami.

– Nigdy mi o tym nie mówiłaś!

– Bałam się, że i ty mnie zostawisz. Będziesz myślała o mnie jak o mordercy i odejdziesz! – wychrypiałam, wzdrygając się od dreszczy przebiegających mi pod skórą.

– Naprawdę tak myślałaś?

Kiwnęłam głową. Kłuło mnie w żołądku, krew huczała w skroniach. Nie przyznałam, że nadal się tego boję.

– Głuptasie! – Pogładziła mnie po głowie. – Cholerny chomik, powinnam go od razu wyrzucić!

Ulżyło mi, gdzieś w głębi duszy poczułam się lepiej, ale nie do końca. Tamto, na wpół nienawistne, na wpół przerażone spojrzenie ojca zbyt mocno utkwiło w podświadomości, by słowa mamy mogły uspokoić. To, co było między nimi, to jedno, a to, co między nami, to coś innego. Nadal byłam przekonana, że chomik, nawet jeśli był tylko kroplą, to niestety tą, która przelała dzban goryczy. Zbyt wiele złego działo się między nami już wcześniej... I ciągle nie wiedziałam dlaczego.

Mama znowu podeszła do okna, uchyliła zasłonę i przez szparę patrzyła na ulicę. Skoro już dała się wciągnąć w tę rozmowę, powinnam drążyć. Sama mnie tego uczyła, opowiadając o swoich metodach pracy. Jak rozmówca przed tobą się otwiera, wyciągaj z niego, co się da, powoli, delikatnie, do samego dna.

– Mamo, dlaczego tata mnie nie lubił?

Wskazała na ulicę.

– Co to za chłopak? Łazi tam już z pół godziny!

Kimkolwiek był, interesował ją mniej niż mucha z drugiej strony szyby. Posłużył jej tylko za pretekst do zmiany tematu. W przeciwieństwie do mnie była profesjonalistką. A ja dałam się nabrać. Podeszłam do okna i dopiero wtedy zdałam sobie sprawę, że mi umknęła. Nie miałam już szansy, by wrócić do przerwanej rozmowy. Rozmowy, która mogła doprowadzić mnie... Do czego? Nie wiem, bo straciłam wątek, zgubiłam nić, po której mogłabym trafić... Gdzie?

Upewniłam się, że mama nie chce, bym kiedykolwiek tam dotarła.

Za oknem nie było nikogo. Zaraz potem zadzwonił telefon: babcia kazała mi się pospieszyć, bo już dziesięć minut temu zaczął się mój dyżur. Miałam jeszcze masę pytań do mamy, ale i ona zaczęła mnie popędzać, jakby tam u babci się paliło. Prawie wypchnęła mnie za drzwi. No cóż, może uda się następnym razem.

Sprawa zniszczonych komputerów zaczęła przysychać. Nowakowski pojawił się parę razy w szkole, ale tylko pozorował działanie. Mieliśmy powody myśleć, że śledztwo niczego nie wykryje. I nie myliliśmy się. Któregoś dnia megafon dyrektorskim głosem oznajmił, że z powodu braku śladów czynności śledcze zostały zakończone, a my nie będziemy już niepokojeni wizytami policjantów. Podobno dla naszego dobra, byśmy mogli skupić się na nauce. Tarwid obiecał forsę na nowocześniejsze komputery, więc tamtymi mamy się już nie przejmować.

Oświadczenie przyjęliśmy szyderczymi gwizdami, chociaż mnie osobiście ulżyło. Cały czas snuło się za mną wrażenie, że miałam z tą demolką coś wspólnego.

Z Olkiem nie widziałam się od babcinego wypadku. Wcale za nim nie tęskniłam, ale musiałam go dorwać, żeby odebrać klucz. Zaczepiłam na mieście pryszczatego, a on podpowiedział, w której knajpie powinnam szukać. Rzeczywiście, był. Miał przekrwione oczy, a palce lewej ręki dygotały mu w nieskoordynowany sposób, jakby każdy palec tańczył inny taniec. Skupiłam się na nich przez chwilę, póki nie ścisnął ich w pięść.

– Brałeś coś?

Nie byłam ciekawa, ale nie potrafiłam zapytać o nic innego.

– Piwo! – zawołał w kierunku dziewczyny w plastikowym czepku.

Miał czerwoną pręgę na twarzy. Wyjął coś z kieszeni, starł między palcami w proch i wsypał do piwa. Zamieszał i popijał wolno. Powinnam poprosić o klucz i wyjść. Taki miałam zamiar. Zamiast tego zapytałam:

– Masz coś wspólnego z tą rozróbą w szkole?

Roześmiał się i bez żenady potwierdził. Spodziewałam się, a mimo to byłam zszokowana, zwłaszcza lekkością, z jaką przytaknął. Był zdrowo naćpany.

– Dlaczego?

Rozum podpowiadał, by brać nogi za pas, ale nogi wrosły w ziemię i nie mogłam się ruszyć.

– Założyłem się z kumplami!

– Tylko dlatego? – Miałam ochotę wrzeszczeć i tłuc pięściami w stół, ale musiałoby mi zależeć, a nie zależało. Pytałam tylko z ciekawości. Czucie w nogach wracało. – Przecież prędzej czy później wszystko się wyda!

– Czekam na tę chwilę z utęsknieniem!

– Żartujesz!

– Oczywiście, że żartuję! Jestem żartownisiem od urodzenia, a właściwie odkąd skończyłem trzy lata. Tak, od dnia moich trzecich urodzin tak sobie z moim tatą żartujemy. On dyszy, a ja liczę do stu...

Popijał to swoje piwo z czymś i gadał, a ja starałam się nie słuchać, bym nie musiała rozumieć tego, co do mnie docierało.

– Masz przyjaciół? – spytał. – Takich, którym możesz powiedzieć różne rzeczy, a oni ciebie wysłuchają. Niekoniecznie pomogą, ale są!

Patrzył na mnie nieruchomym wzrokiem, oczekując rzeczowej odpowiedzi.

– Chyba tak! – Kiwnęłam głową. – Aśka... Wilki... mama... Adaś... – Zawahałam się przy każdym, bo wszystkiego nie mogłabym im powiedzieć, ale wiele by zrozumieli, gdybym się tylko zdobyła na odwagę.

Olek patrzył nieruchomo na ścianę; nie zwrócił uwagi na moje wahanie, może nawet nie usłyszał, co mówiłam. Już miałam wstać.

– Mama...

Wypowiedział to słowo ostrożnie, jakby go nie znał, a tylko wypróbowywał jego brzmienie.

– Biedna kobieta!

Wypił swoje piwo.

– Zjedz coś! – poradziłam.

– Jeszcze jedno piwo! – zawołał bełkotliwie.

– Upijesz się! Idź do domu!

– Nie potrafię wracać do domu, póki nie jestem znieczulony! Boli mnie myśl, że mam tam wrócić!

Milczałam. Pomyślałam o mamie. Może ona wiedziałaby, co mu poradzić, ale nim myśl ubrałam w słowa, przysiadło się do nas kilku osiłków. Nie czułam się w obowiązku im towarzyszyć. Wstałam. Wtedy Olek poderwał się gwałtownie i sięgnął do kieszeni.

– Dzięki za klucz! – powiedział głośno, jakby słowa skierowane były do jego kumpli, a nie do mnie. Zaśmiali się. Wiedzieli o czymś, czego ja nie chciałam sobie uświadomić? Poczułam w sobie wielkie zimno.

Szczękałam zębami do samego domu. Ta demonstracja poraziła mnie. Olek tkwił po uszy w bagnie i wciągał mnie tam powoli, ale systematycznie. Na dobrą sprawę byłam tego świadoma od samego początku naszej znajomości, a jednak dałam się uwikłać.

– Do diabła, gdzie się podziewasz? Wszystko mnie boli, a ciebie nie ma i nie ma! – rozdarła się babcia, ledwo uchyliłam drzwi.

Miałam ochotę zamknąć je z drugiej strony i iść do swojego domu, ale poczułam na nodze dotyk psiego nosa.

– O, babciu! Jest dopiero siódma!

– A może najpierw jakieś dzień dobry, jak się czujesz, droga babciu, czy jadłaś coś dzisiaj?

Była jak jeżozwierz, gotowa do walki.

– A co? Julki nie było? – zdziwiłam się.

– Była, była, ale tylko blokowała telefon! Kazałam jej dzwonić z własnego domu!

Nasypałam psu suchej karmy, ale popatrzył z obrzydzeniem. Podszedł do drzwi, dając do zrozumienia, że sam sobie poradzi. Wypuściłam go, chociaż miałam sobie za złe, że to robię. Przecież pójdzie na rozbój. A licho z nim!

Zrobiłam babci kolację i patrzyłam, jak je. Mnie się nie chciało. Myśli krążyły wciąż wokół Olka.

– I co tak rozmyślasz? Porozmawiaj ze mną, a jak ci się nie chce, to idź do domu. Nie chcę, żebyś tu była tylko z poczucia jakiegoś cholernego obowiązku!

Skończył się film, więc miała trochę czasu i poświęciła go mnie.

– Więc porozmawiajmy! – zgodziłam się natychmiast.

Zdziwiła się moją zgodą i popatrzyła nieufnie.

– A o czym?

– Obojętnie!

Wcale nie było mi wszystko jedno, ale nie chciałam jej spłoszyć. Myślała przez chwilę.

– Macie teraz lepiej, niż myśmy mieli, a i tak jesteście niezadowoleni!

Chyba nie miała pomysłu na konkretny temat, a ten początek pasował do wszystkiego. Czekała na ripostę.

– Z czym niby mamy lepiej? Bo sklepy są pełne i w każdym kiosku można kupić prezerwatywę?

– Chociażby! Myśmy tego nie mieli! Macie lepiej! – zdecydowała i zaczęła strzelać kanałami.

– Ale wasz świat był przynajmniej jasny i zrozumiały! – powiedziałam, próbując przebić się przez reklamę proszku do prania. – Wiadomo było, co jest czarne, co białe, co dobre, co złe...

– Cicho! – Machnęła ręką, że koniec rozmowy, bo znalazła fajny film.

No właśnie! Resztę rozważań kontynuowałam w myślach. Dzisiejszy świat to zbiór obrazków, które chwytamy to tu, to tam i każdy po swojemu usiłuje ułożyć je w całość. Nie wiem, jak komu, ale mnie ta układanka za diabła nie chce się dopasować. Nic nie jest ani dobre, ani złe, wszystko jest umowne. Naprawdę ważne są tylko pieniądze. Podobno mamy możliwość wyboru, ale między czym a czym? Popędza nas ciągły jazgot i kłamliwa reklama. Popełniamy błąd za błędem i znikąd nie możemy doprosić się pomocy, bo tak naprawdę wszyscy się już pogubili. Coraz częściej łapię się na tym, że przyglądam się życiu jak widz – z boku. To nie jest dobry świat, jeśli nie wymaga ode mnie niczego poza obojętnością. Chętnie pogadałabym o tym z babcią, ale ona już wsiąkła w plastikową fabułę.

Próbowałam odrabiać lekcje, ale mi nie szło. Żeby nie zostać sama ze sobą i swoimi myślami, wróciłam do babci i telewizora. Obejrzałam codzienną lekcję zabijania, napadania i oszukiwania. Nauczyłam się, jak skutecznie zablokować ulicę podczas napadu na konwój i gdzie walnąć konwojenta, żeby na chwilę stracił czucie w rękach i nogach.

„Gdzie pana uderzył?" – pytał podekscytowany reporter, a facet świadomy, że oto ma swoje pięć minut, z przejęciem demonstrował to miejsce na karku między którymś a którymś kręgiem, w które został wymierzony cios.

Mój ty Boże! Widzisz i nie puścisz pioruna w te upiorne nadajniki!

Chciałam zasnąć, ale skrzypienie desek, szum wiatru, szuranie mysich łapek na strychu drażniło mnie. Silniejsze od zmęczenia było nagromadzone we mnie napięcie. Patrzyłam na kwadrat księżycowego blasku na ścianie i myślałam. Spośród wszystkich myśli najbardziej obsesyjna była ta, że Olek palcem pokazuje mnie jako wspólniczkę swoich wybryków. Większą część nocy spędziłam pogrążona w niespokojnym półśnie. Krążyłam po górach, uciekając, spadając, wznosząc się, śledząc kogoś po to, by zrobić mu krzywdę, popchnąć, by spadł. Zaczaiłam się u wylotu jaskini i czekałam, i już wiedziałam, że popełnię błąd, ale nic nie mogłam zmienić w tym, co już się stało. Mogłam tylko stać i zagubić się w oczekiwaniu.

22

– Czy ciocia wie, że Malina została rzecznikiem praw ucznia? Aśka rozwaliła się na kanapie i obserwowała moją mamę.

Mama przymierzała sukienki. Wybierała się na jakieś spotkanie; musiało być ważne, bo dokładała starań, by wyglądać atrakcyjnie. Niepotrzebnie tak się wysilała, bo i bez tego prezentowała się nieźle. Zapięła guzik i spojrzała przez ramię.

– Życzę szczęścia! Mam nadzieję, że nie brałaś mnie pod uwagę, przyjmując tę fuchę!

– E tam, to nic takiego! – Aśka spostrzegła moje zmieszanie i przejęła inicjatywę. – Rzecznik to figurant! Działa tylko na wyobraźnię ciała pedagogicznego. Wystarczy, że Malina ze swoimi teoretycznymi możliwościami w postaci cioci podejmie jakiś temat, a belfry wszystko załatwią jak trzeba, cicho i po chrześcijańsku. Sobolewska za dużo podskakiwała, profesorstwo jej nie lubiło i miało w pogardzie jej działalność. W sumie nie spełniła niczyich oczekiwań. Malina jest w sam raz!

– Cieszy mnie, że nikt nie oczekuje ode mnie podskakiwania! – zdołałam się wbić w potok słów Aśki. – Nie cierpię się poświęcać! Zresztą minęły trzy tygodnie i nikt nie miał żadnych problemów!

– Nie licz, że tak będzie zawsze! – powiedziała mama ostrzegawczo. Dodała jeszcze, że nic nie chce wiedzieć i żebym nie zawracała jej głowy uczniowskimi dramatami.

Obiecałam.

Zakręciła się na pięcie. Westchnęłyśmy z Aśką równocześnie. Wyglądała fajnie. My też wybierałyśmy się na dyskotekę, ale Aśka nie mogła oderwać oczu od porozrzucanych sukienek. Ostatnio wymyśliła, że zostanie projektantką mody, i wszystkie zeszyty zarysowywała lalkami Barbie w dziwacznych strojach.

– Mogę przymierzyć tę niebieską? – spytała błagalnie.

– A mierz wszystkie, tylko je potem odwieś do szafy! – dała łaskawe przyzwolenie mama, zadowolona, że nie musi sprzątać tego bałaganu.

Westchnęłam. Prędko to my nie wyjdziemy!

Miałam rację. Dwie bite godziny Aśka wkładała i zdejmowała, zdejmowała i wkładała. Nie popędzałam jej, bo nigdzie mi się nie spieszyło. Nie przepadam za dyskotekami, szczególnie szkolnymi. Na przekór logice dyrektor uparł się, by zorganizować tę potańcówkę. Za wszelką cenę chciał udowodnić, że ma zaufanie do uczniów, a to, co się ostatnio działo w szkole, to sprawka kosmitów.

Dyskoteka zmierzała ku szczęśliwemu końcowi, gdy wreszcie wyszłyśmy z domu.

– No i dobrze! Teraz będzie najzabawniej! – stwierdziła Aśka i miała rację, bo minęłyśmy po drodze kilka rozcałowanych par, jedną w sytuacji, którą trudno nazwać dwuznaczną, a na sali wszyscy skakali, niektórzy nieźle nabuzowani; jedni piwem, inni wódką, a jeszcze inni trawą. Cylak przy wejściu sprzedawał papierosy z marychą. Kilku nauczycieli siedziało na zapleczu. Od czasu do czasu wystawiali nosy, udając, że ich to, co się tu dzieje, cokolwiek obchodzi.

Zaczęłyśmy skakać z innymi. Muzyka huczała, światła migotały i po chwili wszystko wirowało. Pogrążyłam się w chaosie. Aśkę dopadł Ciołek. Akurat puścili wolny kawałek i zaczęli się przytulać. Ruszyłam ku wyjściu, bo rozdygotany tłum podzielił się na pary. Mogłam dygotać w indywidualnym rytmie, ale nie miałam nastroju. Przy drzwiach zobaczyłam Olka. Rozglądał się, szukając kogoś. Schyliłam się w obawie, że może mnie. Niepotrzebnie. Chodziło mu o Cylaka. Wyszli obaj na korytarz, a obok mnie zjawiła się Magda.

– Co? Posprzeczaliście się? – spytała, patrząc w ślad za znikającymi chłopakami.

– A bo co? – warknęłam. Wkurzało mnie, że ciągle kręciła się w pobliżu.

– Nic. Tak tylko. On mnie też się podoba! – zwierzyła się. Idiotka!

– To go sobie bierz! – powiedziałam i wróciłam na salę. Rudy z klasy Julki wyczyniał na parkiecie istne akrobacje. Stanęłam i patrzyłam. Zajmował pół sali; wymachiwał ramionami, robił salta, kręcił piruety tyłkiem po podłodze. W jego mniemaniu był to taniec, a mina świadczyła, że był z siebie zadowolony. Palant. Biliśmy mu brawo, bo wykonał niezły popis cyrkowy.

Podrygałam chwilę, poobijałam się o innych, ale zmieniłam zdanie i poszłam sprawdzić, czy Olek robi to, o co go podejrzewałam. Magda stała przy drzwiach i z otwartymi ustami gapiła się na coś, co działo się w głębi korytarza. Przepchnęłam się, żeby być bliżej, a ona odruchowo zrobiła mi miejsce. Wszyscy patrzyli w tę samą stronę. Wychyliłam się i zobaczyłam, jak Olek z Cylakiem okładają się pięściami. Olek był silniejszy i popychał Cylaka na ścianę, a tamten odbijał się jak piłka. Widać było, że chce się wyrwać i uciec, ale tłum gapiów uniemożliwiał mu odwrót. Cofał się tylko, osłaniając głowę. W pewnej chwili zatoczył się i wpadł na oszkloną gablotę pełną pucharów. Wszystko odbywało się w nierealnej ciszy. Za nami huczała opętańcza muzyka, a tu panowała hermetyczna cisza. Wstrzymałam oddech, by nic nie uronić z widowiska. Trwałam w jakimś odrętwieniu, jakbym siedziała przed telewizorem i nie miała wpływu na przebieg akcji. Dopiero brzęk tłuczonego szkła przywrócił mi świadomość.

– Jezu! – westchnęła mi nad uchem Magda. – Jak na filmie! Zacisnęłam zęby ze złości, że czułam tak samo.

Puchary spadały jeden po drugim i albo tłukły się, albo odbijały od posadzki, zależnie od tego, z czego były. Łoskot czyniły niesamowity; zagłuszyły przez chwilę dyskotekowe łomoty. Hałas przyciągnął nauczycieli.

– Co się tu dzieje? Kto to zrobił? Matko Boska!

Ocknęłam się z odrętwienia, ale jedyne, co zdołałam zrobić, to usunąć się na bok i zrobić przejście kolejnemu wpienionemu profesorowi. Wszyscy pytani wzruszali ramionami, co znaczyło, że nic nie widzieli i sami przyszli zobaczyć, co się stało. Olka już nie było. Cylak gramolił się z roztrzaskanej gabloty. Z rozciętej głowy sączyła się krew. Rozcierał ją nieporadnie po twarzy. Ktoś podał mu rękę i wyciągnął z kupy szkła.

– Wpadł w gablotę! Pewnie jest pijany! – Łysy zaśmiał się głupkowato. – Wyprowadzę go na dwór, niech oprzytomnieje! Aleś, bracie, narozrabiał!

– Zaprowadź go do gabinetu lekarskiego! Trzeba opatrzyć mu ranę! – Któryś z nauczycieli wykazał przytomność umysłu. Pozostali jak ogłupiali patrzyli na pobojowisko. Zaschło mi w gardle. Inni też czuli się nieswojo, bo wycofywali się chyłkiem na salę i znikali wśród tańczących. Zrobiłam to samo. Nikt mnie przecież o nic nie pytał, a sama nie będę się pchała z rewelacjami. Cylak sam sobie winien, rozmyślałam gorączkowo. Rozprowadzanie narkotyków to świńskie i niebezpieczne zajęcie, można od kogoś oberwać w trąbę. W sumie nie ma kogo żałować. Nauczyciele przerwali dyskotekę. Próbowali wypytywać i na chybił trafił szukać świadków zdarzenia. Niestety, nikt niczego nie widział. Cylak pewnie wypił za dużo piwa, potknął się i sam wleciał w gablotkę.

Do domu wracaliśmy w marnych nastrojach.
– To Olek wepchnął go w to szkło! – wyznałam na ucho Aśce. – Widziałam!
– No to co? – Popatrzyła na mnie ironicznie. – Myślisz, że tylko ty? Wszyscy widzieli, a nikt nie kłapie dziobem, bo nie ma takiej potrzeby! Bo to pierwszy raz Tarwid narozrabiał? Żeby było nawet stu świadków, to i tak nic mu nie zrobią! A Cylaka ci żal? Przecież to diler, wiesz o tym dobrze! Jakakolwiek była przyczyna, dobrze się stało, że dostał po łbie. Widziałaś Ankę? Znowu była naćpana, taka fajna dziewczyna!

Babcia chodziła po mieszkaniu jak chmura gradowa. Łomotała laską o podłogę, aż huczało. Wysłałam w kosmos swoje niepokoje i ułożyłam na twarzy przyjazny, pełen optymizmu uśmiech. Tak jak telewizyjna spikerka, która po relacji z miejsca tragedii mówi: A teraz trochę muzyki!
– Cześć, babciu! Co słychać? Jak się czujesz? – zaszczebiotałam.
Liczyłam na wzajemność, ale babci nie chciało się udawać.
– Miałam ochotę dzisiaj wyjść – poskarżyła się grobowym głosem – ale twoja matka kazała mi zmienić zdanie!
– Gdzie chciałaś iść? – spytałam zdziwiona.
– Do swojej przyjaciółki! Na pogaduszki! Już dawno u niej nie byłam, a tyle się zdarzyło. Starym kobietom też potrzebna jest odrobina rozrywki!

Rozbawiła mnie jej skarga, jeśli chodziło o tę właśnie przyjaciółkę.

– Przecież ona nie żyje!

– No właśnie! Dlatego nie wie, co się dzieje na świecie! Chciałam iść na spacer na cmentarz. Lubię tam chodzić i do tej pory chodziłam bez przeszkód. Twojej matce to przeszkadza! Ledwo przyjechała, już się wtrąca w moje życie. Twierdzi, że jeszcze się tam należę, a teraz mam siedzieć w domu!

– I miała rację! Przecież dopiero cię poskładali. Jak z takim hakiem wyjdziesz na ulicę? Przewrócisz się i drugą będziesz miała taką samą! – tłumaczyłam jak dziecku, ale nie chciała słuchać. Ze złością cisnęła laską o ścianę.

– Najbardziej byście chciały, żebym umarła!

O czym tu było dyskutować? Poszłam do kuchni i wzięłam się do robienia kolacji. Gdy wróciłam z talerzem kanapek, siedziała nabzdyczona przed telewizorem i bezmyślnie gapiła się na amerykańskie kreskówki. Opowiedziałabym jej o dyskotece, ale bałam się, że to ją jeszcze bardziej zdenerwuje.

– Babciu, zadzwonię do Wilków. Julek weźmie furgonetkę i pojedziemy w niedzielę na wycieczkę, na przykład do...

– Zamknij się, bo oglądam film! Nie chcę tego słuchać! Nie chcę zachowywać się tak, jakby moje dni były już policzone! Chcę robić to, na co mam ochotę!

Na ekranie telewizora Kaczor Donald nie mógł zasnąć, bo przeszkadzała mu woda ciekąca z kranu. Przez kilka minut wkurzałam się razem z nim na zepsuty kran. Ogarnęło mnie uczucie przygnębienia i wyrzutów sumienia, a przecież nie zrobiłam nic złego, przynajmniej nie mogłam sobie niczego takiego przypomnieć.

Babcia zamknęła oczy i udawała, że śpi. Zostawiłam ją i wyszłam do ogrodu. Stanęłam pod oknem i ukradkiem patrzyłam, jak leży wsłuchana w odgłosy moich kroków, czy poszłam daleko, czy jestem blisko. Pies trącił ją nosem i uspokoił, że jestem za oknem. Wróciłam i usiadłam obok.

– Przepraszam, babciu. Myślałam, że zrobię ci przyjemność, ale jeśli nie chcesz, to zapomnij o tym, co powiedziałam! Wydęła usta na znak, że się jeszcze zastanawia.

– A zresztą, dlaczego by nie! Chętnie przejadę się do Doliny Czarnej! Zobaczyłabym wodospad od strony kolei i łąki za kościołem. Kochaliśmy się tam z twoim dziadkiem. Była z nas para wariatów! Chyba tam poczęliśmy dziewczynki! Poczęli dziewczynki, co za określenie!

Te łąki za kościołem uświadomiły mi, że mam do skończenia pracę z geografii. Przekładałam ją z dnia na dzień, ale to już na jutro. Babcia miała jeszcze w programie trzy filmy, więc mogłam spokojnie zająć się swoją pracą.

– Malina! Nie oglądasz? Taki fajny film! O chuliganach!

– Nie! Od takich filmów robią mi się krosty na duszy! – mruknęłam, tak jakby film mógł być bardziej parszywy od życia.

– Ale z ciebie zrzęda! No dobra, pomóż mi się rozebrać!

We śnie znów byłam w jaskini. Przyklejona do skały, znieruchomiała, czekałam, drżąc ze strachu i nienawiści. Czułam ciepło ściekające mi po nogach. Nadszedł. Słyszałam skradające się kroki. Stanął zapatrzony w mgłę nad wodospadem. Podeszłam i pchnęłam. To było łatwe. Nie wiem, kim byłam: tym, który spadał; tym, który pchnął; tym, który nienawidził; tym, któremu zdziwienie plątało się z mgłą; czy może tym, który przyglądał się obojgu z uśmiechem? Trwało to chwilę. Chwilę zbyt bolesną, by można ją było przedłużyć.

Zbudziło mnie zimno ciągnące od otwartego okna. Babcia znów będzie się denerwować, że nie zamknęłam na noc. Coś powinnam z tego snu zrozumieć, ale byłam zbyt ogłupiała wszystkim, co się wokół działo, tak we śnie, jak i na jawie.

Z samego rana dyrektor zarządził apel i całą godzinę truł o narastającej fali przestępczości wśród młodzieży, o tradycjach miasta i o naszych zobowiązaniach wobec ojczyzny i rodziny. Konkretnie chodziło mu o rozbitą gablotę i zniszczone puchary. Faktycznie, szkoda ich! O wcześniejszych demolkach nie wspomniał.

– Znam waszych rodziców i wiem, że wychowują was na porządnych obywateli i katolików!

Napomykał coś o alkoholu i używkach, ale były to tylko ogólniki. Podawał jakieś procenty, ale bez specjalnej wiary w ich prawdziwość.

– Nie sądzę, żeby odnosiło się to do naszej szkoły! Tak jest w dużych miastach, ale na szczęście jeszcze nie u nas! – ogłosił z pełnym przekonaniem. – My jak dotąd nie mamy problemów z alkoholem i wierzę, że większość uczniów mojego liceum nie zna jego smaku! I oby nadal tak było!

Ledwo słyszalny szmer był wyrazem ironii.

– A narkotyki? W naszym mieście nie są na szczęście dostępne!

O naiwności! Jeden diler jest w szkole, drugi urzęduje pod Trójzębem, kolejny jest osiągalny o każdej porze dnia i nocy w swym mieszkaniu przy rynku. Ciekawe, że wiedzą o tym nawet uczniaki z podstawówek, a nauczyciel żaden. Dwie dziewczyny z mojej klasy widuję przynajmniej raz w tygodniu tak naćpane, że ledwo widzą na oczy. Aśka mówi, że w szkole jest takich więcej. Na ustawicznym głodzie jest przynajmniej tuzin uczniów. Jak to się dzieje, że dyrektor nie zdaje sobie sprawy z istniejącej sytuacji? Udaje czy naprawdę jest ślepy?

Padło dużo słów na temat braku odpowiedzialności i roli szkoły w jej kształtowaniu.

– Prześladuje nas ostatnio zła passa. Ufam, że nie jest wynikiem niczyjej głupoty, lecz jedynie zbiegiem okoliczności! Roztrzaskanie gabloty i pucharów złożone zostało na karb nieuwagi. Sprawca został publicznie napiętnowany i zobowiązany do pokrycia strat. Dyskotek nie będzie tak długo, póki zniszczenia nie zostaną naprawione. W sumie niewielka strata, bo i tak lepiej iść do Piekiełka lub do Fabryki. Wyrok przyjęliśmy z umiarkowanym zrozumieniem. Wybuchy śmiechu rozbrzmiewały w całej szkole, gdy wracaliśmy na lekcje. Ja byłam zadowolona z przemowy dyrektora, bo minęła geografia, a ja nie skończyłam wczoraj referatu. Profesorstwo słało nam karcące spojrzenia.

– Co za bydło! Nic do nich nie dociera! – stwierdziła polonistka z odrazą.

Kwestia udziału Olka w całej sprawie w ogóle nie wypłynęła.

– Wiadomo! Nie rusza się gówna, bo można się ubrudzić! – podsumował Ciołek.

Mama wróciła późno. Miałam ochotę pogadać z nią, ale z miejsca storpedowała moje zapędy.

– Jestem skonana! – wyjęczała. Postawiła siatki w przedpokoju i padła na fotel. Gdy rozpakowałam zakupy i weszłam do pokoju, spała. W kurtce i w butach. Nie budziłam jej, przykryłam tylko kocem. Po kwadransie była jak nowo narodzona, ale gdy zamierzałam zagaić o Cylaku, Olku i tym wszystkim, zadzwonił telefon. Jakiś facet chciał mamę. Gadała z pół godziny. Śmiała się, kokietowała go, a jednocześnie robiła do mnie miny, że to straszny palant.

– Nie, przykro mi, ale dzisiaj nie mogę! Obiecałam córce, że pójdziemy do kina! – usłyszałam. Zrobiłam zdziwioną minę.

Wzruszyła ramionami, że to tylko takie niewinne kłamstwo na użytek tego kogoś na drugim końcu drutu.

– Może... ale poszukaj mi tego wyciągu ze sprawy sprzed pięciu lat. Wiesz, wtedy gdy poszerzali park narodowy. Coś chciałam sprawdzić, ale nie mam jak do tego dojść! Dobra, będę ci wdzięczna. Może i tak!

Pokręciłam głową.

– Co tak kręcisz tą głową? Każdy sposób jest dobry! – mruknęła, ściągając buty.

– Mogę zrezygnować z obiecanego kina! – stwierdziłam. – Ale chętnie wezmę forsę na bilet!

– Żartujesz!

– Sama mówiłaś, że... Inaczej zadzwonię do palanta i powiem, że zrezygnowałam i masz wolny wieczór!

– Gdzie ty się tego uczysz?

– Od ciebie!

– Ile?

– Dwie dychy!

Na noc poszłam do babci. Było już za ciemno, żeby iść na skróty. Nogi same poniosły mnie przez połowę miasta. Nigdy nie wiem, jakimi ścieżkami poprowadzi mnie los, ale przekonałam się, że za każdym razem postawi na nich Olka. Nawet niespecjalnie zdziwiłam się na jego widok. Siedział na obramowaniu fontanny i popijał piwo z butelki. Zauważył mnie i pomachał ręką. Rozejrzałam się, czy nikt nie widzi, i przysiadłam. Gestem zaproponował łyk z flaszki, ale odmówiłam, również gestem. W jego towarzystwie zaczęłam się przyzwyczajać do takich milczących rozmów. Siedzieliśmy chwilę, ale nie wyglądało, by miał ochotę pogadać. Ja natomiast, owszem.

– Widziałam, co się stało w czasie dyskoteki! – powiedziałam i sama nie wiem dlaczego, zaschło mi w gardle.

– Czyżby? – spytał zimno i przytknął butelkę do ust. Przez dłuższą chwilę słychać było gulgotanie. Grdyka poruszała mu się w górę i w dół. Miałam nadzieję, że się zachłyśnie. Wreszcie odsunął butelkę, popatrzył na nią pod światło i wrzucił do fontanny.

– Przecież nic się nie stało! – powiedział.

Zmroził mnie jego lekceważący ton. Nie miałam zamiaru go oskarżać; nawet nie chciałam znać powodów bójki. Tak tylko powiedziałam, żeby wiedział, że wiem, jak było naprawdę. Nie lubię, gdy mnie ktoś lekceważy. Wstałam.

– Co? Spieszysz się? – spytał nawet dość przymilnie. Oczy mu błyszczały. To nie było jego pierwsze piwo.

– Tak! Nie!

Sama nie wiedziałam, czego chcę. Miałam ochotę odejść, by nie mieć nic wspólnego z tym chłopakiem. Wokół niego strzępiła się mgła, obrzydliwie lepka i brudząca. Siedząc z nim, mogłam się nią upaprać, ale... coś mnie wstrzymywało. Wysłuchaj go, on nie ma z kim porozmawiać! Wybrał ciebie, diabli wiedzą z jakiego powodu, więc daj mu szansę! Ostatecznie nie spieszyło mi się tak bardzo do babcinego jazgotu. Dziesiątki myśli galopowały między uszami, ale do pozostania przekonała mnie ta, że mam właśnie okazję spytać o znajomość jego ojca i mojej babci. Nabrałam powietrza, ale on odezwał się pierwszy:

– Cylak chciał ode mnie forsę! – powiedział do księżyca.

Musiałam się należycie skupić, by dopasować tę informację do poprzedniej rozmowy.

– Chyba nic dziwnego, skoro brałeś od niego to, co mi się wydaje, że brałeś! – wysyczałam trochę bardziej jadowicie, niż zamierzałam.

– Owszem, ale on chciał dużo więcej forsy!

– Za co?

– Widział, jak wychodziłem wtedy ze szkoły!

– Kiedy?

– Wtedy!

Skrzywił się, jakby to było zrozumiałe samo przez się.

– Kiedy? – podniosłam głos, bo zaczynał mnie wkurzać tymi półsłówkami.

Wstał, ale zachwiał się i usiadł z powrotem.

– On robi swoje świństwa i niech pilnuje swojego wszawego interesu, a jak będzie mnie szantażował, to go zgnoję! – pogroził pięścią.

– Poskarżysz tatusiowi?

Nie wiem, dlaczego tak powiedziałam, ale powiedziałam i nie mogłam już tego cofnąć. Popatrzył na mnie jakoś tak... bezradnie.

– To on powiedział, że naskarży mojemu ojcu! – prychnął z pogardą. – Tatuś może mi naskoczyć! Pedał! Drań! Bydlę! Jakbym chciał, mógłbym go wsadzić do więzienia na długie lata!

Bełkotał i śmiał się jazgotliwie; nie wiedziałam, kiedy miał na myśli ojca, a kiedy Cylaka. Siedziałam ogłupiała, wmawiając sobie, że nic nie pojmuję z tej jego przemowy. Żałowałam, że zostałam. Wstałam, przestąpiłam z nogi na nogę.

– Muszę iść! – mruknęłam. – Ty też powinieneś!

Niespodziewanie kiwnął głową. Zanurzył rękę w wodzie i przetarł twarz. Przez moment wyglądało, jakby płynęły mu łzy. Poszedł ze mną kawałek, a potem zawrócił bez słowa w stronę centrum. Niech idzie, co mi tam. Wzruszyłam ramionami i poszłam swoją drogą.

Zaczął padać deszcz i bolała mnie głowa. Słowa Olka wracały jak echo: ...mój ojciec... mój dom... Był pijany i gadał, co mu ślina na język przyniosła, uspokajałam swoje myśli, ale czułam się rozdrażniona i czemuś winna. Za wszelką cenę usiłowałam wymóc na sobie obojętność wobec Olka i jego problemów.

Powlokłam się do domu babci. W oknach było ciemno. Nacisnęłam dzwonek i słuchałam dźwięku brzęczyka. Nie otwierałam drzwi, tylko tak stałam i słuchałam. Powinna być jeszcze Milka. Usnęły czy co? Nacisnęłam jeszcze raz i jeszcze, aż z okna Kasprzakowej wychyliła się głowa i wrzasnęła, że babcia jest u niej i zostanie tak długo, jak im się będzie podobało. Jasne? OK.

Weszłam do środka i oparłam się o framugę. Nawet psa nie było. Przypomniałam sobie, że jeszcze niedawno lubiłam ciszę. Teraz mnie przerażała.

„Wasz świat nie znosi ciszy! – powiedziała kiedyś babcia. – Boicie się własnych myśli i zagłuszacie je głośną muzyką".

Nie zgodziłam się z nią wtedy, ale teraz zrozumiałam, o co jej chodziło. W takiej pustce chcąc nie chcąc musiałam rozmawiać sama ze sobą. Elka, Olek, Cylak... Tak, miałam o czym rozmyślać!

Zamknęłam drzwi, zapaliłam światło i nie rozbierając się, weszłam do pokoju. Włączyłam telewizor. Usłyszałam głosy i ulżyło mi. Odetchnęłam i poczułam, jak ogarnia mnie spokój. Ściszyłam, żeby choć częściowo usprawiedliwić swoje tchórzostwo.

– A jednak boisz się ciszy i własnych myśli! – nagadałam sobie, ale telewizora nie wyłączyłam. Postrzelałam kanałami, żeby znaleźć coś optymistycznego, ale wszędzie tylko gadali. Całe roje polityków: lewicowych, prawicowych, w gruncie rzeczy takich samych, trudnych do rozróżnienia na podstawie tego, jak wyglądali i co mówili. Wszyscy znali ładne słowa, uśmiechali się, na każdy problem mieli gotowe rozwiązanie, byli przepełnieni wiarą w swoje posłannictwo. A ich posłannictwem było zapewnienie mi szczęścia. I podobno, póki nie umrę, będę na to ich szczęście skazana.

Pstrykałam raz po raz, aż twarze wielu nałożyły się na siebie i utworzyły jeden uniwersalny pysk ujadającego buldoga.

23

Szkolne awantury niby przysychały, ale rzecz się z nimi miała jak z psią kupą: z bliska i tak cuchnęły. Wystarczyło niewłaściwe słowo, a już zaczynała się kłótnia. Wszyscy do wszystkich mieli pretensje. Każdy każdemu patrzył na ręce. Nauczyciele stali się nerwowi; nie dostali podwyżki, na którą liczyli, i swoje rozgoryczenie wyładowywali na nas. Oberwałam mierną z chemii, a polonistka nakrzyczała, że wypracowanie powinnam pisać sama, a nie korzystać z pomocy.

– Jak Boga kocham, sama pisałam! – walnęłam się w piersi.

– W tym kraju co drugi powołuje Boga na świadka! – prychnęła i cisnęła moim zeszytem, aż kartki zafurgotały. Czekała, że się odszczeknę i będzie mogła rozpętać większą awanturę. Owszem, język mnie zaswędził, ale dałam spokój. Ktoś musiał wykazać więcej rozsądku. Podniosłam zeszyt i wróciłam na miejsce. Mogę napisać jeszcze raz i jeszcze, co mi tam. Wiedziałam, że to przez mamę. Dotąd nie miała czasu na obiecane spotkanie.

Cylak oszklił gablotę, ale stała pusta. Odkupienie potłuczonych kryształów nie wchodziło raczej w rachubę. Olek znów nie przychodził do szkoły. Z jednej strony było mi to na rękę, czułam się spokojniejsza, a jednak... chwytały mnie wątpliwości. Powinnam coś zrobić, chociażby powiedzieć o nim mamie. Któregoś dnia przyszedł pod dom, usiadł na podmurówce ogrodzenia i w sposób jak najbardziej oczywisty czekał, aż wyjdę. Wyszłam, bo i tak wybierałam się do babci.

– Chciałem ci coś powiedzieć! – mruknął, zerkając w stronę furtki, którą zamknęłam za sobą.

– Nie prościej było skorzystać z telefonu? – spytałam. – Nie zaproszę cię, bo w domu panuje chaos! Udałam, że nie dostrzegam jego rozczarowanej miny. Z nim nie można było zwyczajnie pogadać, pośmiać się, powspominać film widziany sto lat temu. Był taki... przegrany. Ruszyłam w dół ulicy, a on chcąc nie chcąc musiał pójść za mną. Nie zależało mi na jego towarzystwie i gdyby się obraził i skręcił w inną stronę, przyjęłabym to z ulgą. Ale lazł za mną, naburmuszony. Nie było dziewczyny, która by się za nami nie obejrzała. Nawet z tą swoją posępną miną był piękny i bez względu na okoliczności czułam przyjemne swędzenie skóry. Mogłabym tak iść i iść. Gdyby tylko na tym polegało życie, Olek mógłby mi towarzyszyć.

Szłam pół kroku w przodzie, więc to ja wybierałam kierunek. Zdecydowałam się na tarasy, bo tam kręciło się dużo ludzi, zwłaszcza turystów, a ja potrzebowałam ich spojrzeń. Olkowi i tak było wszystko jedno, dokąd idzie. Znalazłam wolną ławkę. Usiedliśmy. Zagapił się na góry. Usiadłam bokiem, żeby mieć przed sobą Krzywy Stok, a przy okazji jego twarz. Było w niej coś dzikiego. Pionowe zmarszczki przecinały czoło jak blizny. W świetle zachodzącego słońca wyglądały jak świeże rany. Gdy trwał w tym zamyśleniu, pod skórą drgały mu mięśnie, jak fale na wodzie. Zaczynały się gdzieś koło skroni, zsuwały wzdłuż nosa, ku brodzie. Wargi mu drżały, jakby zaraz miał się rozpłakać. To było okropne. Odwróciłam wzrok.

Obok nas przebiegł z wrzaskiem dzieciak i Olek natychmiast umknął w głąb siebie. Na usta powrócił mu arogancki uśmiech. Wciąż gapił się na góry, ale już panował nad sobą. Podniósł patyk i łamał go na kawałki. Chciał coś powiedzieć, ale zwlekał, a ja nie robiłam nic, by mu ułatwić. Przyglądałam się dziecku. Wspięło się na barierkę i wychyliło. Zrobiło mi się niedobrze.

– Niełatwo mi o tym mówić... – zaczął. Chrypiało mu w gardle.

Dzieciak do połowy wisiał za barierką. Obejrzałam się, czy są w pobliżu jacyś opiekunowie. Byli. Robili dziecku zdjęcia.

– Nie każdemu bym o tym powiedział, ale ty...

Uśmiechnęłam się lekko, bo pomyślałam, że nareszcie powie coś miłego, ale ułamek chwili wystarczył, by uśmiech zniknął.

– ...przy swojej mamie napatrzyłaś się na różne rzeczy... W każdej rodzinie są sprawy, o których się nie mówi... Sama wiesz... u ciebie też... twoja ciotka... Mój ojciec...

Zesztywniałam. Ten początek nie zapowiadał miłego końca. Nie przerwałam tylko dlatego, że sama byłam przestraszona. Czym? Jeszcze nie wiedziałam i nie chciałam wiedzieć. On był jednak zdeterminowany i nie widział, że krępuje mnie ta sytuacja. Wolałabym, aby obrócił wszystko w żart, dotknął mnie, pocałował. I żeby były jakieś dziewczyny, które o tym rozpowiedzą... Nawet gdyby to miało zdenerwować babcię.

– Mój ojciec...

Zaśmiałam się nerwowo. Nie wytrzymałam napięcia. Nie miałam zamiaru słuchać skarg. Powinien pogadać z moją mamą i jemu chyba właśnie o to chodziło. Ciągle o nią pytał; powinnam dawno się domyślić, że przeze mnie szukał do niej dojścia. Poczułam chłód.

– Ten dzieciak zaraz zleci! – powiedziałam w stronę matki zaaferowanej aparatem. Spojrzała na mnie wyniośle, pstryknęła jeszcze ze trzy razy i dopiero ściągnęła szczeniaka za nogę.

– Chodź, Łukaszku! – Poprawiła mu czapkę. – Przeszkadzamy państwu!

Kretynka!

Olek patrzył bezmyślnie w niebo. Sama nie wiem, co czułam. Była to jakaś pokrętna plątanina pogardy i współczucia.

– Umówię cię z mamą! – powiedziałam, wstając.

Kiwnął głową, że tak będzie najlepiej.

– Pójdziesz ze mną do kina? – spytał, gdy odeszłam już kilka kroków.

Tak, akurat to mogłam mu obiecać. I tak wiedziałam, że kino jest formą zapłaty za pośrednictwo.

– Booože, nie pojmuję, jak ludzie mogą tracić tyle czasu, by zrzucić sprawę na kogoś innego, skoro szybciej sami by to załatwili!

Ta uwaga nie była skierowana do mnie. Mama siedziała przy telefonie; zakryła słuchawkę dłonią, by przesłać mi całusa, ale głos w aparacie o coś spytał i musiała skupić się na nim. Notowała, zadawała pytania, a mnie w przelocie machnęła ręką, żebym się sobą zajęła. Nie ma sprawy. Poszłam do kuchni zobaczyć, czy jest coś do zjedzenia. Był obiad, ale w połowie odgrzewania odechciało mi się jeść. Mama cały czas siedziała przy telefonie, właściwie więcej słuchała, niż mówiła. Włączyłam sobie telewizor. Tamci zza szybki zwracali się do mnie, a przynajmniej mogłam mieć takie złudzenie. Nie zauważyłam, kiedy mama przysiadła się do mnie.

– Pamiętasz sprawę spółdzielni spod Szczecina? – Wyłączyła telewizor, żebym mogła skupić się na niej. Akurat reklamowali pierogi biegające na cienkich nóżkach. Szukałam ich dzisiaj w naszym sklepie, ale nie znalazłam. Pogrzebałam w pamięci... Pewnie, że pamiętałam. Tamta sprawa zmusiła nas do wyprowadzki.

– Wyobraź sobie, że tutaj, w Janowej Wsi, sytuacja się powtórzyła w najdrobniejszych szczegółach. Tutaj syndykiem i prezesem był Tarwid. Ludzie dopiero teraz zorientowali się, że wyprzedał ich majątek. Okradł ich w najbardziej prymitywny sposób, a ja mam niemiłe wrażenie, że skorzystał z tamtego pomysłu!

– I co? Weźmiesz się za to? – spytałam z niepokojem.

– Nie wiem jeszcze, ale... odczuwam moralnego kaca, jakbym podpowiedziała mu...

– Nie żartuj! On ma prawników, którzy mu podpowiadają lepsze pomysły!

I od słowa do słowa opowiedziałam o rynku, na który ni z gruszki, ni z pietruszki zdobył akt własności. I o domu Adasia. O dokumentach, które nie wiadomo w jaki sposób znikły podczas powodzi. O przydrożnych barach, takich jak Teresy, których właściciele zostali zmuszeni szantażem do ich zamknięcia.

Mama tylko kręciła głową. Chciałam wyolbrzymić problem, by jej obrzydzić temat, ale błyski w oczach świadczyły, że moje starania odniosły odwrotny skutek. Chyba powinnam pracować w reklamie. Babcia miała rację: mamie lepiej nie mówić o takich sprawach.

– Mamo, nie wtrącaj się do tego. Tarwid tutaj jest bogiem!

Popatrzyła na mnie spod oka.

– Proszę, proszę! Pomieszkałaś parę tygodni z moją matką i już przejęłaś jej filozofię życiową. To się nazywa konformizm. Gratuluję, ostatecznie to styl życia naszych czasów!

– Oj, mamo!

Zabrakło mi jednak odwagi, by opowiedzieć, do czego Tarwid jest zdolny nawet w stosunku do własnego syna.

Usiadła przy komputerze, włączyła internet i wsiąkła. Zaczęła wyszukiwać informacje. O czym? Wolałam nie wiedzieć.

– Idę z Olkiem do kina! – mruknęłam niezbyt głośno. Myślałam, że nawet nie usłyszy.

Usłyszała i oderwała się od komputera. Spojrzała na mnie pytającym wzrokiem. No trudno.

– Olkiem Tarwidem! Pamiętasz go? Koniecznie chciałby z tobą porozmawiać! – powiedziałam to na jednym oddechu.

– O czym? – Zjeżyła się całkiem jak babcia.

– Nie wiem, ale bardzo mu zależy! Pewnie tak jak wszystkim!
– Wzruszyłam ramieniem. – Polonistka już od miesiąca truje mi dupę na ten sam temat! Co mam jej powiedzieć? Uspokoiła się.
– Niech sama ustali termin. Dostosuję się!
– A co z nim?
– Może kiedyś, przy okazji! – Chciała zakończyć tę rozmowę, coś jej nie pasowało. – Pamiętam go jako chłopca. Zawsze był zbyt grzeczny, zamknięty w sobie i taki... odległy. Było w nim coś niepokojącego...

Miała zastrzeżenia i zbierała się w sobie, by mi je przekazać, ale argumenty, których powinna użyć, z jakiegoś powodu nie chciały jej przejść przez gardło. Męczyło ją to.

– Czy jesteś nim w jakiś sposób zainteresowana? – wyrzuciła z siebie i czekała w napięciu na moją odpowiedź.

Cóż mogłam powiedzieć? Nasza znajomość to splot przypadków, zazębiających się i tworzących zażyłość, z której coraz trudniej się wyplątać. To przecież ani miłość, ani przyjaźń, ani nawet koleżeństwo – diabli wiedzą co. A jednak „w jakiś sposób" jestem nim zainteresowana, trudno zaprzeczyć; ten chłopak intryguje mnie, na jego widok miękną mi kolana, a wzrok automatycznie wychwytuje go w tłumie. Zdałam sobie sprawę, że każda jednoznaczna odpowiedź na pytanie mamy będzie nieprawdą.

– Mamo! – prychnęłam. – Ja nie biorę z nim ślubu, tylko idę do kina!

Dała za wygraną. Zrobiło mi się nawet żal, że tak łatwo zrezygnowała. Gdyby mi zabroniła iść, posłuchałabym, bo wcale nie miałam ochoty na to spotkanie. Musiałaby jednak podać argument poważniejszy od tego, że nie lubiła go w czasach, gdy był dzieckiem. Z jakiegoś powodu nie zrobiła tego, więc poczułam się rozgrzeszona.

Wyszłam najpóźniej, jak mogłam, żeby to on na mnie czekał. Chociaż w ten sposób mogłam okazać irytację, brak zgody na niego i złość z powodu niepotrzebnych niedopowiedzeń w rozmowie z mamą. Niestety, nie było go przed kinem. Spóźniał się, a ja zamiast splunąć i z ulgą wrócić do domu, usiadłam na murku i czekałam. Zdawałam sobie sprawę z postępującego zidiocenia, ale z jakiegoś powodu wydawało mi się, że tak będzie najlepiej i dla niego, i dla mnie. Jakby do czegoś był mi potrzebny. Ciekawe, do czego? Przyszedł po półgodzinie, nie miał żadnych biletów. Usiłował ich co prawda szukać, ale bez specjalnego przekonania.

– Chodźmy do mnie! – powiedział wreszcie.

Rzucona mimochodem propozycja przejęła mnie dreszczem, chociaż w jego głosie nie było żadnych podtekstów. Nic. Tak jakby mówił: I tak mam to gdzieś! Powinnam wzruszyć ramionami i odmówić. Tymczasem dreszcz przebiegł mi po łydkach. Nie wiem, czy bardziej byłam przestraszona swoją głupotą, czy zaciekawiona nieoczekiwaną propozycją. Przez głowę przebiegały mi setki rad wyczytanych w pismach dla dziewcząt, co robić, a czego nie w takich sytuacjach. Zignorowałam wszystkie. Przecież nic złego nie mogło mi się stać. Szłam tylko na chwilę do kolegi.

Olek wyglądał marnie. Ręce trzymał w kieszeniach. Co chwila koniuszkiem języka zwilżał wargi.

– Boli mnie głowa! – powiedział drżącym głosem.

Oczy mu błyszczały, jakby miał gorączkę.

– Brałeś coś? – spytałam zaniepokojona.

– Nie! Nie muszę! I tak czuję się nabuzowany. Nie mogę się wydobyć z mgły... Powinienem... Wiem, co powinienem, ale... boję się wyjaśnień... i tak nikt mi nie uwierzy. Powinienem uciec, ale nie mam forsy. Nie mam nic. Jestem nikim. Rozumiesz?

Zaprzeczyłam ruchem głowy, ale i tak nie zwrócił na mnie uwagi.

– Chodźmy do mnie! – wymamrotał.

Wszelka dyskusja byłaby bezcelowa. Sprawiał wrażenie pół-przytomnego. W takim stanie nie powinien włóczyć się po mieście. Łatwo weszłam w rolę siostry miłosierdzia i poszłam za nim.

Do domu weszliśmy tylnym wejściem, od strony ogrodów. Światło paliło się tylko na parterze. Skradaliśmy się jak złodzieje. Wydawało mi się to nawet zabawne. Hol rozświetlała jedynie smuga wydobywająca się spod drzwi. Gdzieś z głębi domu dochodziły dźwięki głośnej muzyki i podniesionych głosów. Olek pociągnął mnie za rękaw. Po omacku weszliśmy na piętro. Otworzył po cichu drzwi. Gdy znaleźliśmy się w środku, zamknął je za sobą starannie i przez chwilę stał przy nich, wsłuchując się w sobie tylko znane dźwięki tego domu. Jego zachowanie było niesamowite. Nie wiedziałam, czy chce mnie przestraszyć, czy rozbawić. Dopiero po jakimś czasie przemknęła myśl, że nie chodzi tu o mnie, ale o jego ojca. Nie chciał się na niego natknąć. Rety! Przeszły mnie ciarki.

Stałam nieruchomo, czekając na jego reakcję. Jeśli cokolwiek czułam, to na pewno nie strach. Właściwie to nawet nie byłam sobą. Obserwowałam swoją głupotę z pewnego oddalenia.

Po chwili, uspokojony, zapalił niewielką lampkę. To nie był piękny pokój. Ze wszystkich pokoi, jakie do tej pory widziałam, ten był najgorszy. Wszędzie walały się ubrania, butelki, brudne naczynia, resztki jedzenia.

– Co tu się stało? – spytałam mimowolnie.

– Nic. Zabroniłem komukolwiek tu wchodzić bez mojego pozwolenia! – powiedział, a w jego głosie zabrzmiała duma.

Dobrze przynajmniej, że nie spytał, czy mi się tu podoba. Nie podobało mi się. Śmierdziało potem, brudnymi skarpetkami, mysim gównem. Obrzydliwość. Mimo otwartego na oścież okna, cuchnęło brudem. Gdy nadepnęłam na kawałek spleśniałej kiełbasy, zebrało mi się na wymioty. Podeszłam do okna i postanowiłam nie ruszać się stąd na krok. Miałam stąd widok na oświetloną burym światłem ścianę. Była kolorowa i przyciągała wzrok; pokryta do samego sufitu plakatami, stronami czasopism, wycinkami naklejanymi jedne na drugie. Wszystkie przedstawiały strach, przerażenie, gwałt i agresję. Wykrzywione twarze, usta otwarte do krzyku, oszalałe oczy, mali chłopcy z karabinami, kobiety w porozdzieranych sukniach, martwa dziewczyna z rozłożonymi nogami i zakrwawionym kroczem. Potworność. Zwłoki ułożone w szeregu. Starzec, któremu nie miał kto zamknąć oczu, dziecko z urwaną stopą...

Zacisnęłam powieki i odwróciłam się. Olek zachichotał na widok obrzydzenia, którego nie potrafiłam ukryć.

– Dzięki temu – wskazał na ścianę – nikt tu nie wchodzi. Nawet ojciec!

Znowu się roześmiał. Śmiech miał być ironiczny i obraźliwy, ale zabrzmiał histerycznie. Zrobiło mi się zimno. Nagle przypomniałam sobie, że babcia mówiła coś wczoraj o tabletkach od bólu głowy. Powinnam je kupić, i to natychmiast. Nie mogłam tu zostać ani chwili dłużej. Nawet nie próbowałam się tłumaczyć. Powiedziałam, że muszę wyjść, i wyszłam. Nie zatrzymywał mnie. Zbiegłam ze schodów, nie dbając o zachowanie ciszy. Szczęśliwie nie natknęłam się na nikogo. Odetchnęłam dopiero na ulicy, gdy znalazłam się wśród ludzi.

W przedpokoju stała torba podróżna, a w niej spakowane niedbale ubrania.

– Co? Znowu gdzieś jedziesz? – spytałam, starając się, by w moim głosie nie pojawiła się panika.

– Muszę skoczyć do Krakowa, bo tutaj nie mogę niczego się dowiedzieć! – Mama wciąż siedziała przy komputerze, a drukarka wypluwała arkusz za arkuszem. – Jak było w kinie?

– Ciemno! – mruknęłam mściwie.

Odwróciła się i popatrzyła na mnie z uniesionymi brwiami, ale nie dopuściłam jej do głosu.

– Na długo wyjeżdżasz?

– Nie jęcz! Przecież wrócę! Zajmie mi to ze dwa dni, bo muszę pogrzebać w archiwum! Dasz sobie radę?

Pół godziny później już jej nie było. Pozamykałam i poszłam do babci. Nie miałam ochoty siedzieć sama.

– Malina! Na miłość boską, Malinaaaa!!!

Nawet nie zdjęłam butów i tak jak stałam, wbiegłam do pokoju.

– Co się stało?

Zastałam babcię w najlepszym zdrowiu. Siedziała przed telewizorem z psim łbem na kolanach. Kundel na mój widok zamknął ślepia, żebym czasem nie posądziła jego o ten wrzask.

– Co się stało?

– A nic, tylko usłyszałam, że się wreszcie przywlokłaś! Ile będę czekać, do cholery? – Nastawiona była wojowniczo. Pewnie bolała ją ręka i w zamian musiała komuś przyładować. – Jestem głodna! Jak mam jedną ręką ugotować sobie obiad?

Pełna wątpliwości weszłam do kuchni. Na patelni piętrzył się stos pierogów. Wystarczyło je tylko podgrzać. Rozebrałam się bez pośpiechu. Korciło mnie, by wdać się w jakąś drobną kłótnię, ale zrezygnowałam. Tak naprawdę cieszyłam się, że ją mam, nawet taką... Spróbowałam, jak to by było, gdybym to ja miała jedną rękę. Prawą wetknęłam z tyłu za pasek, a patelę przesunęłam lewą. Odkręciłam gaz, przytknęłam zapalniczkę, postawiłam patelnię, a po kilku chwilach zaczęłam odwracać pierogi widelcem na drugą stronę. Poczułam wzrok na plecach. Babcia stała w drzwiach i patrzyła na mnie nieprzyjaźnie.

– No dobrze! – powiedziała ze złością, gdy wciąż używając jednej ręki, nałożyłam pierogi na talerze. – Mogłam to zrobić, ale mi się nie chciało. Czekałam na ciebie. Przykrzyło mi się! Odkąd przyjechała matka, przychodzisz do mnie jak z łaski! Aaa, więc o to chodzi. Właściwie to miłe, że jest o mnie zazdrosna.

– Jedz! – zachęciłam, bo wciąż stała, chociaż pierogi apetycznie parowały na talerzach. – Czy mam cię nakarmić?

Prychnęła gniewnie, ale nie zrobiło to na mnie wrażenia. Zauważyłam, że w obronie przed jej napadami złości zaczęły wzbierać we mnie nieznane dotąd siły. Byle nie wgapiała się we mnie zbyt długo z tą swoją ironią, bo łatwo traciłam wątłą jeszcze pewność siebie. Skupiłam się na pierogach.

– Pycha! Kto je zrobił? – Nawet nie zauważyłam, kiedy zjadłam osiem. – Jeezu! Pęknę!

– Milka z Julką! A ty co taka głodna? Matka znowu nie ugotowała obiadu?

– Ugotowała! – zaperzyłam się, chociaż przypomniałam sobie, że tak naprawdę nie zjadłam go.

– Akurat! Myślisz, że nie wiem, po co do mnie przychodzisz?

– No? – Byłam ciekawa, co wymyśli.

– Przychodzisz, kiedy jesteś głodna i potrzebujesz pobyć w normalnym domu!

Boooże! Odłożyłam widelec. Kawałek pieroga, który miałam w ustach, zaczął rosnąć i przykleił się do zębów. Odsunęłam talerz.

– Obraziłaś się? – spytała z nagłym przestrachem.

– Nie! – Wzruszyłam ramionami. – Ale nie chcę, żebyś tak mówiła o mojej mamie. Jeśli jej nie kochasz, to twój problem, ale ja nie mam zamiaru tego wysłuchiwać.

Zmyłam swój talerz i poszłam do pokoju. Pies z łbem przy nodze poczłapał za mną. Zostawiliśmy ją dźgającą widelcem wystygłe pierogi. Dołączyła do nas po kwadransie.

– Jestem jednak stara i głupia. Masz rację! Matka to matka! Dobrze, że ma kogoś, kto staje w jej obronie. Ten... twój ojciec nie miał na to dość odwagi. Posiedź jeszcze trochę ze mną!

– Zostanę tutaj ze dwa dni, bo mama pojechała do Krakowa! – powiedziałam bez zastanowienia, wzruszona serdecznością babci.

Powiodła spojrzeniem po ścianach, ponad moją głową i z uśmiechem mającym świadczyć, że miała jednąk rację, zaczęła pstrykać kanałami. Zatrzymała się na programie erotycznym. Nie wytrzymałam.

– Pójdę pouczyć się angielskiego!

Pokiwała głową, że tak będzie dla mnie najlepiej.

24

Mamy nie było tydzień. Najpierw dotarła do nas krakowska gazeta z artykułem o pegeerze z Janowej Wsi. Nie padło w nim nazwisko Tarwida, ale tutaj wszyscy wiedzieli, o kogo chodzi. Po powrocie ze szkoły zastałam babcię przemierzającą pokój w tę i z powrotem. Tłukła laską o podłogę i tak bluzgała, że czym prędzej wyszłam do ogrodu, by nie nauczyć się któregoś z wypluwanych słów. Kundlowi się podobało: im wymyślniejsze przekleństwo padało z ust babci, tym radośniej machał ogonem. Dobrana para. Wylazłam przez dziurę w ogrodzeniu i poszłam przejść się po mieście.

Na Olka natknęłam się na skwerku.

– Idziesz na prywatkę do Magdy? – zagadnął. Z tylnej kieszeni sterczała mu zwinięta w rulon gazeta. Oczekiwałam komentarzy na temat artykułu, ale nie nastąpiły. Zadał pytanie i czekał na odpowiedź. Wydawał się być w lepszej formie, ale tylko na pierwszy rzut oka, bo już moment później dostrzegłam powiększone źrenice i zęby odsłonięte jak u zwierzęcia gotowego do ataku.

Nie chciało mi się iść na tę prywatkę, ale tłumaczenie się z braku ochoty wydało mi się zbyt skomplikowane. W sumie, co mi szkodzi; zawsze mogę wyjść, gdy mi się znudzi.

Mimo że skinęłam głową, lazł za mną z łapami w kieszeniach, jakby oczekiwał czegoś więcej niż tylko banalnej zgody na prywatkę, na której i jemu niespecjalnie zależało. Jego milcząca obecność krępowała mnie. Jeszcze tego brakowało, żeby znalazł się w polu widzenia babci. Postanowiłam zmienić kierunek i iść do swojego mieszkania podlać kwiaty.

Zatrzymałam się.

– Skręcam! Mam coś do załatwienia. No to na razie!

Z rozpędu poszedł jeszcze kilka kroków. Reagował z opóźnieniem.

– Pójdę z tobą! – usłyszałam za plecami, gdy już zaczynałam się cieszyć, że mam go z głowy. – Nigdzie mi się nie spieszy!

O kurczę, szkoda!

Czułam na sobie spojrzenia ludzi. Aśka miała rację, wszyscy nas obserwowali, tylko dotąd nie bolało mnie to, a teraz owszem. Odczuwałam je jak ukłucia szpilką. To nie było przyjemne, ale nie potrafiłam powiedzieć mu, żeby się odczepił. Było mi go żal.

Ruszyłam szybkim krokiem i zatrzymałam się dopiero przed domem z nadzieją, że teraz sobie pójdzie, ale zawziął się.

– Chciałbym się czegoś napić! Niedobrze mi! – powiedział żałośnie.

Cóż miałam robić? Wolałam wpuścić go, niż stać tak bez sensu. Zza firanki wyglądała sąsiadka.

Posadziłam go w pokoju z telewizorem i poszłam do kuchni. Zanim ugotowała się woda, zapakowałam czystą pościel dla babci i zadzwoniłam do mamy w sprawie forsy, której mi nie zostawiła. O Olku przypomniała mi szklanka z esencją i gotująca się woda. Zalałam i poszłam do pokoju. Telewizor był wyłączony, a po Olku nawet śladu. Zobaczyłam go przez uchylone drzwi w pokoju mamy.

– Tutaj jestem! – odezwał się, gdy stanęłam mu za plecami. Siedział przed komputerem, a na ekranie migotały notatki mamy.

– Chciałem włączyć grę, a trafiło się to! – Uśmiechnął się i wzruszył ramionami.

Może i tak. Mama tak szybko zdecydowała się na wyjazd, że pewnie zostawiła dyskietkę na wierzchu. Nie mogłam go posądzać o to, że przyszedł na przeszpiegi. W ogóle nie chciało mi się dyskutować.

– Zostaw to i pij swoją herbatę! – powiedziałam ze złością.

Nie ruszył się. Siedział wpatrzony w ekran i wyglądał jak zahipnotyzowany.

– Napastowanie? – zdziwił się niby. – To tym się teraz zajmuje?

Teraz ja wzruszyłam ramionami. W zapiskach, które oglądał, nie było niczego konkretnego. Wiele odniesień medycznych, formy zaburzeń, komentarze psychiatrów i psychologów, zestawienia statystyczne, wyroki sądowe. Nie wszystko można było odczytać, bo wiele słów zastępowała skrótami, a nawet pojedynczymi literami. Zaskoczyło mnie jego zaangażowanie. Na szyi wykwitły mu czerwone plamy. Zadzwonił telefon i poszłam odebrać. Gdy wróciłam, wpatrywał się w jakieś dane: daty zdarzeń, wiele ze znakami zapytania. Poruszyłam się, a on natychmiast kliknął przyciskiem myszy i strony zaczęły migotać. Jego plecy drżały z emocji. Trzęsły mu się ręce. Z jakiegoś powodu materiały zebrane przez mamę zrobiły na nim ogromne wrażenie.

– Odłóż dyskietkę tam, skąd wziąłeś, bo będzie wściekła! – Klepnęłam go w ramię, żeby się uspokoił. Wątpię, by mama cokolwiek zauważyła; zawsze ma bałagan w swoich dyskietkach, ale musiałam go jakoś stąd wyciągnąć.

– Idziemy! – Podałam mu kurtkę, żeby nie próbował się ociągać, i ponaglająco brzęczałam kluczami.

– Dlaczego akurat tym się zajmuje? – spytał. Głos nadal drżał mu z napięcia.

– To nie wiesz, czym się zajmuje? – usiłowałam zbagatelizować pytanie. – Wszelkie brudy, jakie ludzie ukrywają pod powierzchnią pozorów, to ją interesuje! To jedna z wielu spraw i chyba nie najważniejsza, skoro dotąd leży w powijakach.

– Ale kiedyś ją skończy!

Teraz dla odmiany był blady jak ściana, a oczy mu uciekały w głąb czaszki. Wyglądał okropnie, można by się go przestraszyć.

– Pewnie tak! Chodźmy już!

Wypchnęłam go za drzwi. Nie czułam strachu, ale nie było mi przyjemnie stać obok niego w ciemnym korytarzu. Dopiero na dworze ochłonął nieco.

– Ale numer! – Uśmiechnął się. – Może mam to, co jest jej potrzebne! Muszę z nią pogadać!

– Mówiłam o tobie, ale nie za bardzo była zainteresowana! – przyznałam. Dźwigałam torbę z pościelą, ale nie zamierzał mi pomóc; był całkowicie skupiony na sobie.

– Wiem nawet, dlaczego... – mówił dziwnie charczącym głosem.

– Wie, że mogę mieć to, czego jej brakuje do zakończenia sprawy! Nie jest na to jeszcze przygotowana i dlatego zwleka. Rozumiem ją, bo ja też nie bardzo wiem, czy będę miał odwagę to dać!

Nie wiedziałam: bredzi czy mówi poważnie. Właściwie było mi wszystko jedno. Ciążyła mi torba i nie chciało mi się już nim zajmować. Ze swoimi problemami niech dobija się do mamy. Na prywatkę umówiliśmy się bezpośrednio u Magdy, na wypadek gdyby któreś z nas zrezygnowało. To była moja propozycja, a Olek przyjął ją kiwnięciem głowy. Wątpię, czy mnie w ogóle słuchał. Cały czas kiwał brodą do swoich myśli. Zostawiłam go przy skrzyżowaniu, ale gdy doszłam do domu babci i odwróciłam się, stał tam nadal.

Obiecałam, że zadzwonię do niego, jak mama wróci.

Przyjechała w niedzielę. Właśnie wróciłyśmy z kościoła i miałyśmy brać się do gotowania obiadu, ale mama powstrzymała nas i wydobyła z bagażnika masę pudeł z gotowymi daniami. Nawet babci smakowało, chociaż zabierała się do jedzenia z kwaśną miną. Pokłóciły się dopiero po deserze. Tylko na chwilę wyszłam do ogrodu, a gdy wróciłam, już były w akcji.

– Zostaw mnie w spokoju! Nie zawracaj sobie głowy! Idź wymyślać te swoje bzdury, które tak denerwują ludzi!

– A jednak je czytasz, skoro wiesz, o czym są!

– Nie czytam! Ludzie mi opowiadają!

– Jeszcze lepiej! Skoro czytają i pamiętają, co przeczytali, to znaczy, że ich zainteresowało. Więc moja praca nie idzie na marne. Wiesz, o czym teraz piszę? O krzywdach, jakie spotykają dzieci, o psychice dziecka, które nie otrzymuje oczekiwanej pomocy, o tym, że czasami same są zmuszone wymierzyć sprawiedliwość! I będzie to cała książka, a nie tylko pół strony w gazecie!

– Nie masz prawa!

– Właśnie że mam!

Nie weszłam do domu. Zostałam w ogrodzie, nie na tyle jednak daleko, by ich nie słyszeć. Ucichły na moment i myślałam, że to już koniec, ale głupio myślałam. Słyszałam, jak mama krząta się po kuchni, wyłącza gaz pod gwiżdżącym czajnikiem, stawia na tacy szklanki. Przeszła z tym do pokoju, bo usłyszałam brzęk tacy na stole.

– Nie chcę tego! Nie chcę, żebyś się wysilała! – doszedł do mnie jazgot i brzęk spadającej ze stołu szklanki.

– Nie, to nie! – Głos mamy nie zmienił się. Zachowała spokój. Poszła do kuchni po zmiotkę. Zgarnęła szkło na szufelkę i znów powędrowała do kuchni. Brzęknęło w wiadro.

Okno było otwarte, a ja siedziałam na ławce i usiłowałam strącić patykiem śliwkę z gałęzi. Pies leżał obok i strzygł uszami na każde głośniejsze słowo babci. Lubił tę jędzę. Mama wróciła do pokoju.

– Nie będziesz mnie terroryzować! Nie licz, że wiecznie będę cię błagała o dobre słowo! Mam w nosie, co o mnie myślisz! Żyję, jak chcę, i na to, co robię, nie masz żadnego wpływu. A zrobię to, co sama powinnaś dawno temu!

Babcia zaśmiała się ironicznym, starczym śmiechem.

– Nie odważysz się! – warknęła.

Mój słuch wyostrzony był do granic możliwości. Gdzieś z głębi przedpokoju dotarły słowa mamy, nawet nie gniewne, raczej smutne:

– Mamo, ty przede wszystkim musisz przyjąć do wiadomości to, co się wtedy stało. Inaczej nigdy nie dojdziesz do ładu sama ze sobą!

– Wynoś się!

Śliwka spadła psu na mordę. Popatrzył na mnie z wyrzutem, jakbym ja była wszystkiemu winna.

– Wypadek czy wojna? – usłyszałam za plecami. Odwróciłam się niechętnie, ale na szczęście to był Adaś. Jego widok sprawił mi ulgę.

– Skąd się wziąłeś? Wydaje mi się, że ciągle spadasz z nieba!

– Nie można ciągle studiować, bo w głowie mogłoby się pomieszać od tylu mądrości! – Zaśmiał się. – Wulkany! – stwierdził z podziwem, kiwając głową w stronę okien. – Co za kobiety! Ty też odziedziczyłaś ten żar? – Wlepił we mnie gały z zainteresowaniem.

– Wątpię! – prychnęłam. Znowu odczułam ulgę, tym razem dlatego, że nie musiałam udawać, że nie słyszeliśmy awantury.

Usiadł obok mnie.

– Długo to potrwa? – spytał, kierując spojrzenie w stronę domu.

– Trudno powiedzieć! To nie jest zwykła sprzeczka. To takie ich hobby. One już nie są z tym nieszczęśliwe. To ich sposób porozumiewania się. Przyznaję, że dla osób postronnych szokujący.

– A dla ciebie? – Adaś sięgnął i zerwał śliwkę, którą szturchałam patykiem. Tych, co już spadły, nie chciało mi się podnieść.

– Dla mnie też! – przyznałam. – Ale mnie w swoich rozgrywkach nie biorą w rachubę. I tak naprawdę nie wiem, o co im chodzi!

Śliwka była bardzo dojrzała. Jadłam ją wolno, by Adaś miał czas zmienić temat. Ale tylko gapił się, jak jem. Starł mi kroplę soku z brody.

– Chcesz jeszcze? – spytał.

– Nie, dzięki! Już i bez tego brzuch mnie boli!

– Muszą mieć jakiś powód – dociekał, bawiąc się równocześnie z psem. Kundel latał za patykiem jak głupi.

– Pewnie tak, ale obie milkną solidarnie, gdy próbuję się czegoś dowiedzieć. To jedyna rzecz, jaka je łączy.

– Tajemnica – mruknął. – Ja też mam tajemnicę do rozwikłania i potrzebna mi do tego twoja mama. Ona w takich sprawach jest rewelacyjna. Przeczytałem wszystkie jej reportaże i jestem pod wrażeniem! Tylko ona może mi pomóc odzyskać szczątki rodowego majątku. Jak myślisz, zechce?

– Tarwid! – westchnęłam.

Kiwnął głową z poczuciem winy.

– Tylko nie wspominaj o tym przy babci! – ostrzegłam. – Wszystko, co wiąże się z Tarwidem, doprowadza ją do białej go-

rączki! A z mamą spróbuj. Tarwidowi i tak już nadepnęła na odcisk. Jeden odcisk czy dwa, co za różnica!
    Mówiąc to, czułam, jak smutek wlewa się we mnie wszystki-
mi otworami. Adasiowi też nie zależało na mnie, tylko miał interes do mamy. I dla niego byłam tylko drzwiami, którymi mógł
do niej łatwiej dotrzeć.
    Do diabła! Nawet Adaś!

    – Maliiiinaaaaa!!! Zrób mi herbaty! – Babcia nie pofatygo-
wała się nawet, by odsunąć firankę.
    Udałam, że nie słyszę. Adaś odwrócił się, ale widziałam, jak
plecy dygocą mu ze śmiechu.
    – Twoja nie była lepsza! – powiedziałam z urazą.
    – Co za ulga! – Odwrócił do mnie rozradowaną gębę. – Do-
tąd żyłem w przekonaniu, że mnie trafiła się najgorsza!
    – Maliiiiinaaaaaa!!! To kiedy jedziemy? – Tym razem wychy-
liła się z kuchennego okna.
    – Gdzie? – zdziwiłam się.
    – Na wycieczkę! Przecież mi obiecałaś!
    Zapomniałam o tym na śmierć.
    Zebraliśmy się w pół godziny. Julek przyjechał furgonetką.
Zabrałam wszystko, co było w lodówce. Pojechało z nami trzy
czwarte Stada i Adaś.
    – Szybko, szybko! – poganiała nas babcia.
    – Spokojnie, babciu, zdążymy! – uspokajałam.
    – W moim wieku trzeba się spieszyć – oznajmiła – bo ma się
już mało czasu!
    Pojechaliśmy nad wodospad i spędziliśmy tam całe popołu-
dnie. Zachowywaliśmy się jak turyści; głośno i nieodpowiedzial-
nie. Najbardziej hałasowała babcia. Zachwycona była szczególnie tym, że ludzie patrzyli na nią ze zgorszeniem. W drodze
powrotnej zasnęła. Ledwo wtargaliśmy ją do domu.

Dopiero w nocy przypomniało mi się, że miałam zadzwonić do Olka. A niech to licho – pomyślałam. Zasnęłam bez większych wyrzutów sumienia.

25

– Zrób mi coś do jedzenia! Nie miałam dziś czasu! – zawołała mama od progu. – Jak to dobrze, że jesteś! – Cmoknęła mnie w czoło. – Nie znoszę przychodzić pierwsza do domu!

Usmażyłam jajecznicę. Dobiłam jeszcze dwa jajka, bo przypomniałam sobie, że i ja nic nie jadłam.

Siąpił deszcz, a wiatr tak huczał w gałęziach drzew, że zagłuszał głos sączący się z telewizora. Zrobiłam głośniej.

– Ścisz, bo można zwariować! – krzyknęła ze swojego pokoju.

Zabrałam się do lekcji, ale jakoś nie mogłam się skupić. Wyobraźnia podsuwała mi obrazy niemające nic wspólnego z matematyką. Przez uchylone drzwi widziałam, że mama w podobnym nastroju męczy się nad artykułem. Poszłam do niej i rozłożyłam się na kanapie.

– Mamo?

– No...

– Czy to prawda, że w taką pogodę ludzi częściej ogarnia szaleństwo?

– Co za głupoty chodzą ci po głowie?

– Mówili w telewizji!

– Booże!

Chciało mi się pogadać. Po szybach bez pośpiechu spływały drobne krople. Ta ich powolność była przygnębiająca.

– Czy to możliwe, że w każdym człowieku drzemie potencjalny morderca?

Oderwała się od komputera i spojrzała na mnie.

– To też z telewizora?

Kiwnęłam głową.

– Chyba go wywalę przez okno! – prychnęła. Wzruszyła ramionami, a potem się zamyśliła. Czoło przecięła jej głęboka zmarszczka, a w kąciku ust zadrgał nerw. To, o czym myślała, nie musiało być przyjemne.

– Ale czy to możliwe? – spytałam, gdy uznałam, że milion lat milczenia to wystarczający czas na wymyślenie odpowiedzi.

– Pewnie tak, bo to w sumie nic trudnego! – powiedziała wreszcie. – Sztuka człowieczeństwa polega jednak na tym, by nie dopuścić do takiej ewentualności, nawet w chwilach skrajnego napięcia. Ów zakaz ludzie mają zakodowany głęboko w podświadomości i na ogół nie mają problemu z przestrzeganiem go. Gdy ktoś z jakiegoś powodu go złamie, traci coś cennego, istotę własnego ja. Wycieka z niego dusza. Wielu nie może potem żyć z poczuciem pustki wewnątrz siebie! – Powiedziała to niemal jednym tchem i patrzyła wyczekująco, czy pojęłam, czy może jeszcze będę miała jakieś pytania. Miałam tylko jedno.

– Skąd wiesz?

Zastanawiała się dłużej, niż powinna.

– Miałam do czynienia z kilkoma takimi...

Wyglądało, jakby chciała coś dodać, ale zrezygnowała. Nie wiem dlaczego, ale byłam przekonana, że myśli o Elce. Nie miałam więcej pytań, więc wróciła do swojego pisania, ale chociaż siedziałam cicho, nadal nie mogła się skupić. Patrzyła na smutek za szybą, aż ogarnęło mnie poczucie winy.

– Przypomniało mi się coś! – zawołałam.

– Co takiego? – W jej głosie zadźwięczała niepewność.

– Że obiecałaś mi nową sukienkę!

– Masz dar zapamiętywania niepotrzebnych rzeczy! – westchnęła z wyraźną ulgą.

– Idę na prywatkę i muszę mieć coś wystrzałowego!
Poszła po portfel i dała mi nowy banknot. Od razu poprawił mi się humor. Wcale nie byłam pewna, czy pójdę, ale sukienka się przyda.

Też mnie podkusiło, żeby iść. Podejrzewałam przecież, że Magda to fałszywa kreatura. Powinnam posłuchać intuicji. Już na progu spotkała mnie przykrość. Nie zdążyłam zdjąć kurtki, a Magda pociągnęła mnie za rękę:
– Chodź, pomożesz w kuchni!
Nie miałam ochoty na żadne pomaganie. Przyszłam się bawić, a nie siedzieć przy garach. Wydałam masę forsy na sukienkę i miałam nadzieję, że zrobię furorę, a tymczasem wejście nie udało się. Miałam żal do siebie, że nie roześmiałam się jej w nos i nie powiedziałam, żeby spadała. Powinnam stanowczo zaprotestować, ale zanim zdążyłam zebrać się w sobie, ona już owijała mnie w jakiś brudny fartuch. Poddałam się głównie dlatego, że nie chciałam wyjść na gbura. Może tu jest taki zwyczaj? I nie chciało mi się spierać. Była podekscytowana i w sumie co mi zależało.
– Pokrój tylko pomidory! – poleciła.
– Czemu nie zrobiłaś tego wcześniej? – spytałam i chciałam, by zabrzmiało to jak wyrzut i niezadowolenie z narzuconej mi roli.
– A co, myślisz, że mało miałam roboty? – jęknęła i prawie zaczęłam jej współczuć. – Wiedziałam, że nie odmówisz mi odrobiny pomocy! Dla innych dziewczyn też coś mam! – obiecała z rozbrajającym uśmiechem.
– Powinnam się przywitać! – powiedziałam z rezygnacją.
– Zdążysz! Jeszcze i tak wszystkich nie ma! – machnęła lekceważąco ręką. – Zostawię cię na chwilę, bo ktoś przyszedł! Zaraz cię zwolnię!

I znikła. Z pokoju dobiegał śmiech i głośne rozmowy. Wolałam być tam, a nie zajmować się zgniłymi pomidorami. Postanowiłam, że pokroję je i wynoszę się stąd. Magda zjawiła się w chwili, gdy kończyłam z pomidorami. Nie tylko nie przyprowadziła zmiennika, ale wcisnęła mi do ręki chochlę i kazała mieszać bigos. Sama poleciała, bo znowu ktoś przyszedł. – Zaraz wracam – zawołała w biegu, a ja jak głupia gęś zaczęłam mieszać i jeszcze się przejmowałam, czy nie za mało słony. Weszłam w rolę. Magda co chwila przybiegała zaróżowiona z emocji, a ja wykonywałam jej polecenia. I nawet przestało mi to przeszkadzać. Właściwie odeszła mi ochota na zabawę.

Ktoś wszedł do kuchni, ale nie odwróciłam się, bo myślałam, że to znów ona. Dopiero gdy zabrzęczały szklanki, zerknęłam przez ramię. To był Julek. Stał i patrzył na mnie ze zdumieniem.

– Zatrudniła cię na kucharkę? – zachichotał. – Rzuć to w cholerę, bo ona się świetnie bawi!

Poczułam się jak idiotka. Posłusznie zrzuciłam fartuch i ruszyłam za Julkiem. Po drodze zerknęłam do lustra. Nie wyglądałam już tak dobrze, jak powinnam. Zaczęłam szukać swojej torby, ale nie mogłam znaleźć. W tym domu było z dziesięć pokoi, a we wszystkich ciemno. Gdy usiłowałam wejść, słyszałam ostrzegawcze pomlokiwania. A niech to! Zabawa rozkręciła się na dobre, a mnie ominęło najważniejsze: podział na podgrupy. Teraz nigdzie nie pasowałam. Wreszcie znalazłam szatnię. Na tapczanie, fotelach, podłodze walały się w nieładzie kurtki, buty, torby. Moja leżała na samym dnie. Mogłam się tego spodziewać. Jakaś para całowała się na tarasie. Nie chciałam im przeszkadzać, ale musiałam wygrzebać ze sterty moje rzeczy. Kątem oka widziałam, jak rękoma wędrują sobie po udach. Dziewczyna była bardziej przekonująca w tych pieszczotach. Nie podglądałam, a oni ostatecznie wiedzieli, że tu jestem. Mogli sobie zrobić przerwę. Nie zrobili. Chłopak gniewnie machnął ręką, żebym się wynosiła. Z jakiegoś powodu nie chciałam, żeby to był Adaś. I to nie był Adaś. To był Olek. Machnął jeszcze raz, trzymając drugą łapę pod bluzką dziewczyny. Teraz już patrzyłam na całego. To była Magda. Śmiejąc się zachęcająco, przylgnęła do niego i coś szeptała do ucha. Nie wiem, jak on, ale ona na pewno wiedziała, że to ja. Śmiali się, może ze mnie. Nigdy nie widziałam śmiejącego się Olka i to zabolało mnie najbardziej.

Zgasiłam światło i jak w transie wróciłam do kuchni. Podkręciłam do oporu gaz pod garnkiem z bigosem, a zgniłego pomidora, którego wcześniej odłożyłam, wepchnęłam w sam środek sałatki, aż rozlazła się na boki. Włożyłam kurtkę i wyszłam. Miałam nadzieję, że będą się migdalić wystarczająco długo, by bigos miał czas się spalić.

Ledwo zatrzasnęłam drzwi, zawstydziłam się swojej podłości, zazdrości i tego wszystkiego, co miałam teraz w sobie w środku. Zatrzymałam się i rozważałam myśl, by wrócić, wyłączyć gaz i bawić się, udając, że nic mnie to wszystko nie obchodzi. W końcu naprawdę niewiele mnie obchodziło, co Olek robił, a jednak czułam się zawiedziona i wściekła. Nie sądziłam, że tak bardzo może zaboleć utrata czegoś, co i tak nie było moje. Bolało. I to jeszcze jak! Do oczu napłynęły łzy. Mnie nigdy nie próbował pocałować. Zaszczypało w nosie i gardle. Niech to jasna cholera!

Odwróciłam się na pięcie i ruszyłam wolno w stronę domu. W sumie powinnam się cieszyć z takiego obrotu sprawy. Miałam go nareszcie z głowy. Już będzie miał komu zwierzać się ze swych smutków.

Weszłam do sklepu i kupiłam coca-colę. Wypiłam wprost z butelki, tak jak robili w reklamie, i miałam nadzieję, że dzięki temu odzyskam dobry nastrój i przystąpię do działania. Jakiego? Na razie nie miałam pojęcia, ale liczyłam, że jak tylko stąd wyjdę, przyjdzie mi do głowy odpowiedni pomysł.

Nabąblowana i rozdęta wyszłam ze sklepu i z miejsca ogarnęła mnie melancholia. Reklama kłamała. Wypicie coli niczego nie zmieniło, nie napełniło mnie energią. Nic w sobie nie miałam prócz lepkiej słodyczy w ustach i wydętego brzucha. Dopiero teraz rozryczałam się z wściekłości na głupią reklamę. Odbiło mi się i bąble wyleciały mi nosem. Pustą butelkę rzuciłam w krzaki.

Babcia od razu spostrzegła mój kiepski nastrój.

– Co jest? – spytała, stawiając przede mną talerz rosołu. – Masz minę jak kot srający na puszczy!

Nie miałam pojęcia, co to był za kot, ale właśnie tak się czułam: gówniano.

– Wiesz, babciu – pociągnęłam nosem – mam uczucie, jakbym składała się z dwóch części. Jedna to nieśmiała, ugrzeczniona, ustępująca wszystkim z drogi frajerka. Druga to wredna małpa, gotowa kogoś udusić, zadźgać i patrzeć, jak krew się leje!

Babcia patrzyła na mnie z uwagą, jaką widywałam na jej obliczu tylko podczas seriali brazylijskich. Trwało to długą chwilę, ale w końcu machnęła ręką.

– Każdy tak ma! – rozgrzeszyła mnie i podała kurczaka.

– Ale we mnie ta druga połowa zaczyna mieć przewagę! Zrobiłam dzisiaj coś okropnego! – wyznałam ze skruchą i wgryzłam się w udko.

Na przekór temu, co mówiłam, bawiła mnie myśl, że bigos się jednak skopcił. Nie tylko bawiła; sprawiała mi coraz większą przyjemność. Do licha! Udko było naprawdę pyszne.

Babcia usiadła z wrażenia.

– Zadźgałaś kogoś?

– Nie! Chociaż miałam ochotę – westchnęłam z żalem. – Spaliłam Magdzie bigos, a może i całą chałupę, za to, że całowała się z Olkiem!

– Chwała Bogu! – Z ulgą opadła na krzesło. Nie dopytywałam, czy ulżyło jej, że to z powodu Olka, czy że chodziło o bigos. Tak czy siak, zawiodłam się. Liczyłam na słowa potępienia, pragnęłam być oskarżana, chciałam czuć się złą, nieodpowiedzialną. Nie wiem, o co mi chodziło, ale lekkość, z jaką babcia potraktowała mój wybryk, rozczarowała mnie. Zaczęłam pospiesznie grzebać w pamięci i szukać, co bardziej ją przerazi. Nie musiałam się za mocno wysilać.

– A kiedyś zabiłam chomika! Zepchnęłam go z balkonu, bo myślałam, że to przez niego tata mnie nie kocha! – wyznałam i tak jak przewidywałam, babcia od razu skupiła na mnie uwagę.

– Dawno to było? – spytała z niepokojem. Jakoś przycichła i udawała, że interesuje ją lista przebojów, ale co rusz spoglądała spod okularów. Zaraz spuszczała wzrok na talerz, że niby sprawdzała, czy już pusty. Dopięłam swego: zbrodnia popełniona na chomiku zrobiła na niej wrażenie.

– Dawno. Z dziesięć lat temu.

– Aaa, to już sprawa przedawniona! Jedz i nie opowiadaj więcej horrorów, bo będę się bała spać z tobą pod jednym dachem!

Powiedziała to żartobliwie, ale między słowami zostało jakieś wahanie, jakieś kropki, które zastępują niewypowiedziane myśli. Włączyła telewizor i zaczęła głośno komentować kolor krawatu wymądrzającego się przed kamerami faceta. Jakby pragnęła zagłuszyć myśl, która ją zaniepokoiła.

Cały wieczór przesiedziałam przed telewizorem. Najpierw pajac w buraczkowym krawacie robił ze swoich rozmówców głupców, a oni, wiedząc o tym, uśmiechali się i starali ze wszystkich sił wypaść na antenie inteligentnie. Niestety, dla niektórych była to zbyt trudna sztuka i buraczkowy puszczał oko do widzów, że ci tutaj to sami idioci. Boże, co za dno! Później udowadniali, że nauka i praca to bezsensowna strata czasu, bo pokazując palcem właściwą bramkę, można zgarnąć fortunę i żyć do śmierci jak król. A jeszcze później dowiedziałam się, że przestępcy dostają takie niskie kary, bo prawdziwym więzieniem jest dla nich ich własne sumienie, które zagryzie ich na śmierć. Ale się uśmiałam. Babcia mniej. Jakoś zmarkotniała i poszła spać.

Otaczała mnie ciemność. Była nie tylko wokół, zagnieździła się też we mnie. Kucałam nad trupem człowieka, który nie zrobił mi nic złego. Ten, którego nie byłoby mi żal, stał za drzewem i drwił z mego przerażenia. Czułam, jak ziemia usuwa mi się spod nóg i zaczynam spadać.

Nazajutrz w szkole jedynym tematem był spalony bigos. U Magdy tak się naswędrzyło, że prywatka skończyła się przed czasem. Wolałabym omijać ją dzisiaj z daleka, ale nie miałam na to specjalnej szansy. Przygotowałam się na awanturę, ale to, co nastąpiło, było znacznie gorsze. Przyszła, ominęła mnie obojętnie, usiadła na ławce, założyła nogę na nogę i jak gdyby nic, zaczęła komentować wczorajsze wydarzenia. Wbrew obawom, moja skromna osoba w tej opowieści nie pojawiła się ani razu. Za to Olek był w każdym zdaniu. Grupka ciekawskich przysiadła wokół w oczekiwaniu na ciąg dalszy. Zapowiadało się fajnie. Magda opowiadała barwnie o całowaniu, o dłoniach wędrujących po ciałach, oczarowaniu, jakie oboje przeżywali, o rodzącym się uczuciu. Wolałabym wyjść na korytarz, ale zdawałam sobie sprawę, że o to właśnie jej chodziło: by upokorzyć mnie na oczach całej klasy. Nie miałam zamiaru dać jej tej satysfakcji. Przyśrubowałam tyłek do krzesła i siedziałam, chociaż gdzieś w okolicach żołądka wybuchł pożar i powinnam natychmiast napić się wody, by go ugasić.

Słyszałam piąte przez dziesiąte.

– Poszliśmy do pubu, piliśmy wino, potem wróciliśmy do domu, chcieliśmy obejrzeć film, ale wiecie, jak to bywa... krok po kroku i tego... Było miło. Słuchaliśmy symfonii Czajkowskiego. Spędziliśmy przyjemny wieczór. Mówię wam, było cudownie! Podniosłam wzrok i zaczęłam się na nią gapić. Niemal widziałam nieliczne komórki w jej mózgu, obijające się o siebie. Dopiero po jakimś czasie zorientowałam się, że zgrzyty wydobywają się z mojego własnego mózgu. Z wielkim trudem udało mi się zebrać resztki dumy i sklecić z nich zaporę w okolicy serca, żeby się nie urwało. W ostatniej chwili przypomniałam sobie, że Olek nie jest w moim życiu nikim ważnym.

Wszyscy wiedzieli, że cała ta przemowa skierowana jest do mnie. Czekali z zainteresowaniem, co zrobię. Nie miałam wyjścia, musiałam zareagować. Tym bardziej że przez ostatnie minuty patrzyła wprost na mnie.

– Jestem pod wrażeniem! Powiem więcej, jestem po prostu wstrząśnięta! – wychrypiałam.

Czułam, jak zimna struga spływa mi po kręgosłupie i wsiąka w majtki. Twarz tej idiotki promieniała totalnym zwycięstwem. Cała klasa zgromadziła się wokół nas i kręcili głowami: raz w lewo, raz w prawo, raz w lewo, raz w prawo, jak na meczu tenisowym. Czekali, co jeszcze powiem. Sama też byłam ciekawa.

– Do licha! Naprawdę nie przypuszczałam, że jesteś tak subtelna, by dać się rżnąć pod Czajkowskiego!

Nawet dzwonek nie stłumił śmiechu. Trwałam w oszołomieniu; nie znałam się od tej strony. Magda jeszcze przez chwilę nie rozumiała, czego ten śmiech dotyczy. Pomyślałam, że wczorajsza coca-cola dopiero teraz zaczęła działać. To była głupio chamska odzywka, ale dzięki niej wygrałam i zyskałam uznanie.

Przez całą lekcję trzymałam stopy płasko na podłodze, bo wydawało mi się, że w chwili, gdy je oderwę, przyciąganie ziemskie przestanie na mnie działać i pofrunę. Do licha! Już dawno nie czułam w sobie takiej lekkości.

Nasza scysja została szybko przyćmiona. Po pierwszej lekcji kazali nam zostać w klasach. Rozeszła się wieść, że z gabinetu dyrektora coś zginęło. To już zaczynało być nudne. Sprawa musiała być jednak poważna, bo tym razem pod szkołę zajechał radiowóz. Na korytarzach stały woźne i zaganiały do sali każdego, kto próbował wytknąć nos. Sama też nic nie wiedziała. Podobno zginęła grubsza gotówka. Po półgodzinie zjawił się profesor – po to tylko, by powiedzieć, że mamy spodziewać się rewizji.

– Komputerów w kieszeniach będą nam szukać? – dziwiliśmy się, ale profesor nawet się nie uśmiechnął.

– Sprawdzono najpierw szafki, torby i zakamarki w pokoju nauczycielskim! – oznajmił, a głos drżał mu z oburzenia.

Odechciało nam się żartów. Wkrótce przyjechał Tarwid. Był wściekły. Do gabinetu dyrektora wpadł jak burza. Jego wrzaski słychać było do pierwszego piętra. Otworzyliśmy drzwi, żeby było lepiej słychać. Woźna, mając większą możliwość manewru, wysłuchała, że chodzi o kasetkę z forsą. Dużą forsą, którą poprzedniego dnia dyrektor dostał na zakup komputerów. Nic dziwnego, że Tarwid się wściekł.

Dalsze wieści nadchodziły stopniowo. Złodziej wyważył zamek w drzwiach gabinetu, a z resztą nie miał problemu, bo kaseta została w zwykłej drewnianej szafie. Nikt prócz niego i Tarwida o tych pieniądzach nie wiedział. Dzisiaj miały być wpłacone na konto firmy komputerowej.

– Dlaczego taka suma nie była od razu na koncie, tylko w szafie? – dziwiliśmy się.

– To taka przewałka z podatkiem! – wyjaśnił Rudy.

No tak, dyrektor dał tyłka.

Policjanci przeszukali całą szkołę. Podejrzewali, że złodziej mógł to zrobić na bezczelnego z samego rana. Mógł być z łupem jeszcze na terenie szkoły. Do nas przyszli dopiero na trzeciej lekcji. Czuliśmy się jak prawdziwi zbrodniarze. W kieszeniach i teczkach mieliśmy przeróżne rzeczy. Z zażenowaniem znajdowaliśmy zzieleniałe kanapki, rajstopy zdjęte w jakiś ciepły dzień, przepocone koszulki gimnastyczne, prezerwatywy. W kącie policjanci trafili na dwie porcje amfetaminy. W innych klasach znajdowali więcej. W całej szkole uzbierali z pół wiadra. Ciało było zszokowane. Bardziej amfetaminą niż forsą, której i tak nikt na oczy nie widział.

Gdy policja odjechała, głośnik aż zagrzał się od dyrektorskiego wrzasku. Mieliśmy natychmiast przyznać się albo wydać przestępcę. Honor i Ojczyzna!

Lekcji nie było. Nauczyciele chodzili oszołomieni. Zamiast nowych tematów były pogadanki o wartościach chrześcijańskich. Słuchaliśmy z opuszczonymi głowami. Byliśmy przygnębieni rewizją. Niektórzy mieli wypieki. Zośka wydobyła na światło dzienne dwie brudne podpaski. Jak jej to nie śmierdziało? A Jasiek miał testy półroczne z polskiego. Gwizdnął je polonistce z biurka. Facetka omal nie zemdlała, jak je zobaczyła. I nikomu się nie pochwalił, dupek. Nie mieliśmy powodu, żeby go bronić. Dla siebie wziął, niech się sam broni. Jedna akcja policji, a ile można się o ludziach dowiedzieć!

– To sprawka Olka! – powiedział cicho Ciołek, niepotrzebnie zresztą, bo wszyscy o tym wiedzieliśmy. Jedynie Magda czuła się w obowiązku mruknąć: – Niemożliwe! – ale w jej głosie nie było nawet odrobiny pewności.

Po czwartej lekcji pozwolili nam wyjść z klas. Obsiedliśmy korytarz. Nie chciało się nam gadać. Olek zjawił się zupełnie niespodziewanie. Jak zwykle lekko przygarbiony, z łapami w kieszeniach. Łokcie sterczały mu na boki, a głowa opadała na lewe ramię; od razu poznałam, że jest naćpany. Nawet nie za bardzo, ot tak, dla animuszu. Usiadł na parapecie i tasował nowe sztywne banknoty jak karty. Miał tego w kieszeniach full i pokazywał każdemu, kto chciał patrzeć. Dyżurujący na korytarzu nauczyciele nie mogli tego nie widzieć. Olek wyraźnie się podstawiał, a dorośli wytrwale udawali, że są ślepi.

Bawiliśmy się doskonale, oglądając to przedstawienie. Żałowałam, że nie obejrzę dalszego ciągu, bo mama zwolniła mnie z ostatnich lekcji, żebym poszła z babcią na prześwietlenie ręki. Babcia miała nadzieję, że zdejmą jej gips.

Dzięki wczorajszej prywatce i porannej awanturze z Magdą czułam się zwolniona z wszelkich powiązań z Olkiem. Chyba jakiś dobry duch nade mną czuwał. Z ulgą wychodziłam ze szkoły. Mimo wszystko nie chciałam być świadkiem jego wpadki.

26

Sprawy nie potoczyły się jednak wcale tak, jak powinny. Po raz kolejny przekonałam się, że życie nie uznaje przewidywalnych ciągów dalszych. To, co się zdarzyło, zakrawało na żart.

Aśka przyleciała z nowiną zaraz po lekcjach. Właśnie wróciłyśmy od lekarza. Zdjęli babci ciężki gips, a założyli lekki usztywniający opatrunek.

– Masz pojęcie, że o kradzież posądzili Cylaka???!!!

Aśka była tak podekscytowana, że nie zauważyła ani braku haka na ramieniu babci, ani całej babci, ani psa leżącego na środku przedpokoju. Nadepnęła mu na ogon, ale chociaż zaskowyczał, aż zaświdrowało w uszach, nie zrobiło to na niej wrażenia.

– Masz pojęcie???
– Nie!!!
– Tak! Tak! Tak!

Nie mogłam uwierzyć. To, co opowiadała, nie mieściło się w głowie. Dyrektor chciał natychmiast znaleźć winnego i nim minęła piąta lekcja, już go miał. I wcale nie był to Tarwid, tylko Cylak. No bo kto miał ostatnio same wpadki? Cylak! Kto rozbił gablotę i potrzebował pieniędzy na jej odnowienie? Cylak! Kto wszedł pierwszy do sali komputerowej i znalazł roztrzaskane komputery? Świadkowie mówią, że Cylak! A może wcale nie znalazł rozbitych, tylko sam je rozwalił? Miał podobno ostrą sprzeczkę z facetem od informatyki. A gdy do dyrektorskich uszu doszły pogłoski, że narkotyki znalezione w szkole mają coś wspólnego z Cylakiem, sprawa stała się jasna. Dyrektor połączył kilka faktów i zawołał: Bingo! Wezwał policję, a im też spodobała się ta wersja. Cylaka nie było w szkole. Policjanci znaleźli go w domu. Był tak nabuzowany, że nie wiedział, jak się nazywa. Znaleźli przy nim porcje amfetaminy. A więc na to potrzebował pieniędzy! Policja miała go na oku od jakiegoś czasu, czekali tylko na odpowiedni moment, by go zgarnąć.

Zebrała się rada pedagogiczna i podjęto szybką decyzję: Cylak został zawieszony w prawach ucznia.

Dyrektor ogłosił decyzję następnego dnia. Wywołała salwy śmiechu.

– Jak wy się zachowujecie? – oburzyła się plastyczka, z którą akurat mieliśmy lekcję. – Czy jesteście aż tak zepsuci, że przestępstwo wywołuje w was tylko śmiech? Tu trzeba płakać!

Właśnie! Warto by popłakać, tylko że nie nad naszą amoralnością, ale nad tymi, którzy nas jej uczą.

Byliśmy zszokowani decyzją dyrektora. Przeraziła nas ślepota i tchórzostwo osób dorosłych, naszych nauczycieli. Nie wierzyliśmy, że nie znali prawdy. Znali ją tak samo jak my. Dyrektor poprosił przez głośniki o wyciszenie emocji i powrót do zajęć lekcyjnych, bo sprawa została wyjaśniona. Wyjaśniona? Niech to szlag!

– Ktoś powinien coś zrobić! – mówiliśmy, patrząc na siebie nawzajem. Ktoś? Ale kto? Cylaka nikt nie lubił, co nie zmieniało faktu, że został oskarżony niesprawiedliwie. Wbrew logice i faktom! W taki sam sposób mógł zostać oskarżony każdy z nas. Dzisiaj Cylak, a jutro może ja...

– Ktoś powinien...

Patrzyliśmy na siebie, szukając odważnego. Nie było ani jednego.

– Może znajdzie się jakiś donosiciel, któremu wymsknie się słowo prawdy? – usiłował znaleźć rozwiązanie Ciołek. Nikt nawet się nie uśmiechnął.

– Może Cylak ma jakiegoś przyjaciela, który się za nim ujmie? Może... może... może... Wymyślaliśmy niedorzeczne sposoby wyjścia z sytuacji, by w ten sposób odegnać wyrzuty sumienia.

– Odłóżmy sprawę do jutra! – zaproponował ktoś. – Przecież Cylak złoży zeznania. Może będzie miał alibi i będą musieli szukać dalej!

Uff! Odetchnęliśmy z ulgą. Daliśmy czas dorosłym, chociaż w rzeczywistości sami zaczęliśmy dawać tyły. Niby odsunęliśmy sprawę do jutra, ale w wielu z nas kiełkowała wredna myśl, by przełknąć kolejne serwowane nam kłamstwo; zadławić się, porzygać, ale przełknąć. Dla świętego spokoju.

Cylaka wypuścili z aresztu nazajutrz. Nie znaleziono u niego ani pieniędzy, ani kasetki, ani żadnej rzeczy ukradzionej w szkole. Postawiono mu jedynie zarzut posiadania narkotyków, ale ich ilość nie dawała podstaw do trzymania go w areszcie. Kamień spadł nam z serc, poczuliśmy się rozgrzeszeni. Gdy głośnik rozkazał stawić się uczniom na apel, szliśmy z przekonaniem, że sprawy przybrały prawidłowy obrót. Wysłuchamy pogadanki i będzie można o wszystkim zapomnieć. Znów byliśmy w błędzie. Dyrektor ogłosił, że Cylak przestaje być uczniem naszej szkoły; uchwałą rady pedagogicznej został karnie usunięty. Mimo braku dowodów, podejrzenie kradzieży pozostało i w związku z tym dyrektor nie widzi powodu, by taki śmieć zanieczyszczał powietrze szacownej placówki. Tupot i gwizdy zgromadzonych uczniów wywołały święte oburzenie profesorstwa.

– Cisza! Spokój! Oczekujemy od was potępienia przestępczych działań! Wychowujemy was na porządnych obywateli! Wpajamy chrześcijańskie wartości! – Nauczyciele byli obruszeni, zaczerwienieni z emocji, źli, że nie mogli wyłowić z tłumu gwiżdżących. Wreszcie rozgonili nas do klas.

– To nie Cylak! To Tarwid! Spytajcie go! – krzyczeli ci z głębi, ale do nauczycieli wrzaski albo nie docierały, albo udawali, że nie słyszą. To drugie było bardziej prawdopodobne.

Wrzeszczeliśmy, tupaliśmy, wykrzykiwaliśmy obraźliwe słowa. W końcu mieliśmy prawo do gniewu, bo nasi wychowawcy ze strachu przed starym Tarwidem zaprzeczali wartościom, o których tyle mówili. Czy byli naiwni, czy tchórzliwi? Sami nie wiedzieliśmy, która wersja bardziej nas przerażała.

Nie znałam Cylaka i jego problem był dla mnie czysto teoretyczny. Jeśli ktoś miał stawać w jego obronie i uświadamiać profesorom i policji, że złodziejem jest Olek, to na pewno nie ja. Ktoś powinien to zrobić, ale z każdym dniem malała szansa, że znajdzie się taki dobroczyńca. Nie mieszaj się do nie swoich spraw! – przestrzegali rodzice i mieli rację. Z tą akurat sprawą mogły się wiązać tylko kłopoty. Stanąć w obronie Cylaka to tak, jakby samemu nałożyć sobie stryczek na szyję.

Spróbowaliśmy jeszcze na matematyce.

– Czy pan profesor wie, że to nie Cylak? – zagadał ktoś z końca. Matematyk najpierw udał, że to nie do niego, ale gapiliśmy się wyczekująco i musiał zareagować. Byliśmy nawet przygotowani na wyciąganie kartek, ale trudno. Po paru minutach przerwał ciszę:

– Wiem, ale gdzie dostanę pracę, jak mnie stąd wyrzucą? Mam dwoje dzieci, które za rok przyjdą tu do szkoły, bo gdzie mają iść? Przykro mi, szukajcie innego zbawiciela!

Miałam zamiar zadzwonić i nie przedstawiając się, powiedzieć dyrektorowi prawdę, a on niech dalej robi, co chce. Podniosłam nawet słuchawkę i wykręciłam numer, ale było zajęte. Więcej nie próbowałam.

Nazajutrz dyrektor zajazgotał przez głośnik:

– Odebrałem wczoraj ze dwadzieścia anonimowych telefonów. Tchórzliwie rzucacie absurdalne oskarżenia. Nie życzę sobie więcej takich alarmów. Każę sprawdzić, kto dzwonił! Sprawa została wyjaśniona, a pieniądze z pewnością odzyskamy. A jeśli nie, to nie będziemy mieli sali komputerowej!

Gwizdaliśmy na salę komputerową i pieniądze Tarwida. Na naszych oczach waliły się piramidy prawd, wartości, wiary w sprawiedliwość. Wszystko to z dnia na dzień, z godziny na godzinę okazało się półprawdami miękkimi jak plastelina, dającymi się formować w zależności od potrzeb i sytuacji. Do góry nogami wywracało się to, w co jeszcze naiwnie wierzyliśmy. Prawda i sprawiedliwość okazały się mitem. Liczyła się tylko pozycja i pieniądze.

Olek nie przychodził do szkoły. Powinnam pójść i pogadać z nim, ale było mi jakoś nijako. I nie miałam czasu, bo ciągle coś się działo. Nauczyciele zrobili się opryskliwi, robili klasówkę za klasówką, nie zważając na ustalony regulamin. I nie daj Boże przypomnieć im o przysługujących nam prawach.

– Podajcie mnie do sądu, ale najpierw napiszcie, co każę! Terror.

Klasy zarzucały mnie skargami, a dyrektor nie chciał nawet wysłuchać.

– Nie zawracaj mi głowy głupotami! Mam teraz ważniejsze sprawy niż wasze prawa!

Powiesiłam na drzwiach kartkę z tym cytatem, żeby się ode mnie odchrzanili, ale kartkę ktoś zerwał i zaniósł do dyrektora, a ja dostałam upomnienie za ośmieszanie władz. Zrobiłam więc sobie na komputerze wizytówkę z napisem: *Wyzbądźcie się iluzji, że ja cokolwiek mogę!* Dawałam ją każdemu, kto przychodził ze skargą. Odczepili się. Wszyscy wzięli się do nauki i przestali wierzyć w demokrację. Ulegliśmy bezprawiu.

Na dużej przerwie ukryłam się w swojej dziupli, żeby pouczyć się w spokoju. Cały wczorajszy wieczór ryłam historię, ale jeszcze trochę mi zostało. Miałam nadzieję, że nikt nie przylezie. Zdążyłam wczuć się w atmosferę Sejmu Wielkiego, gdy ktoś zapukał. Pomyślałam, że to Aśka, chociaż ona nigdy nie puka. To nie mogła być ona, a szkoda, bo przydałaby się teraz; reformy Sejmu miała w jednym palcu. Drzwi otworzyły się i wszedł Cylak. Jeszcze zdążyła zamigotać myśl, że poproszę go, by powiedział Aśce, że jest mi potrzebna, i dopiero zajarzyłam. Cylak? Cylak! Uczesany, w czystej koszuli, tyle że blady, z oczami podkrążonymi od niewyspania. Gapiłam się na niego jak na zjawę.

– Cześć! – mruknął. – Na drzwiach napisane, że jesteś rzecznikiem praw ucznia i można do ciebie przyjść, jak ma się problem. Więc jestem!

Nie pojmowałam. Otworzyłam usta i patrzyłam jak cielę na malowane wrota. Cylak! Kurde! W głowie skakały mi daty i pomyślałam, że on nie musi się już przejmować takimi duperelami. Patrzył na mnie wyczekująco, z wyrazem niesmaku. Chyba od razu zrozumiał, że jestem do niczego.

– Mam wrażenie, że ci przeszkadzam, ale zaraz wychodzę. Jestem durniem, wiem, nie musisz mi tego okazywać. Miałem długi i spłacałem je, handlując prochami w szkole i na dworcu. Kiedyś musiałem wpaść. Nie mogę mieć do nikogo pretensji. Ale nie jestem złodziejem i nie ja rąbnąłem tę forsę! Wiemy – ja, ty i cała ta zasmarkana banda – że zrobił to Tarwid, ale nikt nie chce mnie słuchać. Niesłusznie zarzucono mi kradzież i niesłusznie z tego powodu skreślono z listy uczniów. Tak naprawdę czniam tę budę i jak tylko sprawa się wyjaśni, sam się wypiszę i wyjadę z tego zasranego miasteczka. Nie chcę jednak zostawiać matki z długiem do spłacania. Wolę, żeby współczuli jej z powodu syna narkomana, niż żeby pogardzano nią jako matką złodzieja!

Był wzburzony. Uszy mu płonęły, a włosy, przed chwilą gładko przylizane, zaczęły unosić się ostrzegawczo, jak grzebień na łbie koguta Kasprzakowej. W głowie nadal plątały mi się daty i nie bardzo docierało, czego on właściwie się po mnie spodziewa. Od tego są sądy i policja.

– Dlaczego mi to mówisz? – Zaschło mi w gardle i słowa zabrzmiały chropowato.

– Bo jesteś rzecznikiem praw ucznia, a moje prawa zostały pogwałcone. Oto moje podanie!

Położył przede mną kartkę papieru i wyszedł. Zadzwonił dzwonek, a ja wciąż siedziałam odrętwiała. O kurczę! Miałam ochotę wybiec za nim i wrzeszczeć, że źle trafił, że nie jestem bohaterem, nie potrafię walczyć nawet o swoje racje, a rzecznikiem zostałam przez pomyłkę, przez Aśkę. Niech ona się tym zajmie! To nie moja sprawa! Nikt mnie nie uprzedzał, że ktoś będzie wymagał ode mnie taaaaakich rzeczy! Zrzekam się! Sorry, Winnetou!

Nie wybiegłam, bo nogi miałam jak z galarety. Byłam tak roztrzęsiona, że nie poszłam na historię. W ogóle nie poszłam na nic. Uciekłam do domu. Musiałam pogadać z mamą. Potrzebowałam natychmiastowej rady i bynajmniej nie na temat, jak pomóc Cylakowi, ale jak z tej afery wycofać się z twarzą. Powinna przecież istnieć przy kuratorium jakaś instytucja rozpatrująca tego typu sprawy. Mama powinna wiedzieć, gdzie skierować podanie Cylaka.

Po drodze modliłam się, żeby była w domu. Udało się. Była. Już na dole słyszałam, jak drze się do słuchawki:

– No właśnie! Nawet nie pamiętasz, o czym pisał! Z mojego reportażu pamiętasz każdą linijkę, ale na antenę dałeś tamtego gnieciucha. Wiesz, jak się tak zastanawiam, to przychodzi mi na myśl, że mimo wszystkich przemian i tak prymitywy i tępaki dostają najlepsze noty! Ciekawe dlaczego? Nie wiesz? Mogę ci podpowiedzieć! Bo oni nie sprawiają kłopotów. Dla nich wszystko jest cacy. Nie sądzisz, że to co zrobiłeś, to zwykłe tchórzostwo? Tobie niepotrzebna cenzura. Twój stołek z przyklejonym do niego tyłkiem robi to lepiej od komunistycznego urzędnika! Narzekasz, że nic się nie dzieje, a jak przychodzi co do czego, wymiękasz!

Weszłam i oparłam się o drzwi. Kiwnęła mi głową i dalej wykłócała się ze słuchawką. Nie chciało mi się nawet ściągać kurtki. Stałam i słuchałam. Wreszcie skończyła, popchnęła aparat, aż obił się o ścianę, i z miejsca zaczęła się skarżyć:

– Tyle tygodni harówy na próżno! Na antenę poszło jakieś gówno o uprowadzonych dziewicach, a mnie buzi buzi i odstawka!

– A na co liczyłaś? – spytałam niechętnie. – Mówiłam ci, że tutaj Tarwid jest nietykalny!

– Nietykalny! Nietykalny! Czy ktoś próbował go dotknąć? Ludzie stworzyli sobie nowego boga! Chcą mieć kogoś stojącego ponad prawem. Może lubią się kogoś bać? Przecież to przestępca! Dziewięćdziesiąt procent tego, co robi, jest nieuczciwe!

Była wkurzona i miotała się po mieszkaniu; otwierała i zamykała okna, przesuwała krzesła, strzepywała dopiero co strzepniętą serwetę. Zachowywała się zupełnie jak babcia. Nawet nie miałam co zaczynać rozmowy, bo była całkowicie skoncentrowana na sobie, a ja akurat dzisiaj nie nadawałam się na niańkę i pocieszycielkę.

– Wychodzisz gdzieś? – spytała, widząc, że się nie rozbieram.

– Pójdę chyba do babci. – Wzruszyłam ramieniem. – Może ona ma dzisiaj lepszy dzień. Właściwie jesteście nie do odróżnienia. Już wiem, na czym polega wasz problem. To nadwrażliwość na własny temat! Może mogłabyś wejść kiedyś do domu i zapytać: co u ciebie, jak tam w szkole, jak się miewa twoja koleżanka, czy w ogóle masz jakąś koleżankę, a jak się nazywa twój aktualny chłopak, a matma, poprawiłaś pałę z zeszłego tygodnia, a jak twoje nerki, nie bolą, nosisz ciepłe majtki, po ile dzisiaj marycha, jadłaś coś, a może ktoś cię dzisiaj zgwałcił i chciałabyś o tym pogadać, a może masz ochotę na pierogi z mięsem?

Mama zastygła w bezruchu. Widać było, jak jej mózg analizuje poruszone przeze mnie problemy. Zdążyłam się przestraszyć, że przesadziłam, nim ochłonęła.

– Boże! Masz rację! Zmieniam się w samolubną jędzę!

Popatrzyła na mnie z podziwem. Już dawno na mnie nie patrzyła. Ostatni raz wtedy, gdy na jej oczach trzasnęłam drzwiami, a na nitce przywiązanej do klamki pofrunął mój ząb. To było dawno temu.

– Nie myślałam, że potrafisz być taka... przekonująca! No to zacznijmy od gwałtu. Zgwałcił cię ktoś dzisiaj?

– Nie!

– Chwała Bogu! – odetchnęła. – A marycha? Po ile dzisiaj szła?

– Po dwie dychy!

Zaczęłyśmy się histerycznie śmiać. Potem się poryczałyśmy, a jeszcze później mama zaczęła nadrabiać zaległości z ostatnich tygodni i wypytywać o wszystkie sprawy, które jej wykrzyczałam. Opowiedziałam z grubsza o Olku, o kłótni z Wilkami, o spalonym bigosie, o awanturach w szkole.

– Dawaj dalej! – zachęcała. – Uwielbiam komplikacje!

Właściwie powiedziałam o wszystkim poza Cylakiem. Dlaczego? Nie mam pojęcia. Była właściwie okazja, a gdy już miałam zamiar, zaczął gwizdać czajnik i mama podniosła się, żeby zrobić herbatę. Gdy jadłyśmy kolację, powiedziała:

– To okropne, że dorastasz i stajesz się coraz bardziej skomplikowana. Kiedyś myślałam, że z biegiem lat będę miała z tobą mniej roboty, a jest chyba na odwrót. Przykro mi, że cię zaniedbuję. Nie jestem chyba zbyt dobrą matką!

Rety! Zamierzałam zwrócić na siebie odrobinę uwagi, ale nie było moim celem dołować mamę. Teraz musiałam wysilić cały swój intelekt, by ją przekonać, że wszystko ze mną w porządku i nie musi tworzyć w sobie sztucznego poczucia winy. Nie miałam sił, by dobić ją Cylakiem. Właściwie wiedziałam, co mogłaby mi odpowiedzieć. Gdyby była uczciwa, powtórzyłaby kwestię, którą godzinę temu wywrzeszczała do słuchawki. Gdyby złagodziła problem, wiedziałabym, że nie jest wobec mnie szczera. Nie chciałam wystawiać jej na tak ciężką próbę.

27

Całą noc męczyłam się z przejściem na drugą stronę ulicy. Noga obuta w tenisówkę funkcjonowała jako tako, ale bosa nie znajdowała oparcia w przestrzeni. Gdy nadchodził moment, by na niej oprzeć ciężar ciała, ziemia rozstępowała się i zaczynałam spadać.

Obudziłam się śmiertelnie zmęczona. Naszykowałam babci śniadanie, poczekałam na pielęgniarkę i wyszłam. Nie mogłam się zmusić, by iść do szkoły. Zmieniłam tylko domy. Mama pojechała w teren i wiedziałam, że wróci dopiero wieczorem, a może nawet jutro. Pasowało mi, bo nie musiałam się tłumaczyć. Zostawiłam książki, a do plecaka zapakowałam sweter i kanapki. Postanowiłam iść w góry. Zwyczajnie stchórzyłam. Nie potrafiłam nawet wyobrazić sobie, że idę do dyrektora i składam oficjalny protest w sprawie Cylaka. To przerastało moje możliwości.

O kurczę! O kurczę! O kurczę! – to jedyna myśl, jaka przedzierała się przez rozgoryczony umysł. – Ależ dałam się wrobić! Mama mnie uprzedzała! O kurczę!

Poszłam przez ogrody, żeby nie spotkać nikogo znajomego. Nie miałam ochoty odpowiadać na pytania. Przelazłam przez dziurę w płocie i znalazłam się w parku. Wyminęłam grupę wycieczkowiczów; obsiedli ławki i ze znudzeniem słuchali słów przewodnika. Większość nie podnosiła nawet głów, gdy wskazywał szczyty i przełęcze. Zagapiłam się na orła kołującego nad parkiem; widok był niemal nierzeczywisty, ale ci tutaj byli zbyt znużeni przebalowaną nocą i teraz z utęsknieniem oczekiwali chwili, gdy przewodnik da im spokój i będą mogli polecieć do pubu na piwo. Niemal słyszałam ich ponaglające myśli.

Ta ich beznadzieja wprawiła mnie w popłoch. Uświadomiłam sobie, że jestem taka sama, obojętna wobec wszystkiego i wszystkich. Najbardziej odpowiadałoby mi, gdyby świat był wielkim telewizorem; coś nie pasuje, to wyłączam i mam spokój. Wystarczył pierwszy poważniejszy problem i już wymiękam. W mózgu bulgocze lemoniada, kolana drżą, a najgorszy ze wszystkiego jest całkowity brak orientacji, nie potrafię podjąć żadnej decyzji, nawet takiej, by wyrzucić pismo Cylaka do kosza i nie zawracać sobie głowy.

Zdałam sobie sprawę, że wagary niczego nie zmienią, bo i tak będę musiała coś postanowić. Z drugiej strony jeden dzień nikogo nie zbawi, zwłaszcza Cylaka. Skoro zdecydował się na porzucenie szkoły, jeden dzień nie zrobi mu różnicy. Jutro! Lepiej jak zrobię to jutro niż dziś. Może jeszcze coś się zmieni. Coś, co zwolni mnie od podjęcia decyzji. Tak, jutro! Westchnęłam z ulgą, że jednak jestem w stanie wydobyć z siebie jakieś postanowienie. Westchnęłam jeszcze raz nad łatwością, z jaką pobłażam sama sobie, i ruszyłam dalej. Szłam między turystami, wymijając, okrążając, przeskakując. Maszerowałam pewnym, wyćwiczonym krokiem mającym świadczyć, że życie jest proste, a ja nie jestem kimś, kto miewa wątpliwości. Cieszyłam się, wychwytując zazdrosne spojrzenia. Fakt, że zdołałam kogoś oszukać, sprawiał mi przyjemność. Byłam żałosna.

Podobno DNA przekazuje dzieciom nie tylko kolor oczu, długość kłaków na nogach i ilość krost na tyłku; w tych kilometrach włókienek upchniętych w każdej naszej komórce zapisane też są cechy charakteru – gen lęku, strachu, pragnienia ucieczki, ukrycia się w ciemnym kącie, unikania odpowiedzialności. W moich genach tkwił ojciec. Byłam nim bardziej, niż to sobie uświadamiałam.

Nie zwolniłam kroku, chociaż droga stawała się coraz bardziej stroma. Narzuciłam sobie mordercze tempo, żeby się ukarać. Szło mi się jednak wyjątkowo dobrze. Iść, iść, iść i nie myśleć o niczym, o niczym, o niczym, o niczym – powtarzałam w kółko, aż dźwięki straciły znaczenie, a narastający bezsens rozciągał się na inne rejony myślenia. Świat ograniczył się do drzew i kamieni pod stopami. W pewnym momencie usłyszałam szelest. Przystanęłam. Jedno kliknięcie i powróciła świadomość. Wyobraźnia zamigotała serią zdjęć ofiar napadów. Ktoś za mną szedł. Przypomniał mi się Hirek, ręce zaciśnięte na jego szyi i głowa obijana o skałę. Przed oczami zaczęły mi fruwać rdzawe plamy. Stanęłam za drzewem i czekałam. Nie miałam nawet kija do obrony. Ale to był tylko kundel. Kochane psisko. Jak on mnie tu znalazł?

Razem szło nam się raźniej. Opowiedziałam mu o swoim kłopocie. Szczeknął parę razy, dając mi jakieś rady. Wierzę, że były dobre. W pobliżu jaskini odłączył się i poszedł do źródełka. Godzinny marsz wyczerpał mnie do tego stopnia, że nie miałam siły iść za nim. Odczuwałam wewnątrz siebie cudowną pustkę. Żadnych myśli, jedynie pogodzenie się z otaczającym światem. Klapnęłam na kamiennym siedzisku. Ściągnęłam buty, by dać wypocząć nogom, i w tym momencie zauważyłam włóczęgę. Siedział między skałami, właściwie niczym się od nich nie różniąc; tak samo szary, tak samo nieruchomy. Gapił się na mnie z równie wielkim zdziwieniem jak ja na niego. W moim umyśle roztańczyły się myśli, że jestem tu sama i nikt nie wie, dokąd się wybrałam. Nasze spojrzenia spotkały się. Umierałam ze strachu, a jednocześnie nie mogłam przestać patrzeć; jakbym przykleiła się oczami do jego łachmanów. Trwało to chyba ze sto lat. Gdy poruszył się, zacisnęłam palce na kamieniu. Pasował do dłoni. Byłam zdesperowana i on to widział. Znieruchomiał i powoli odwrócił wzrok. Dał mi szansę opuszczenia miejsca, które uważał za swoje. Już zaczęłam wstawać, gdy rozchyliły się krzaki i wylazł z nich pies. Ziewnął, popatrzył na nas i machając radośnie ogonem, podszedł do włóczęgi jak do dobrego znajomego. Tamten potarmosił kundla przyjaźnie. Psisko pomruczało i wróciło do mnie, dając do zrozumienia, że nic mi nie grozi. W jednej chwili uspokoiłam się, a niepokój zgęstniał gdzieś w okolicach podbrzusza.

- Dobrze, że się nim zaopiekowałaś! – usłyszałam. Facet wyglądał na starca, ale głos miał dźwięczny, młody. – Znamy się i przyjaźnimy. To też włóczęga, tyle że woli kiełbasę od suchego chleba. Miałem nadzieję, że znajdzie sobie miłego opiekuna. Byle kogo by nie wybrał!

Kiwnęłam głową na znak, że słyszę, co do mnie mówi. Strach umiejscowiony w brzuchu miał swój ciężar; napierał na pęcherz i zaczęłam odczuwać obawę, że nie wytrzymam.

- To mądre psisko, mądrzejsze od wielu ludzi. Często sobie rozmawiamy o różnych zawiłościach. To pies filozof. Opowiadał mi o tobie!

Ciekawe. Wyglądało na to, że facet wiedział, kim jestem. Miałam ochotę spytać, czy kundel streszcza mu również odcinki seriali brazylijskich, ale nie odważyłam się. Mimo znacznej odległości czułam bijący od niego odór. Był obrzydliwie brudny i powinien budzić wzgardę, ale nic takiego nie czułam.

- Znam cię, znam tu wszystkich. Zaglądam do okien i wiem o was więcej, niż sami o sobie wiecie. Podchodzę blisko i słucham, jak ludzie się kłócą, obrzucają wyzwiskami, biją swoje dzieci, szantażują się, a rano udają, że wszystko jest w porządku. Są bardziej brudni niż ja, bo ja wejdę do strumienia i będę czysty, a ich brud jest niezmywalny!

Z gardła wydobył mu się charkot będący prawdopodobnie śmiechem. Podniósł ramiona i potrząsał nimi. Wolałabym, żeby się nie ruszał. Fala smrodu omal nie zwaliła mnie z nóg.

- Zna pan naszą jaskinię? – spytałam, gdy się uspokoił.

- Jak własną kieszeń! Nawet bez tych waszych znaków. Tę i inne. Jest ich tu kilka!

- Miesiąc temu ktoś napadł tu mojego kuzyna! – powiedziałam i zrobiło mi się zimno. Zabrzmiało to jak oskarżenie i ponownie uświadomiłam sobie, że jestem sama. Pies spokojnie lizał łapy. Ciekawe, czy w razie czego będzie mnie bronił, czy razem z tamtym rzuci mi się do gardła? Zaczęłam zakładać buty, by dać sobie szansę.

Włóczęga zaśmiał się chrapliwie.

– Nawet wiem kto!

Zdrętwiałam. Podniosłam się wolno. Kundel ziewnął leniwie i też wstał. No, zaraz się okaże, czyim jest przyjacielem. Zrobiłam krok do tyłu.

– I zrzucili winę na mnie albo na takiego jak ja – stwierdził raczej, niż zapytał. Odwrócił głowę i udawał, że nie widzi moich manewrów. Zrobiłam jeszcze kilka kroków.

– Gdyby nie Oleś, byłoby po chłopaku! – powiedział.

– Jaki Oleś? – zatrzymałam się w pół kroku.

– Jaki... Jaki... Wiesz przecież! Kradnie na waszych oczach. Jego stary rabuje w majestacie prawa i nic mu za to nie grozi, więc mały ma niezły wzór do naśladowania. Tylko czemu robi to tak nieudolnie? Ostatnio przyniósł blaszane pudełko pełne forsy i kazał sobie zrobić zdjęcie z tym barachłem, co go tu naściągał. Może chce, by go złapano i ukarano? Może w ten sposób chce coś zakomunikować? Albo przeciw czemuś zaprotestować? Ciekawe, o co mu chodzi?

Stał na środku ścieżki z rozpostartymi ramionami i zanosił się szaleńczym śmiechem. Wyglądało, jakby ogarniała go furia. Kundel dotknął mojej nogi, żebym nie marudziła, bo czas na nas.

– Idź, idź, bo masz coś do załatwienia! – krzyknął za nami.

– Skąd wiesz? – odkrzyknęłam, schodząc pospiesznie i nie oglądając się nawet.

– Każdy ma coś do załatwienia! Prosty chwyt psychologiczny. Każdy podejmuje własne decyzje i ponosi ich konsekwencje przez resztę życia!

ycia... ycia... ycia... Długo jeszcze słyszałam jego śmiech, ale nie bałam się, bo byłam daleko, a tuż przy nodze biegł pies.

Oleś. A niech to! On wie, kto napadł Hirka!

Biegłam ile sił w nogach, a umysł wciąż analizował, podsumowywał, wyciągał wnioski. Gdzieś w połowie trasy, między jednym a drugim sapnięciem, zaiskrzyła dioda wskazująca drogę, którą powinnam podążać. Na jej początku stał Olek. No tak! Przyznałam swojemu umysłowi rację. Jeśli w ogóle miałam coś zrobić, od niego powinnam zacząć. Oleś, a niech go licho porwie! Kłamca!

Przez następną godzinę nerwowym truchtem przemierzałam miasto w poszukiwaniu tego gnoja. Adrenalina tryskała mi z żył, zalewała oczy; mało co widziałam. Może to był pot, bo w ciągu tej godziny pobiłam rekord świata w zwiedzaniu pubów, pijalek i wszelkich miejsc, które za nie uchodzą. Nigdzie ani śladu.

Byłam wykończona i gdy znalazłam się w okolicach szkoły, postanowiłam wejść na chwilę, by ulżyć sobie na kibelku, napić się wody z kranu i przez krótki moment odpocząć w swojej norze. Wiedziałam, że jak pójdę do domu, od razu zechce mi się wejść pod prysznic, potem się przebiorę, siądę na sekundę, włączę telewizor i utknę na dobre. Nie mogłam sobie na to pozwolić. Musiałam dopaść Olka. Potrzebna mi była tylko chwila oddechu.

Wśliznęłam się bocznym wejściem, licząc, że niezauważona przez nikogo dostanę się do łazienki, a potem do siebie. Nic z tego. Woźna oparta na szczocie ćmiła papierocha i przy okazji trzymała straż. Z umiarkowanym spokojem zlustrowała mnie od ubłoconych martensów aż po zmierzwione włosy i tylko westchnęła. Powstrzymała się od wypowiedzenia tego, co pomyślała. Dobre i to. Wolałam nie pytać o Olka, by nie pogłębiać złego wrażenia, jakie już na niej wywarłam. By zaskarbić sobie choćby elementarne względy, ściągnęłam buty i w skarpetkach przebiegłam przez lśniący korytarz. Mimo to czułam, jak jej wzrok wypala mi dziurę w kurtce. Z ulgą przekręcałam klucz w zamku.

Tylko ze względu na woźną powstrzymałam okrzyk zgrozy. Znalazłam Olka. Spał przy biurku, z głową opartą na ramionach. Omal nie trafił mnie szlag. Zamknęłam drzwi i oparłam się o nie plecami.

Hej tam! – miałam ochotę wrzasnąć, ale bałam się, że woźna przybiegnie, by sprawdzić, co się dzieje.

Ocknął się i łypnął na mnie okiem, zaraz je zresztą zamknął.

– Jak tu wlazłeś? – Nie miałam ochoty na grzeczności.

– Mam klucz! – wybełkotał.

– Skąd?

– Dorobiłem!

Zatkało mnie, choć nie powinno; mogłam się tego spodziewać. Ale zamiast wściekać się, tupać ze złości, wrzeszczeć czy choćby opluć go, opadłam na krzesło po drugiej stronie biurka. Po prostu zabrakło mi sił.

– Po co? – spytałam niepotrzebnie, bo przecież znałam odpowiedź i wcale nie pragnęłam jej usłyszeć. Miałam nadzieję, że przynajmniej skłamie.

– Żeby mieć się gdzie wyspać! – powiedział i takie wyjaśnienie zadowoliło mnie, bo mogło oznaczać cokolwiek, niekoniecznie to, co naprawdę oznaczało. Odetchnęłam, bo nadal mogłam udawać, że nic nie wiem, niczego nie rozumiem.

Zaczęła ogarniać mnie złość.

– Chociaż patrz, jak do mnie mówisz! – zajazgotałam, bo z tysiąca rzeczy, które powinny mnie wkurzyć, zdenerwowało mnie akurat to, że gadał do biurka, z głową wtuloną w ramiona.

Wyprostował się posłusznie, a mnie, tak jak w dzisiejszym śnie, ziemia usunęła się spod stóp. Spadanie było właściwie przyjemne i musiałam sporo nad sobą popracować, by chciało mi się znaleźć oparcie dla nóg. W tym czasie na świecie wyraźnie się ochłodziło, bo wstrząsnął mną dreszcz, nad którym nie potrafiłam zapanować. Z trudem dopasowywałam to, co miałam przed sobą, do znanego mi wizerunku Olka. Twarz, na którą patrzyłam, była obrzmiała, posiniaczona, górna warga wywinęła się aż pod nos, a rozmazana koło ucha plama wyglądała na zaschniętą krew. Wypuściłam z sykiem powietrze, bo zaczynało mi butwieć w płucach.

– Boże, kto ci to zrobił?

Wzruszył ramionami, a ja zapomniałam, że go szukałam i o co mi z tym szukaniem chodziło. Gapiłam się na tę zdeformowaną maskę i zastanawiałam, jak to jest być kimś takim jak Olek. Mózg niemal kipiał od zdań zaczynających się słowem: dlaczego...

W którymś momencie jedna myśl zmieniła się w proste pytanie.

– Dlaczego mu na to pozwalasz?

Nie zdziwił się, nie spytał, kogo mam na myśli, uznał za rzecz naturalną, że wiem. Nawet mu ulżyło, że nie musi niczego wyjaśniać.

– Próbowałem... uciekłem nawet, ale wróciłem, bo nie potrafiłem bez forsy... jego forsy... jestem za słaby... do wszystkiego można się przyzwyczaić... nawet do tego... – Zamachnął się i walnął pięścią w ścianę, i nawet się nie skrzywił. Nie uwierzyłam mu. Kiedyś też potrafiłam się tak zawziąć i nie czuć niczego.

Dostrzegł moje wątpliwości, bo dodał:

– Jak nie ma mnie pod ręką, oberwie ktoś inny!

– Ale tak nie może być... – wymamrotałam.

Zaśmiał się i od razu skrzywił. Poślinił palec i dotknął nim opuchniętej wargi, a potem zaczął zeskubywać brunatne strupki z policzka. Coś mi zaświtało i chciałam tę myśl zatrzymać, zahaczyć, przyciągnąć do brzegu szarej brei, która wypełniała mi czaszkę. Miało to jakiś związek z Hirkiem.

– Ty wiesz, kto napadł Hirka! – przypomniałam sobie nagle, choć nie opuszczało mnie wrażenie, że nie całkiem o to chodziło. Inaczej powinnam sformułować zdanie, ale umysł nie chciał się bardziej rozjaśnić.

Wyprostował się gwałtownie, aż jęknął. Zamknął oczy, by zapanować nad wewnętrznym bólem. Patrzyłam i czułam, jak dystans między mną a światem powiększa się z każdą chwilą. Byłam zagubiona i bezradna bardziej niż wtedy, gdy stałam samotna w tłumie. Wówczas wyobrażałam sobie, że frunę i z wysoka oglądam ludzkie mrowie. Olkowi nie umiałam pomóc. Wszelkie rady, jakie mogłam mu ofiarować, były dziecinnie głupie.

– Masz prawo być traktowany dobrze... szukaj pomocy... – mówiłam, zdając sobie sprawę, że w moim głosie brak przekonania.

– Pomocy? Jakiej pomocy? Nikt mi nie udzieli żadnej cholernej pomocy! – rozdarł się nagle, a potem tak samo niespodziewanie zaczął się śmiać piskliwie, histerycznie. Śmiał się i śmiał, a łzy leciały mu po policzkach. Bałam się, że nie będzie umiał przestać. Rozejrzałam się i zobaczyłam pustą butelkę po coli. Podniosłam ją i walnęłam o biurko. Huk przywrócił mu świadomość. Jeszcze przez jakiś czas wciągał głęboko powietrze, ale już się opanował.

Pociągnął nosem jak małe dziecko i zajrzał do szuflady. Myślałam, że szuka chusteczek, ale jemu chodziło o coś innego. Wyjął podanie Cylaka. Musiał już wcześniej je znaleźć i czytać, bo nie zatrzymał na tekście wzroku. Ostrożnie rozłożył kartkę na blacie i wygładził.

– Zaniesiesz to dyrektorowi? – spytał cicho.

– Jeszcze nie wiem – powiedziałam z wahaniem.

– Zanieś! A ja powiem wam, kto napadł Hirka!

Woźna stała zbyt blisko, bym mogła mieć wątpliwości co do jej intencji. Mimo to uśmiechnęłam się, zamykając za sobą drzwi. W domu weszłam pod prysznic, mając nadzieję, że woda orzeźwi mnie, pobudzi umysł i wypłucze wątpliwości. A miałam ich wiele, bo nie do końca rozumiałam intencje Olka. Tkwił w nim fałsz, który mnie przerażał i powodował, że litość, jaką dla niego czułam, malała. Nie opuszczało mnie wrażenie, że jestem wykorzystywana. Ale tylko on mógł powiedzieć mi o Hirku, choć wcale nie miałam pewności, że to zrobi. Bał się nawet mnie; wystarczyło, że podniosłam głos.

Trudno, muszę zaryzykować.

Usiadłam i napisałam podanie do dyrektora o ponowne rozpatrzenie sprawy Cylaka. W trzeciej linijce umieściłam nazwisko Olka. Ręka zadrżała mi dopiero przy podpisie.

Nie było jeszcze zbyt późno, więc postanowiłam zanieść je od razu, po drodze do babci. Po jakiej drodze? Po prostu dzielniejsza część mojej jaźni bała się, że przez noc weźmie górę ta strachliwsza.

Podając pismo sekretarce, usiłowałam opanować nerwowy tik i zmienić go w uśmiech. Z jej zdziwionej miny wywnioskowałam, że zamiar nie powiódł mi się.

– Może chcesz zanieść sama? – spytała. – Dyrektor jeszcze jest u siebie.

– Nie! – zaprzeczyłam gwałtownie. – Wolę być daleko, gdy będzie to czytał!

Odwróciłam się na pięcie i wyszłam. Uszy mi płonęły, paliła twarz, a w gardle czułam gorycz. W ogóle miałam wrażenie, że robię coś wstydliwego. Kusiło mnie, by zwiać i zostawić problem do jutra. Zostałam jednak. Usiadłam na schodach i próbowałam ustalić rzeczywiste pobudki swojego działania. Pakowałam się w poważne kłopoty i byłoby dobrze, gdybym jasno ustaliła, po co. Cylak? Olek? Hirek? Żadna z wersji nie zadowoliła mnie na tyle, bym mogła ze spokojem wejść do gabinetu.

Po kilku minutach drzwi od sekretariatu otworzyły się z trzaskiem i rozległ się wrzask:

– Maaaaliiiinaaaaaaaaa!!!

Poszłam najwolniej, jak tylko mogłam; zajęło to, niestety, najwyżej pół minuty. Tym razem czas nie chciał się rozciągnąć.

– To żart? – Dyrektor użył tonu, który miał zmusić mnie do potaknięcia.

Zaprzeczyłam.

– Zdajesz sobie sprawę... – zająknął się. – Chyba nie zdajesz sobie sprawy... Zabierz to, spal, zjedz i zapomnijmy o wszystkim! Cylak i tak nie będzie chodził do szkoły, więc po co to? Podrzyj i idź do domu!

– Nie mogę! Przecież tu nie chodzi tylko o Cylaka – wydusiłam z siebie. Słyszałam trzask własnych zębów. – Chodzi o nas wszystkich, o prawdę, o uczciwość...

– Chcesz naprawiać świat? – Zaśmiał się nerwowo. – Ładnie z twojej strony, ale nie licz, że to bezbolesna operacja, zwłaszcza dla naprawiacza! Oskarżasz Tarwida! Czy chociaż masz dowody, czy to tylko przypuszczenia?

– To nie przypuszczenia! – Teraz już piszczałam, bo zaschło mi w gardle. Wydobycie każdego słowa bolało.

– Siadaj! – machnął ręką w stronę krzesła.

Usiadłam i opowiedziałam, co wiem. Jego mina mówiła, że nie chce tego słuchać. Jemu też chciało się płakać. Skończyłam i z ponurą zawziętością patrzyłam, jak się męczy. Sporo odczekałam, nim odważyłam się spytać:

– Co pan dyrektor zamierza zrobić z tą sprawą?

– Spróbuję ustalić fakty! – wycharczał.

– Kiedy mam się zgłosić po odpowiedź?

Gapiłam się na lampę. Nie chciałam, by zobaczył, jak bardzo przeraziło mnie moje pytanie.

Przez pierwszy kwadrans byłam z siebie dumna. Potem było gorzej. Coraz gorzej. Łaziłam po mieście, szukając miejsc, gdzie mógł przetrwać cień mojego ojca. Miałam nadzieję, że poczuję intensywność tamtych przeżyć i tak jak kiedyś zatopię się w sobie na tyle głęboko, bym zewnętrzny świat mogła uznać za złudzenie. Pragnęłam wrócić za swoją szybę.

Po godzinie przebijania się przez tłum turystów, na pół z zakłopotaniem, na pół z ulgą stwierdziłam, że nie ma we mnie tamtego strachu. W pamięci tkwiły miejsca i sytuacje, ale emocje wyparowały. Poczułam się dziwnie lekko, jakbym nie była sobą, tylko kimś zaledwie znajomym. Patrzyłam na siebie z boku i nie miałam pewności, czy znam siebie z realnego życia, czy tylko ze snów.

– Ty! Zgubiłem się! – Jakiś przestraszony dzieciak dotknął mojej ręki. – Nie mogę znaleźć swojej wycieczki!

Jeszcze przed godziną wzruszyłabym ramionami i minęła go, ale teraz jakoś mi nie wypadało. Sama byłam ciekawa, jaka jestem. Wzięłam go za łapę i weszliśmy na taras domu towarowego. Kazałam mu się wychylić i patrzeć w dół. Przytrzymałam go za pasek od spodni. Od razu zobaczył swoich.

– Dzięki! Jesteś wielka! – zawołał i cokolwiek miało to znaczyć, ucieszyłam się.

– Jak było w szkole? – spytała babcia.

– Spoko! – oznajmiłam, a ona przyjęła mój komunikat ze zrozumieniem. Nie wiedziała o wagarach, bo odkąd przyjechała mama, Aśka przestała donosić babci o moich wyczynach.

Po obiedzie pograłyśmy w karty. Przegrałam pięć złotych w pokera i dopiero jak powiedziałam, że nie mam więcej, pozwoliła mi odejść od stołu. Pouczyłam się i pogapiłam w telewizor. Rozczuliła mnie informacja, że bandyci skazani na więzienie za napady oskarżyli policję i sąd o zrujnowanie ich życia rodzinnego. Ha, ha, ha!

Do wieczora niemal zapomniałam o tym, co zrobiłam.

28

W szkole wszyscy już wiedzieli. Patrzyli na mnie z mieszaniną ciekawości i niedowierzania.

– Ty nawet nie wiesz, co wyprawiasz! To czyste szaleństwo! Wariactwo! Idiotyzm! Kretyństwo! – dodawały mi otuchy Wilki. Na matmie profesor więcej gapił się przez okno niż na tablicę. Mimo to nikt nie gadał, królowała pełna wyczekiwania cisza. Cisza przed burzą. Pisk hamującego przed szkołą samochodu słyszało pewnie pół miasta. Twarz matematyka zastygła w grymasie obrzydzenia, jakby przegryzł muchę. Poczułam ciężar w żołądku; tę muchę ja będę musiała skonsumować. Kilka minut później głośnik wyszczekał moje nazwisko.

– Do dyrektora!

Odprowadziła mnie głucha cisza. Takiego filmu jeszcze chyba nie widzieli.

– Pamiętaj, że nikt nie oczekuje od ciebie bohaterstwa! – powiedział Ciołek i w tej ciszy jego słowa zabrzmiały jak okrzyk. Byłam mu wdzięczna za próbę rozgrzeszenia ewentualnej słabości. Ostrożnie zamknęłam za sobą drzwi klasy. Część mojej osobowości pragnęła dać nogi za pas i zwiać stąd najdalej jak się da. Reszta mnie oddychała głęboko, by nadmiarem tlenu przytłumić lęk. W jakiś przedziwny sposób życie wymusiło na mnie decyzję, której tak naprawdę nie chciałam podjąć. To działo się jakby poza mną; jakieś siły zewnętrzne kopniakami wpychały mnie na drogę, z której nie ma odwrotu. Jedyne, co mi pozostało, to patrzeć, co z tego wyniknie.

Sekretarka popatrzyła na mnie ze współczuciem. Wskazała głową drzwi, przewracając jednocześnie oczami na znak, że nie czeka mnie tam nic dobrego. Weszłam do gabinetu, siląc się na obojętność. Nie potrafiłam przewidzieć, na jak długo mi jej starczy.

Dyrektor siedział za biurkiem skurczony i wystraszony. Nie on tu teraz rządził. W fotelu przy stoliku rozpierał się Tarwid, prawdziwy bonzo. Otaksował mnie wzgardliwym spojrzeniem, a wykrzywieniem ust i prychnięciem poinformował świat, co o mnie sądzi. Pomyślałam bez sensu, że mam tłuste włosy. Stałam i czekałam. Żaden z nich nie kwapił się do rozpoczęcia rozmowy. Dyrektor nerwowo przygryzał wargi i skubał brzeg kartki; zapewne oddał inicjatywę w ręce gościa, a ten zastosował wobec mnie tani chwyt psychologiczny – ciche wyczekiwanie. Tata wypróbowywał go na mnie dość często. Gdy tak patrzył, przedłużając ciszę, czułam się głupia i nieważna, pozbawiona woli. Po kilku minutach gotowa byłam przyznać się do wszystkich grzechów świata.

– Słucham? – spytałam, zdając sobie sprawę, że zasoby mojej obojętności skończą się lada moment i rozryczę się ze strachu. Już teraz gumowa klucha w gardle miała rozmiar XXL. Jeszcze jeden X i zwymiotuję.

– To ja słucham! – zagrzmiał Tarwid ostrym, zaczepnym tonem. – Co taka smarkata może mieć przeciw mojemu synowi? Zgwałcił cię czy uwiódł? A może nie zrobił ani jednego, ani drugiego i chcesz się na nim zemścić, co? Ha, ha, ha!

Ale cham! Zrobiło mi się niedobrze. Pomyślałam, że jak puszczę pawia, to postaram się trafić w niego. Powinnam coś powiedzieć, ale nie mogłam wydobyć z siebie słowa. Zresztą, nie wrzeszczał po to, by zachęcić mnie do wyjaśnień. Chciał mnie zastraszyć i udało mu się to znakomicie. Milczałam, starając się nie słuchać tego, co wygadywał. Akurat w tym miałam wprawę. I tak nie zdołałabym przeciwstawić się komuś tak nieobliczalnemu. Przed oczami przesuwały się cienie, takie jak wtedy, na ścianie magazynów, gdy kopał leżącego Olka. Wyobraziłam sobie, że to ja leżę. Jemu nie sprawiłoby to chyba żadnej różnicy.

Ale póki co stałam, a on nie był moim ojcem. Mogłam się bronić. Na pomoc dyrektora nie miałam co liczyć. Siedział sztywny i blady, z wytrzeszczonymi oczami, i widać było, że się boi. W tym momencie myślał zapewne o tym, że w promieniu stu kilometrów nie ma wolnego etatu dla nauczyciela, a co dopiero dyrektora. Rozumiałam go i nie czułam żalu. Jak mama mogła całować się z takim dupkiem?

– Jako rzecznik praw ucznia mam prawo... – wychrypiałam, ale przerwał mi.

– W dupie mam twoje prawo! Jeśli coś dzieje się w szkole, to dyrekcja i rada rodziców są od tego, żeby uciąć łeb sprawie! – wrzasnął, aż tłuste karczycho zatrzęsło się nad kołnierzem jak galareta. Wyobraziłam sobie, jak musi się trząść, gdy bije Olka.

– Uciąć łeb! Właśnie! – odważyłam się przerwać jego tyradę.

Zamilkł, zdziwiony, że się odezwałam. Chyba nie podejrzewał, że się ośmielę, a ja odchrząknęłam, bo miałam wrażenie, że głos obija mi się gdzieś o wnętrzności i nie wydobywa na zewnątrz.

– Chyba nie chodzi o ucinanie jakiegoś łba! Chodzi o prawdę, a prawda jest taka, że oskarżono o kradzież nie tego, kogo trzeba!

Poczerwieniał. Zacisnął szczęki, aż tłusty podbródek wylazł spod krawata i wylał się na koszulę. Był wściekły, a wściekłość czyniła go obrzydliwym. Zauważyłam, że ma włosy w nosie, a z lewej dziurki sączy się strużka flegmy. Nie mogłam oderwać oczu od wykrzywionej twarzy. Czegoś tak odrażającego nie widziałam od dawna. Kiedyś leżałam na trawie, gapiąc się w słońce, a gdy już całkiem oślepłam, odwróciłam się na brzuch i na wysokości oczu napotkałam ropuchę. Obie zamarłyśmy ze zgrozy.

Ropucha miała takie same ślepia jak teraz Tarwid. Tak musi wyglądać, gdy maltretuje Olka. Ciekawe, czy go tylko bije? Gdy uniósł się, poczułam ostry zapach spermy. Podniecała go własna agresja. Biedny Olek.

– Chwila! Słuchaj pan! – zwrócił się do dyrektora. – Słyszy pan, co ona wygaduje? Jak ja chodziłem do szkoły, żaden gówniarz nie śmiał rozewrzeć gęby bez pozwolenia. A ta szczeniara pyskuje jak równy z równym! Co to się porobiło?! Jakby to była moja córka, tobym ją zabił!

Wierzyłam mu. Dyrektor chyba też, bo wyglądał, jakby miał się zaraz porzygać. Biedak pewnie był w rozterce, jak ma zareagować, gdy Tarwid zacznie okładać mnie pięściami.

– To skutek tej pieprzonej demokracji i nowomodnych metod wychowawczych! Ale ja to mogę mieć w dupie, nie? Ja ci mówię – odwrócił się w moją stronę – ty nie podskakuj, bo ja oddaję z nawiązką! Przez ciebie siedzę w tej zasranej szkole, zamiast pilnować interesów, i to mnie kosztuje ciężki szmal, ale co to może obchodzić taką cacaną panienkę, która szuka pieprzonej prawdy, nie? Jaka mać, taka nać! Spytaj swojej babki, czy warto ze mną zadzierać. Twojej matce też utrę tyłka, niech nie myśli, że można bezkarnie mnie zaczepiać!

Miałam ochotę odwrócić się i wyjść, ale przymurowało mnie do podłogi. Nogi odmówiły posłuszeństwa, za to mózg funkcjonował sprawnie. Gdzieś z głębi czasu wydobył wykrzywioną twarz ojca i słowa, których wtedy nie rozumiałam, ale chociaż brzmiały obco, oskarżały i raniły. Nagle nabrałam pewności, że wkrótce pojmę ich znaczenie. Przełknęłam ślinę i strach spłynął. Jego miejsce wypełnił błogi spokój. Twarz ojca znikła. W jednej sekundzie omal nie popuściłam w majtki, a w następnej urosłam i patrzyłam na rozjuszonego gościa gdzieś spod sufitu. Miałam przed sobą mężczyznę pełnego dzikiej agresji, emanowała z niego brutalna moc, a ja miałam nad nim przewagę. Nie rozumiałam, na czym ona polega, ale wiedziałam, że tak jest. I on jakimś cudem też to wiedział.

– Pana syn podejrzany jest o kradzież i niszczenie szkolnego sprzętu – zaczęłam i ze zdumieniem stwierdziłam, że głos mi nawet nie drży.

– To kłamstwo! – wrzasnął i uderzył pięścią w stolik. Myślałam, że blat pęknie na pół. – Każdy, kto twierdzi, że mój syn ma z tą sprawą cokolwiek wspólnego, jest kłamcą, zrozumiano? Uniósł rękę i byłam pewna, że chce mnie uderzyć. Przez mgnienie chwili zamierzałam zasłonić się ramieniem, by osłabić cios, nie uczyniłam jednak żadnego gestu. Stałam i patrzyłam na zwalistą postać miotającego się w gniewie mężczyzny. Patrzyłam mu w oczy i nawet nie zdawałam sobie sprawy, ile w moim wzroku było wzgardy. Tarwid pohamował się w ostatniej chwili. Może rozum podpowiedział mu, że nie powinien tego robić w obecności dyrektora. Przyszło mu to z widocznym trudem. Widziałam kątem oka, jak dyrektor uniósł się za biurkiem. Może jednak zareagowałby tak jak trzeba.

Tarwid opuścił rękę i zwrócił się do dyrektora:

– Życzę sobie, żeby jak najszybciej zostało wyjaśnione to cholerne nieporozumienie, bo inaczej... – Potrząsnął pięścią i wyszedł, trzaskając drzwiami.

Patrzyliśmy na siebie długo. Przyglądałam się, jak napięcie na twarzy dyrektora przemienia się w ulgę, a następnie w złość. Nie wiem, jak wyglądało to u mnie, ale chyba podobnie.

– Cholera! Cholera! Cholera! Wycofaj się, póki jeszcze mamy szansę! – wycharczał.

– Szansę? Na co? – spytałam. – Sam pan widział, że to wariat!

– To nasz główny sponsor! Dzięki jego darom mamy w szkole to, co mamy!

– Niewiele z jego złotówek zarobionych jest uczciwie, sam pan wie i ludzie w mieście wiedzą, i uczniowie też! A daje, bo Olek musi zdać maturę!

– Coooo? Jak śmiesz!

Wzruszyłam ramionami.

– Cała szkoła wie, że Olek rozbił komputery i ukradł pieniądze! Wiedzą! Są tacy, co widzieli to na własne oczy!

Nagle znieruchomiał, jakby sobie o czymś przypomniał. Przekręcił głowę jak ptak i wycelował we mnie palec:

– Czy twoja mama ma z tą sprawą coś wspólnego?

– Nic a nic!

– To lepiej niech się do mnie pofatyguje! Może ona przemówi ci do rozsądku! Idź i wracaj z matką jak najszybciej!

Akurat zadzwonił dzwonek. Poszłam po swój plecak. Czułam setki oczu wlepionych we mnie, ale nie chciało mi się sprawdzać, czego chcą. Julka złapała mnie za łokieć.

– No i co?

– Pyco! – Wzruszyłam ramieniem. – Tarwid chciał mnie pobić, a dyrektor wysłał po matkę!

Wokół nas zaroiło się. W tłumie niektórzy odzyskali głos.

– Kurde, z Tarwidem nikt nie wygra! To łobuz! Lepiej się wycofaj! Co tam Cylak, i tak spisany jest na straty! Przecież to ćpun, nie warto się nim zajmować! On nie stanąłby w niczyjej obronie! Zgnoją cię, a razem z tobą parę innych osób! Dyro poleci pierwszy za to, że pozwolił na tę aferę! Tu wszędzie rządzi Tarwid! Nawet ksiądz i policja gadają to, co on chce słyszeć! Wszyscy wiemy, że to Olek, ale kto ci to potwierdzi? Chyba jaki głupi! Bo ja nie! I ja też nie! Ani ja! Nie chciałbym wylecieć ze szkoły albo oblać maturę za taką głupotę, która mnie nie dotyczy!

Ale się rozgdakali. Jeszcze wczoraj mówili co innego. Mama miała rację: w tłumie ludzie zatracają poczucie wartości i robią to, co wszyscy. Jeśli ktoś się wyróżni, zadziobią go.

Byłam ciekawa, jak zareagują. Podniosłam palec, tak jak przed chwilą dyrektor, i wycelowałam na chybił trafił:

– Ty możesz być świadkiem! I ty! I ty też! I tamten z tyłu w czarnej bluzie!

Prawie wszyscy mieli czarne bluzy i kilku naraz zaczęło się wypierać:

· – Ja nic nie widziałem! A nawet jak widziałem, to zapomniałem! Policja i sądy są od sprawiedliwości, a ja muszę zdać maturę! Mam gdzieś i Tarwida, i Cylaka! Spróbuj mnie podać na świadka!

Wydostałam się z tłumu. Rozstępowali się, jakbym była zadżumiona i sam dotyk mógł na nich przenieść moją chorobę.

– Pójdę z tobą! – zdeklarowała się Aśka.

Byłam jej wdzięczna, że chociaż w ten sposób okazała mi wsparcie.

– Nie! Zostań i słuchaj, co gadają! – syknęłam jej do ucha. – Z mamą wolę sama!

– Gdyby Olek jej nie rzucił, nie zrobiłaby tego! – usłyszałam, gdy byłam już przy drzwiach. Magda. Nie mówiła specjalnie głośno, ale mój słuch był wystarczająco dobry, bym usłyszała chichoty i porozumiewawcze mruknięcia. No tak, już sobie wszystko wyjaśnili i znaleźli usprawiedliwienie dla własnego konformizmu. Pustaki! Udałam, że wcale mnie to nie obeszło, ale ogarnęła mnie przemożna chęć, by wrócić i walnąć Magdę w to głupie ryło. Przez chwilę rozważałam taką możliwość, ale ostatecznie uznałam, że pragnienie nie było na tyle silne, by je zrealizować. Pozwoliłam Aśce wypchnąć się na dwór.

– Nie przejmuj się! – mruknęła. – Problem z Magdą polega na tym, że nigdy nie dowiesz się, czy rzeczywiście jest taka głupia, czy tylko udaje! Nic sobie z niej nie rób!

Łatwo powiedzieć!

Stanęłam na przystanku, targana wątpliwościami, gdzie o tej porze szukać mamy. W domu? A jeśli jej tam nie ma? Nie pamiętałam numeru jej komórki, a nawet gdybym sobie przypomniała, to jak o tym powiedzieć przez telefon? Nie cierpię prowadzić poważnych rozmów ze słuchawką.

Niespodziewanie mignęło mi czerwone punto. Wyskoczyłam na jezdnię i zaczęłam machać. Omal nie rozjechał mnie maluch. Na szczęście to była mama. Zauważyła i zawróciła. Podjechała, otworzyła drzwi, a ledwo wsiadłam, ruszyła, bo był zakaz zatrzymywania się. Nie zapytała o nic. Wjechała w boczną uliczkę i dopiero stanęła. Zamknęłam oczy i oparłam głowę o zagłówek.

– Prawdę mówiąc, powinnam być w szkole! – powiedziałam znacząco.

Nic. Żadnej reakcji. Zerknęłam na nią spod oka, ale tylko wzruszyła ramionami. Dopiero teraz spostrzegłam, że wygląda marnie.

– Masz kłopoty? – spytałam.

Kiwnęła głową. Miała zaczerwienione oczy.

– Odebrał mi materiały! Zabronił mi się do tej sprawy zbliżać! Zagroził, że jak będę się dalej w tym grzebać, wywali mnie!

– Bo to pierwszy raz cię wywalą? Znajdziesz nową redakcję! – próbowałam ją pocieszać, bo mnie zrobiło się trochę lepiej. Mama dostanie robotę w Łodzi albo Gdańsku, przeprowadzimy się, więc mogę sobie porozrabiać.

– Booże, ale się porobiło! – zawołałam prawie radośnie. – Mnie dyrektor już wywalił! Też z powodu Tarwida. Masz natychmiast iść do szkoły!

– O Boże! – powtórzyła jak echo. – Kiedy?

– Najlepiej od razu!

Opowiedziałam pokrótce całą sprawę. Tym razem nie pominęłam niczego. Wydusiłam z siebie nawet to, że Olek korzystał z mojej klity jako przechowalni skradzionych rzeczy. Mama i tak była w kiepskim stanie i nic nie mogło jej już bardziej zaszkodzić.

– O Boże! – wzdychała raz po raz i kręciła głową nad moją głupotą. – Jak można być tak naiwną?

– Widać można! A ty od razu byłaś mądra?

Skończyłam opowieść sceną z dyrektorskiego gabinetu. Dopiero to ją ruszyło.

– O Boże! – jęknęła.

– Ile razy jeszcze powtórzysz to „o Boże"? Bóg i tak w niczym nie zmieni mojej sytuacji. Ty musisz to zrobić!

Wyciągnęła rękę i odsunęła mi włosy z czoła.

– Wiesz, co powinnyśmy teraz zrobić? – spytała, a gdy wytrzeszczyłam oczy, wyjaśniła: – Gaz do dechy i przed siebie tak daleko, jak starczy benzyny! Jak tam twoja mapa? Gdzie nas jeszcze nie było?

– Eee – mruknęłam z dezaprobatą. – Tak łatwo się poddajesz?

– Ja? W życiu! Myślałam o tobie! Czeka cię niezły bigos. Pewnie jest ci ciężko?

– Już nie! – stwierdziłam ze zdumieniem. – Właściwie zaczyna mnie to wciągać!

– No to jazda! – Pociągnęła nosem. – Najpierw do domu! Muszę doprowadzić się trochę do porządku!

Przyjrzałam się jej krytycznie.

– Dobrze wyglądasz tak jak teraz! Zmarnowana, spłakana, przerażona, tak właśnie powinna wyglądać nieszczęsna matka Polka samotnie wychowująca dorastającą córkę! On takie lubi. Może czuć się ważny, opiekuńczy. Okaże współczucie i pójdzie na rękę!

Mama roześmiała się.

– Chyba nie w tym wypadku!

Miała rację. Gdy zjawiłyśmy się godzinę później, trafiłyśmy na przerwę. Mama zaparkowała pod samą szkołą tak jak Tarwid i pewnym krokiem przemierzyła korytarz wprost do gabinetu. Żadnej niepewności, żadnego pytania o drogę. Zrobiła wrażenie. Wszyscy się na nią gapili. Miała klasę.

Szłam pół kroku za nią, więc część podziwu spływała na mnie. Starałam się wyglądać tak jak ona, przynajmniej w miarę możliwości.

– Lepiej zostań tutaj! – powiedziała w sekretariacie. – Najpierw sama porozmawiam z twoim dyrektorem!

Miałam nadzieję, że nie będę musiała z niczego się tłumaczyć, bo tak naprawdę niczego nie byłam już pewna. Gdy poprosili mnie do środka, dyrektor oficjalnym tonem oznajmił, że jeśli do jutra będę obstawała przy swoim, zwoła specjalne posiedzenie rady pedagogicznej i tam przedstawię racje Cylaka.

– Zastanów się jeszcze! Masz czas się wycofać!

Kiwnęłam głową, że rozumiem. Nie chciałam, by to kiwnięcie odczytał jako wahanie, więc zaraz wzruszyłam ramionami. Westchnął.

– Lepiej by było, gdybyś miała rację, a na jej poparcie konkretne dowody! – powiedział ponuro. – Jeśli nie potrafisz udowodnić niewinności Cylaka, marny będzie nasz los!

Przy słowie „nasz" zadrżał mu głos. To już nie była zabawa w rzecznika. To była poważna sprawa. Poczułam zimny dotyk na szyi.

– Powinnaś jeszcze raz porozmawiać z Olkiem! – powiedziała mama, gdy siedziałyśmy już w samochodzie. – Nie masz praktycznie dowodów ani niewinności jednego, ani winy drugiego. Jeśli Tarwid się zaprze, lepiej machnąć ręką, bo i tak niczego nie osiągniesz! Najlepiej by było, gdybyś miała na piśmie przyznanie się Olka do winy!

– Pamiętasz, jak chciał z tobą rozmawiać? Mówił, że ma coś, co cię zainteresuje! – przypomniałam.

– No to poszukaj go! – Zatrzymała się przed domem babci. – Ja jeszcze pojadę do redakcji, może uda mi się wyrwać resztki materiałów!

Gdy wysiadłam, uchyliła szybę.

– Czy zdajesz sobie sprawę, że część wyskoków Olek może zwalić na ciebie? – spytała poważnie.

Zaczęłam sobie zdawać.

29

Nie zamierzałam mówić o niczym babci, ale ona już wiedziała. Na mój widok nerwowym ruchem zgasiła papierosa. W pokoju pełno było dymu. Ten, który zdusiła, nie był pierwszym. Sama przez chwilę patrzyła ze zdziwieniem na popielniczkę wypełnioną po brzegi zmaltretowanymi petami.

– Coś ty narobiła? Coś ty narobiła! Zostaw Tarwida w spokoju! – mówiła płaczliwym głosem.

– A co? Był naskarżyć? – zadrwiłam.

– Ty nic nie rozumiesz! – krzyknęła.

Rzeczywiście, nic nie rozumiałam. Stałam nieruchomo i przyglądałam się, jak przemierza pokój w tę i z powrotem. Miotała się jak zwierzę w klatce. Bałam się podejść, żeby nie oberwać lachą przez grzbiet. Wreszcie stanęła przy oknie, dotknęła czołem szyby i zaczęła płakać. Jej przygarbionymi plecami wstrząsały spazmatyczne dreszcze. Odważyłam się zbliżyć, ale wtedy zaczęła szlochać jeszcze bardziej.

– Babciu, o co chodzi? – Byłam zdezorientowana. – Czy to przeze mnie?

– Człowiek nie powinien kłamać samemu sobie! – wydusiła przez łzy. – Sprawy przemilczane nigdy nie ulegają zapomnieniu. Drzemią po kątach, ale nadchodzi ich czas i wyłażą na jaw z takiego czy innego powodu. I nie ma w tym twojej winy! Jest tylko moja! Żyłam z tym wiele lat, bo wydawało mi się, że wraz ze śmiercią Eli wszystko się skończy, ale to było tylko złudzenie głupiej, tchórzliwej kobiety. Twoja matka od początku miała rację, ale nie chciałam zaufać jej rozsądkowi. A teraz wszystko wróciło i dotknie jeszcze ciebie!

Nic nie pojmowałam.

– Babciu, mów jaśniej, bo mi się już całkiem ściemniło!

Odsunęła mnie.

– Nie, dziecko! Nie teraz! Nie dzisiaj! Nie żądaj ode mnie zbyt wiele. To nie takie proste dla starej kobiety. Idź do domu, a mnie zostaw samą! Muszę sobie od nowa poukładać w głowie. No idź, idź!

Niemal siłą wypchnęła mnie za drzwi.

Specjalnie się nie spierałam, bo musiałam odnaleźć Olka. Nie sądziłam, żeby z poobijaną buźką latał po mieście. Jego knajpiani kumple potwierdzili moje przypuszczenia.

– Pewnie stary znowu mu wpieprzył! – mruknął pryszczaty osiłek. – Po takiej imprezie parę dni nie wyłazi z domu!

– Często się to zdarza? – spytałam od niechcenia.

– Jak się staremu zechce! – zarechotali.

Postawiłam im piwo. Śmiali się i ja też się śmiałam, więc uznali, że jestem zorientowana. Dowiedziałam się tego, co zechcieli mi powiedzieć. Pewnie nie wszystko chcieli i nie o wszystkim wiedzieli, ale i to, co usłyszałam, wystarczająco bolało.

– Muszę się z nim zobaczyć!

– To leć, póki Tarwid nie wrócił z Krakowa!

Poszłam, a oni obiecali, że będą stać na czujce i dadzą znać, gdy zobaczą samochód starego. Lepiej, żebym się na niego nie natknęła.

Najpierw miałam zamiar iść ogrodami, tak jak wtedy z Olkiem, ale odrzuciłam ten pomysł. Jeszcze poszczują mnie psami albo oskarżą o próbę włamania. Pójdę od frontu, po ludzku.

321

Dom był pięknie usytuowany, na wzgórzu, z widokiem na wodospad. Wielki ogród, park raczej, otaczał posiadłość i osłaniał widok od strony miasta. Starannie wypielęgnowana trawa. Przycięte krzewy – jak na obrazku w tygodniku dla pań. Furtka była otwarta, nikt mnie nie zatrzymywał, więc szeroką aleją skierowałam się ku werandzie. Wszędzie było czysto do przesady: ani jednego zeschłego liścia, ani jednego psiego gówienka, pełna aseptyka. Nim zdążyłam zadzwonić, otworzyły się drzwi i stanęła w nich zaniedbana kobiecina. Wymęczone farbą włosy opadały strąkami na oczy. Wyglądała na niewyspaną. Wygniecioną podomkę przewiązaną miała brudnym fartuchem.

– Czego? – warknęła; pomyślałam, że Tarwida stać na bardziej wykwalifikowaną posługaczkę.

– Ja do Olka.

– Nie ma! – szczeknęła krótko i szarpnęła drzwiami, usiłując zamknąć mi je przed nosem. Nie po to jednak przyszłam, żeby dać się wypłoszyć byle komu.

– A może zastałam mamę Olka? – spytałam w popłochu, choć nie miałam pojęcia, o czym mogłabym rozmawiać z jego matką.

– To ja! – oznajmiła, wysysając górny ząb. Coś musiało jej wleźć w szparę między jedynkami i starała jakoś sobie z tym poradzić bez użycia rąk.

Obserwowałam te starania z uwagą, bo odpowiedź docierała do mnie powoli. Ta baba jest żoną Tarwida? I matką ślicznego Olka? Właścicielką tego luksusowego domu? Nie!!! Moje wyobrażenia o bogactwie i związanych z nim konsekwencjach prysły jak bańka mydlana. Przez długą chwilę byłam zbyt oszołomiona, by pamiętać, po co właściwie tu przyszłam i o co niby miałabym ją pytać.

– No? – ponagliła. Nie wytrzymała i wydłubała paznokciem włókienko. Obejrzała, włożyła do ust i połknęła.

– Chciałam... chciałam spytać o Olka, bo nie chodzi do szkoły... – wymamrotałam. „Biedna kobieta", powiedział o niej Olek.

Nagle stała się czujna.

– Nie będziemy o nim rozmawiać! – wrzasnęła. Wyglądała na przestraszoną. – Ja o niczym nie wiem! Nie chcę wiedzieć!

Cuchnęło od niej alkoholem.

– Ja nie mam z tym nic wspólnego! Zostaw mnie w spokoju! – krzyczała piskliwie.

Zaczęłam się wycofywać. Dom musiał być pusty, bo jej wrzask nie zwabił nikogo. Olek, jeśli tu był, z pewnością słyszał naszą rozmowę.

– Już dobrze, dobrze! – powiedziałam ugodowo. – Już idę! Boże, westchnęłam, musiałeś aż tak dokopać temu chłopakowi?

– Będę przy wodospadzie! – wrzasnęłam, na wypadek gdyby jednak zdecydował się wyjść.

Byłam już na ulicy, gdy dobiegł mnie głos Tarwidowej:

– Hej, ty!

Wróciłam.

– Jesteś córką tej redaktorki? – spytała, patrząc na mnie wrogo.

– Tak! – przyznałam, choć miałam wątpliwości, czy aby dobrze robię.

– Miałam ci to dać, gdybyś tu przylazła! – rzuciła w moją stronę szarą kopertę, po czym odwróciła się i weszła do domu.

Podniosłam pakunek i chociaż roznosiła mnie ciekawość, wrzuciłam go obojętnie do plecaka, czując na sobie spojrzenie babsztyla. Gdy wyszłam na ulicę, zagrodziła mi drogę banda podpitych chłopaków. Dotrzymali słowa i szli na odsiecz. Poszłam z nimi w stronę centrum. Byli mili, więc musiałam odwdzięczyć się tym samym. Postawiłam im piwo i trzymaliśmy straż pod wodospadem aż do zmierzchu, ale Olek się nie pojawił. Niech go diabli!

Wróciłam do domu akurat w momencie, gdy zadzwonił telefon. Mama zdążyła jeszcze spytać, czy znalazłam Olka, ja – rozłożyć ramiona, a potem już całkowicie poświęciła uwagę słuchawce. – Tak... tak... tak... – potakiwała i zapisywała jakieś informacje w notesie. Nie dyskutowała, nie komentowała, a uwaga, z jaką notowała usłyszane dane, oznaczała, że to coś ważnego.

Wiadomość postawiła ją na równe nogi i gdy jedną ręką odkładała słuchawkę, drugą otwierała szafkę, gdzie trzyma podręczną torbę z pełnym wyposażeniem na wypadek nagłego wyjazdu.

– Mamo, nie! – jęknęłam błagalnie.

– Muszę! – Przygarnęła mnie ramieniem i przytuliła. – Od tego zależy moje życie! Boże, więcej niż życie! Jak to skończę, nie ruszę się z domu przez tydzień! Słowo!

Parę razy przefrunęła przez pokój i usłyszałam warkot silnika. Szambo. Zamknęłam drzwi i ogarnęła mnie cisza. Dawno nie wydawała mi się tak głęboka i głucha. Czułam, jak w niej tonę. Ślina zaschła mi w ustach, a w uszach rozdzwoniły się dzwony. Świat znieruchomiał w oczekiwaniu na burzę.

Włączyłam telewizor, ale zrobiło się jeszcze gorzej; tam burza trwała nieustannie. Wyłączyłam.

Ze wszystkich stron dobiegały stukoty, pochrząkiwania, chichoty. Poszłam do kuchni i usmażyłam jajecznicę, ale jej zapach wywołał tylko mdłości. Połknęłam pospiesznie kilka kęsów, a resztę odłożyłam dla psa. Sięgnęłam po plecak, żeby przynajmniej odrobić lekcje, nim ogarnie mnie przygnębienie. I wtedy trafiłam na kopertę. Aż zdziwiło mnie, że tak całkowicie o niej zapomniałam. Zanim zajrzałam do środka, uznałam, że byłoby to zbyt banalne, gdybym znalazła tam zeznania Olka. Parę razy przeciągnęłam palcami po zaklejonym brzegu, by chwila ułudy trwała dłużej. Jakoś nie wierzyłam, że znajdę tam coś miłego.

Wewnątrz było parę kartek ksero; jakieś wycinki, zapiski, okrągłe dziecinne pismo. Przekartkowałam i doszłam do wniosku, że to zeszyt w trzy linie, w jakim pisało się na początku podstawówki. Złożyłam kartki na pół i rzeczywiście; na pierwszej stronie, która w oryginale była okładką, widniał prostokącik, a w nim kaligraficznie wypisane imię i nazwisko. Ela Zabłocka, klasa IIIa. Przez długą chwilę zastanawiałam się, czy znam jakąś Elę Zabłocką z IIIa. Chciałam zastanawiać się jeszcze dłużej i chętnie robiłabym to przez co najmniej milion lat, ale od pierwszej chwili wiedziałam, czyj to zeszyt. Elki!

Nie miałam ochoty do niego zaglądać. Najchętniej włożyłabym go z powrotem do koperty i wrzuciła w najciemniejszy kąt. Minęło wiele minut, nim zdecydowałam się na jakieś działanie. Przerzuciłam kartki, nie zatrzymując wzroku na treści. Pragnęłam, by literki układały się w ładne zdania o jesiennych listkach i konikach z kasztanów. By kolorowe szlaczki oddzielały poszczególne lekcje. Ale w tym zeszycie nie było szlaczków. Do połowy zapełniały go wycinki z gazet; starannie wycięte i przyklejone, informowały o śmierci włóczęgi. Gazeta wychodziła w małym mieście, więc informacje były szczegółowe. Znaleziony w jaskini mężczyzna miał szereg ran na całym ciele. Większość powstała w wyniku upadku ze skały, chociaż nie wszystkie. Rany kłute wskazywały na użycie noża. No i fakt, że leżał w jaskini, a nie obok, świadczył, że nie mógł to być wypadek. Kolejne kartki, kolejne informacje o śledztwie, o poszukiwaniu krewnych, o pogrzebie na koszt miasta. Ostatnie przestrzegały mieszkańców przed zbrodniarzem, który nie został odnaleziony. Dalej następowała spowiedź dziecka, które przeżyło gwałt, było szantażowane i nie umiało zainteresować swoją krzywdą matki, więc wymierzyło karę samo. To nawet nie była kara, ale walka o godność. Zaczaiła się i zepchnęła stojącego na skraju przepaści mężczyznę. Dopiero chwilę później zdała sobie sprawę, że to nie ten.

Siedziałam z zeszytem na kolanach półprzytomna. Potem przeczytałam jeszcze raz i jeszcze, by znaleźć w tej opowieści inny, prostszy sens. Może to jakaś zabawa, zafascynowanie śmiercią, fantazja, nadmiar wyobraźni? Ale opis gwałtu był zbyt realistyczny, by mógł być wytworem wyobraźni.

Nie wiem, jak długo siedziałam w bezmyślnym odrętwieniu. W pewnej chwili zdziwiłam się, że wszystko we mnie drży. Wraz ze mną kołysał się cały pokój, a może i cały świat. A potem to co trwałe zaczęło pękać i rozpadać się na kawałki. Jeden wielki chaos. A więc to była ta tajemnica, którą tak bardzo chciałam poznać, a babcia i mama broniły mnie przed nią jak kwoki. O w mordę! Lepiej by było, gdybym pozostała nieświadoma. Miałam wrażenie, że sufit obniża się, a ściany wybrzuszają. Każdy atom pęczniał, a dla mnie zaczęło brakować miejsca. Skoncentrowałam się na walce z napierającymi głazami. Było coraz ciaśniej i duszniej. Musiałam stąd uciec.

Z odrętwienia wyrwał mnie dźwięk telefonu. Nie miałam ochoty odbierać, ale sygnał nie ustawał. Ruszyłam się wreszcie i podniosłam słuchawkę.

– Dostała królewna przesyłkę? – Znałam ten arogancki, chrapliwy głos. To był Tarwid. – Wiedziałaś o tym? Pewnie nie. Cóż za szokująca wiadomość, nie? A jak dowie się całe miasto, będzie zabawa! – śmiał się. – Morderczyni! Wariatka! Ludziom należy się od czasu do czasu odrobina atrakcji! Nie wiem, czy twoja babka to przeżyje. A tak się starała, żeby nikt nie wiedział! Prawie jej się udało. Zastanów się, zanim zrobisz głupotę! Jestem człowiekiem interesu i proponuję uczciwą wymianę, coś za coś. Ja nie chcę, żeby o moim synu ludzie mówili, że jest złodziejem, nawet jeśli nim jest, tak samo jak i ty nie chciałabyś, by wszyscy wiedzieli o tym, o czym my wiemy. Chyba się rozumiemy, nie?

Co czułam? Nic. Absolutna pustka. Jakieś chemikalia wchodzące w skład komórek nerwowych wprawiły mnie w stan błogiego odrętwienia. Z trudem odłożyłam słuchawkę. Odległość od ucha do aparatu była długa i kręta. Ze trzy razy próbowałam, nim trafiłam we właściwe wgłębienie.

Nie czułam złości do Tarwida. Rozumiałam, że dla niego niektórzy ludzie, tak jak i rzeczy, przeznaczeni są na straty. Nawet dziwiłam się, że nic się we mnie nie gotuje. Nie byłam zła na mamę, że pozwoliła, bym dowiedziała się w taki sposób. Nie czułam się ani zdradzona, ani oszukana, nic takiego nie czułam. Musiałam tylko stąd wyjść.

Spacerowałam do północy pustymi ulicami i nic mnie nie obchodziło; jakbym znalazła się w jakimś obcym świecie, gdzie nie ma ani nocy, ani dni, ani ojców, ani mam, ani babć, nikogo. Ani miłości, ani zaufania, a kłamstwo jest pustym dźwiękiem. Jest tylko pustka, a w niej ja. Usiadłam na ławce i poczułam dotyk psiego nosa. Nie byłam jednak całkiem sama. Zaczęłam płakać i poczułam, że boli mnie głowa.

Pies potrącał mnie nosem i szczekał ponaglająco. Miał rację, powinnam iść do domu. Ale którego? Gdy się podniosłam, pobiegł przodem, więc zwolniona z podejmowania decyzji powlokłam się za nim. Właściwie nawet lepiej, że do babci. Obudzę ją i spytam. Niech mi wyjaśni, niech powie, że to nieprawda. Gotowa byłam uwierzyć, niech tylko tak powie.

Nie miałam kluczy, a kundel ujadał coraz rozpaczliwiej. Zdecydowałam, że wejdę oknem, jeśli nie będzie zamknięte, oczywiście. Obeszłam dom i wdrapałam się po podmurówce. Na szczęście było uchylone. Zawadziłam o coś ostrego i usłyszałam chrzęst rozdzieranego materiału. Kurtkę szlag trafił. Po chwili byłam w środku. Po omacku dotarłam do kontaktu i włączyłam światło. Kundel omal nie zwalił mnie z nóg, bo wskoczył za mną i wielkimi susami pognał do łazienki. Poszłam za nim. Babcia leżała między sedesem a wanną. Jezu!

Poczułam, że mięknąmi nogi. Zdążyłam dojść do umywalki, opłukałam twarz i wtedy wróciła mi jaka taka przytomność. Spróbowałam dostać się do babci, ale nie miałam jak. Pociągnęłam ją za nogi, była bardzo ciężka, ale przynajmniej mogłam dotknąć jej twarzy. Odetchnęłam, była ciepła. Wydawało mi się, że będzie zimna, i to, że nie była, dodało mi otuchy. Zostawiłam ją i pobiegłam do pokoju. Telefon! Aparat leżał na podłodze. Słuchawka roztrzaskana była w drobny mak. Na podłodze walały się kartki ksero w trzy linie. Co tu się stało?

Wybiegłam przed dom.

– Pomocy! – wrzasnęłam w nocną ciszę.

Najbliższy dom oddzielony ogrodami wydawał się tak odległy. Kasprzakowa jest głucha, a śpi pewnie bez aparatu słuchowego. Zanim ją zbudzę, miną wieki.

Co powinnam teraz zrobić? Biec do telefonu przy poczcie? Budzić sąsiadów? Lecieć do Wilków? Wyobraźnia podsuwała mi obraz babci leżącej nie wiadomo jak długo na zimnej posadzce. Każde rozwiązanie wydawało się złe. W oddali zamigotały światła samochodu. Wybiegłam na ulicę i zaczęłam machać, ale kierowca najwyraźniej nie zamierzał się zatrzymać. Chyba nawet dodał gazu. O tej porze nie miałam co liczyć na inny. Wyszłam mu wprost pod koła, jak wariatka. Już w trakcie jego hamowania zdałam sobie sprawę, że mógł mnie zabić. Z oszołomienia zatkało mi uszy i nie słyszałam wyzwisk, którymi mnie potraktował.

– Potrzebuję pomocy! Moja babcia umiera! Do szpitala! – Miałam nadzieję, że wypowiadam słowa, a nie tylko je myślę.

Kierowca odepchnął mnie od samochodu.

– Od tego jest pogotowie! Jadę do pracy!

– Potrzebuję pomocy! – Złapałam go za rękaw. – Zapamiętałam pański numer i powiadomię jutro całe miasto, że nie udzielił pan pomocy umierającemu człowiekowi!

Byłam zdeterminowana. Nie pamiętałam ani jednej cyfry jego cholernego numeru, ale uwierzył.

– Dobra, tylko szybko!

Pobiegłam przodem i modliłam się, żeby nie wrócił do samochodu i nie odjechał. Żałosne jęki psa musiały zmiękczyć jego sumienie, bo szedł za mną, a w przedpokoju przejął inicjatywę. Wziął babcię na ręce i zaniósł do auta. Położyliśmy ją na tylnym siedzeniu i ruszył ostro. W książce przyjęć zapisali, że przyjechaliśmy za dziesięć pierwsza.

30

Babcia miała wylew. Ze szpitala znów odebrał mnie wujek Wilk. Wolałabym, żeby chociaż raz zrobiła to mama, ale jej nie było. Przez telefon komórkowy złapaliśmy ją w Warszawie; od razu ruszyła z powrotem, ale to przecież kawał drogi.

Ciotka uparła się, żebym została u nich, jakby opieka nade mną mogła cokolwiek zmienić w sytuacji babci. Rozumiałam, że robienie czegokolwiek było dla niej formą zapomnienia, więc pozwoliłam się przez jakąś godzinę niańczyć, ale gdy wujek zaczął rozkładać polowe łóżko, zbuntowałam się. Miałam dom, a nawet dwa, a w nich własne łóżka. To nie ja byłam przecież chora. Ostatecznie zgodziłam się, by Aśka i Julka poszły ze mną, chociaż i to było zbędne. Na rogu obie przeżyły moment wahania, gdzie iść. Wybrały mieszkanie mamy, jakby obawiały się, że w domu babci może już straszyć.

Nad ranem wiał wiatr i okiennice uderzały jak wtedy, gdy umarła Elka. Przebudziłam się i nie mogłam już zasnąć. Ubrałam się po cichu i wyszłam. Dziewczyny spały jak zabite.

Świtało, ale ulice były puste. Na werandzie domu babki czekał kundel. Nie mógł dostać się do środka, bo okna i drzwi były pozamykane; widocznie wujek był tu przede mną. Tym razem miałam klucz. Najpierw poszłam do kuchni, żeby nalać psu wody. Drzwi do pokoju babci zatrzeszczały, gdy je pchnęłam. Jednocześnie poczułam na nodze dotyk zimnego nosa i nie udało mi się powstrzymać okrzyku przerażenia.

Wróciłam do dużego pokoju i zebrałam z podłogi rozsypane kartki. Nie czytając, ułożyłam je według kolejności. Napotkałam wzrok czarnej Madonny; był zbyt smutny, bym mogła mieć nadzieję. Pomyślałam, że powinnam się pomodlić, ale nie pamiętałam żadnych świętych słów.

Zwiniętymi w rulon kartkami uderzałam bezwiednie o blat stołu. Pewnie przysłał je babci jako ostrzeżenie. Oszołomiła mnie myśl, że to przeze mnie wróciła do niej przeszłość. Mimowolnie wtrąciłam się w jakieś nieznane mi układy i chociaż pośrednio, ale ponoszę winę za to, co się stało. Jeezu! Ale przecież nie chciałam nawet znać tamtych spraw, one same wplątały się w moje życie. Przez ostatnie tygodnie poruszałam się w jakimś na wpół urojonym świecie, wszelkie działanie wychodziło gdzieś spoza mnie. Sny, które śniłam, materializowały się i nadawały kierunek działaniom, a ja tylko bezwolnie im się poddawałam. Chciało mi się płakać, ale nie mogłam wycisnąć ani jednej łzy. Rozwinęłam zmaltretowany rulon i zaczęłam czytać spowiedź Elki w nadziei, że znajdę wyjaśnienie tego, co się dzieje. Im dłużej czytałam, tym realniejszy stawał się dramat małego dziecka. Zrobiła to, a ja nie miałam jej nawet za złe. Rozumiałam ją, do diabła, rozumiałam. Niektóre fragmenty były nieczytelne i to akurat w miejscach, gdzie pojawiało się imię albo inne określenie gwałciciela. Elka musiała go znać, ale z jakiegoś powodu zatarła ślady, po których można by go rozpoznać. Brakowało też odbitki ostatniej strony, bo relacja kończyła się nieskładnie. Było to dość dziwne, zważywszy, że wcześniejszy bieg przyczyn i skutków był nad wyraz logiczny i przejrzysty. Może zaczynała zapadać w ów stan odrętwienia, spowodowanego szokiem, z którego już się nie wygramoliła? A może Tarwid znalazł się w posiadaniu tylko fragmentu pamiętnika? Jakim w ogóle cudem trafił w jego ręce? Przyszło mi do głowy, że może nie Elka, ale on dokonał korekt. Szantażował babcię, trzymał ją w ciągłej niepewności. Dla zabawy? Wyobraziłam sobie jej strach przed tym, że któregoś dnia ludzie dowiedzą się prawdy o tym, co zrobiła Elka. I nie będą zgłębiać powodów, tylko osądzą sam czyn.

Szał ogarnął mnie nagle i nawet nie próbowałam mu się opierać. Zaczęłam na chybił trafił otwierać szuflady i wywalać ich zawartość na podłogę. Pootwierałam szafy i wyrzucałam wszystko na środek pokoju. Szukałam czegoś... czegokolwiek... jakiegoś wyjaśnienia. Nie znalazłam niczego.

Potem, podobnie jak po przejściu burzy następuje łagodna cisza, tak i mnie opuściła furia, pozostawiając pustkę i zmęczenie. Usiadłam na stercie babcinych ubrań i dopiero gdy smarki dosięgły brody, zorientowałam się, że płaczę. W pewnym momencie zrozumiałam prostą prawdę o życiu: ludzie dzielą się na ofiary i gnębicieli, oszustów i oszukiwanych, zupełnie jak w tych podwórkowych zabawach, gdzie jedna grupa ucieka, a druga ją goni. Te gonitwy były lekcją życia, a problem polega tylko na tym, do której grupy dam się wepchnąć. Wiedziałam już jedno: życie nie jest na tyle łaskawe, by dać mi możliwość przyglądania się sobie z boku.

Mama przyjechała rano. Babcia wciąż była nieprzytomna. Zapamiętałam labirynty korytarzy, zielone drzwi, za które nie wolno wchodzić, ławkę z napisem wyskrobanym szpilką: Boże, dopomóż! Lekarz w błękitnym kitlu oznajmił, że trzeba czekać. Na co? Jego mina mówiła więcej niż słowa. Robią, co mogą, ale nie należy oczekiwać zbyt wiele. Mamę znali tu wszyscy, lekarz był jej szkolnym kolegą. Nie było potrzeby naciskać. I tak wiadomo, że wykorzystają każdą możliwość.

Siedziałyśmy z mamą najpierw na szpitalnym korytarzu, a potem w swoim mieszkaniu. Czekałyśmy w milczeniu, bo żadne słowa nie przechodziły przez gardło. Ciszę zagłuszałyśmy głosami z telewizora. Dwóch bufonów kłóciło się zajadle o mało istotne sprawy. To, co mówili, było płytkie i bez znaczenia. W kieszeni swetra bez przerwy miętosiłam poskładane w kostkę kartki. Mama zaciskała i rozprostowywała dłonie. Bezwiednie poruszała ustami, pewnie się modliła.

Zadzwonił telefon, ale to tylko z redakcji.

Czekałyśmy, czekałyśmy. Od czasu do czasu wpadał ktoś od Wilków. Czekałyśmy, cały czas mając nadzieję. Na każdy ostrzejszy dźwięk reagowałyśmy jednoczesnym zerknięciem na telefon. I zadzwonił. Długim, smutnym, płaczliwym sygnałem, który powiedział nam wszystko. Gdy mama podniosła słuchawkę, już wiedziała, co usłyszy. Przyjęła informację spokojnie, bez histerii.

– Tak, rozumiem, już jadę!

W pierwszej chwili miałam nawet do niej żal o to opanowanie. Odpowiedziała, jakby miała odebrać list z poczty, ale gdy odłożyła słuchawkę, usiadła na pufie i zaczęła płakać.

– Nie zdążyłyśmy sobie niczego wyjaśnić... Miałam nadzieję, że nadejdzie taki moment, że będzie chciała mnie wysłuchać... Nie chciała... Miała swoją prawdę i swoje racje, ale nie chciała uznać moich... Czasami nienawidziłam jej za to, pragnęłam, by umarła i przestała mnie winić za Elkę... a teraz nie wiem, czy będzie mi choć odrobinę lżej... Umarła. To tak, jakby jej racja zwyciężyła, bo moja i tak nie ma już teraz znaczenia...

– Ma! – powiedziałam. – Dla mnie! Powiedz mi o tym!

– Nie!

Odsunęła się ode mnie. Zaczęła przetrząsać torbę w poszukiwaniu kluczyków od samochodu. Wisiały na haczyku przy drzwiach. Zdjęłam je i podałam razem ze zwitkiem wymiętoszonych kartek wyciągniętych z kieszeni. Musiała je znać, bo ledwo rzuciła okiem, już wiedziała, co to jest.

– Skąd to masz? – spytała zdławionym głosem.

– Tarwid mi podarował! – Nie wiem, czy bardziej pragnęłam się poskarżyć, czy raczej wywołać w niej poczucie winy.

– Drań! – usłyszałam. – Zapłaci mi za to!

W ostatniej chwili powstrzymałam się przed wyjawieniem, że Tarwid wysłał je również babci. Skoro nie wiedziała, lepiej, żeby na razie tak pozostało. Już się przekonałam, że nie każda prawda potrzebna jest człowiekowi do szczęścia.

Potem czas przyspieszył, jakby chciał nadrobić zaległości. Wszystko działo się równocześnie i jakby obok. Przygotowaniami do pogrzebu zajęły się Wilki, mama ciągle gdzieś znikała, za to Adaś cały czas był w pobliżu. Potem pogrzeb; ta sama kaplica i organista, i anioły uśmiechające się pocieszająco. Skupiałam się na poszczególnych czynnościach, usiłując nie rozpamiętywać okoliczności, które do nich doprowadziły, ale myśli wielkie i ciężkie zbierały się wewnątrz czaszki i pęczniały, rozrywając mi głowę. To było nie do wytrzymania. Przed szaleństwem uchronił mnie Cylak. Podszedł po pogrzebie i spytał:

– To jak będzie z moją sprawą? Chyba nie zapomniałaś?

– Nie bój się! Nie zapomniałam! – powiedziałam ze złością, bo choć wiedziałam, jak powinnam postąpić, nie wiedziałam, czy się odważę. Zbyt szybko komplikowało się moje życie.

Mama unikała mnie; przez ostatnie dni nie znalazła chwili, by ze mną porozmawiać. Była w jakimś transie, niby uczestniczyła we wszystkim, ale myślami przebywała gdzie indziej. Czasami marszczyła brwi, jakby sobie coś przypomniała, i zapisywała to w notesie. Wychodziła, wykonywała telefony. Nawet podczas pogrzebu dojrzała kogoś w tłumie i na tamtej twarzy skoncentrowała uwagę. Po ceremonii zostawiła mnie i pobiegła za tym kimś. Uciekłam od ludzi, którzy mi współczuli. I nie chciałam oglądać mamy. Prosto z cmentarza poszłam w góry. Nawet nie zmieniłam butów. Nie zamierzałam iść daleko, tylko tam, gdzie będę mogła wywrzeszczeć swój gniew.

Suche liście przy każdym kroku szeleściły różnymi tonami, brzmiało to jak śmiech. Ktoś gdzieś się ze mnie naigrawał i słyszałam to aż tutaj. Wiatr wiał prosto w twarz i z trudem posuwałam się naprzód. Powinnam zawrócić, bo obcasy grzęzły między kamieniami i co chwila traciłam równowagę, ale nie zawróciłam. Potrzebowałam chwili samotności, ale jak na złość kręciło się mnóstwo ludzi. Zboczyłam ze szlaku i po kilkudziesięciu krokach wyszłam na otwartą przestrzeń. Odetchnęłam głęboko i przeszłam jeszcze kilka metrów. Powiało mocniej, a kamień, spod którego wyrwałam obcas, stoczył się z łoskotem i z paroma innymi zniknął mi gwałtownie z oczu. Uświadomiłam sobie, że stoję na krawędzi urwiska, a silniejszy podmuch może mnie z łatwością strącić w przepaść. Kamienie były mokre i musiałam wytężyć wszystkie siły, by nie ześliznąć się jeszcze niżej, gdzie stromizna była większa. Miałam do pokonania ze dwadzieścia metrów, by dotrzeć do zarośli, których mogłam się przytrzymać. Trwało to całe wieki. Nawet nie byłam przerażona, przeciwnie, walka z okręcającymi się wokół nóg podmuchami napełniała mnie dziką radością. Ostatnie metry pokonałam na czworakach. Gdy wreszcie uchwyciłam się gałęzi, zamiast odetchnąć, zaczęłam wyć, z furią, jak zwierzę. I nie mogłam sobie przypomnieć, co zrobić, żeby przestać. A później, ni z gruszki, ni z pietruszki, roześmiałam się. Ogarnęło mnie uczucie lekkości, jakby tam na skale wiatr wywiał ze mnie lęki tkwiące we mnie latami.

– Idiotka! – usłyszałam za plecami. Odwróciłam się i zobaczyłam grupę turystów przyczajonych za zaroślami. Pewnie byli świadkami mojej niedawnej walki i ataku histerii. – Śmierci dziewczyno szukasz?

Pociągnęłam nosem, resztę gila wytarłam w rękaw i pokręciłam głową. Śmierci nie muszę szukać, bo mam jej wokół aż nadto.

– W takich butach w góry! – wydziwiała paniusia w lisach. Ona miała na nogach adidasy. Popatrzyłam na swoje lakierki; w jednym urwał się obcas.

Uświadomiłam sobie, że byli tutaj cały czas, przyglądali się i nikomu z nich nie przyszło do głowy, żeby mi pomóc. Gdyby wiatr był silniejszy, pozostałabym w ich pamięci jako ponadprogramowa atrakcja wczasów spędzonych w górach. Opowiadaliby o mnie znajomym, otwierając w chwili największej emocji nową paczkę chipsów. Nie miałam im tego za złe, ale cieszyłam się z ich rozczarowania.

Gdy udało mi się dotrzeć do domu, nogi miałam jak z gumy. Dygotałam. Liczyłam, że mama nadal jest u Wilków; lepiej, by nie widziała mnie w takim stanie.

Otworzyłam drzwi i już w przedpokoju wyczułam zapach obcego człowieka. Do tej pory sądziłam, że węch to domena zwierząt, lecz w tym momencie przekonałam się, że sama też posiadam ów zmysł. Może spowodował to niedawny szok, ale wyraźnie czułam obcy zapach. To nie był pies ani smród z wiadra na śmieci, których nikt nie wyrzucał od kilku dni. Smuga była wyraźna, niemal widoczna i zostawił ją człowiek.

Drzwi do pokoju mamy były uchylone i zrobiło mi się słabo na myśl, że ktoś tam jest. Znieruchomiałam. Przestałam oddychać, a wyostrzonymi zmysłami penetrowałam przestrzeń za drzwiami. Gdyby tam ktoś był, wiedziałabym. Nic. Cisza. Najmniejszego ruchu. Poza zapachem nie było w powietrzu niczego innego. Otworzyłam szerzej, ale minęło jeszcze sporo czasu, nim zajrzałam. Gotowa byłam do ucieczki, gdyby drgnął bodaj jeden atom. Nie było nikogo, pozostał tylko gorzki odór czyjegoś potu. Przypomniał mi się Tarwid.

Nie było nawet dużego bałaganu; przestawione krzesło, odsunięta szuflada, komputer zsunięty na brzeg biurka. Rejestrowałam każdy szczegół, choć przechodziły mnie ciarki na myśl, że ktoś tu niedawno był i mogłam nadejść w chwili, gdy grzebał w rzeczach mamy. A może jeszcze gdzieś tu jest? Dom jest przecież duży... Nogi ugięły się pode mną. Z trudem wycofałam się do drzwi wyjściowych. Oddech złapałam dopiero na ulicy. Spróbowałam wziąć się w garść. Prawdopodobnie było włamanie i powinnam zawiadomić policję. Nie, najpierw mamę! Niech ona decyduje, co robić. Nie miałam sił biec do Wilków. Zadzwoniłam od sąsiadki.

– Mamo, mamy problem! Możesz zaraz przyjść? Ktoś się włamał do mieszkania! Przyjedź jak najszybciej!

Wróciłam pod dom i usiadłam na krawężniku. Przez siedem i pół minuty podziwiałam malownicze strzępy rajstop na swoich nogach, a potem zatrzymał się przy mnie samochód.

Mama wezwała policję.

– Czy coś zginęło? – Nowakowski przyglądał się nam niechętnie.

– Nie, chyba nie! – Mama w pośpiechu przejrzała co wartościowsze rzeczy. Potem nerwowo przerzuciła swoje dyskietki. – Owszem, wszystkie notatki do sprawy, którą się zajmuję!

– Co to za sprawa?

– Niestety, tej informacji nie mogę udzielić!

– Czyli nie zginęło nic cennego! – upewnił się policjant.

– Zależy, co się uważa za rzecz cenną!

Potem spisywali protokół w tysiącach egzemplarzy, kazali je mamie podpisywać, a ona była tak zdołowana, że usiadła z ramionami zwieszonymi między kolanami i siedziała tak nadal, gdy policjanci wreszcie poszli.

– Co to było? – spytałam.

– Kilka miesięcy pracy!

– Miało coś wspólnego z Tarwidem?

– Między innymi... Znalazłam dowody, że supermarket zbudowany został z naruszeniem prawa. Od początku do końca to wielki szwindel!

Zrobiło mi się zimno. A więc nie myliłam się, był tu Tarwid. Chyba pomyślałyśmy o tym samym, bo spojrzałyśmy na siebie równocześnie i w tym samym momencie każda odwróciła wzrok, udając, że ta myśl wcale się nie pojawiła.

Siedziałyśmy w jednym pokoju, ale w odrębnych przestrzeniach; obok siebie, rozdzielone murem milczenia. Przynajmniej ja odbierałam to, co się między nami działo, jako oddalenie. Mama miała inne zmartwienia, ale tak czy owak, dla mnie nie było chyba miejsca w rozległych przestrzeniach jej myśli.

Musiałam to zrobić.

– Czy przed ojcem też to ukrywałaś? – spytałam.

Spojrzała na mnie nieprzytomnie. Jednym okiem patrzyła w moim kierunku, drugim nadal na ekran komputera. Jeszcze miała nadzieję, że to nic ważnego i dam jej spokój. Ani mi się śniło. Zbyt często dawałam jej spokój. Teraz był potrzebny mnie.

– Czy ojciec dowiedział się w taki sam sposób jak ja? Dlatego odszedł? – wyrzuciłam z siebie jednym tchem. Było mi niedobrze od nadmiaru emocji. Nie mogłam dłużej znieść milczącego skrywania prawdy i osłaniania jej warstwami mijających dni. Nie mogłam dopuścić, by sprawy bezpośrednio mnie dotyczące obrastały niedopowiedzeniami, które przecież i tak niczego nie zmienią. Chciałam to mieć za sobą.

Odwróciła się i spojrzała mi prosto w oczy.

– Nie! Nie dlatego!

22. O melba!

Zadzwonił telefon. Podniosła słuchawkę, zapisała coś i odłożyła ją delikatnie. Obserwowałam jej ruchy wyczekująco.

– Wiedział od samego początku. Powiedziałam, bo bałam się, że i tak się kiedyś dowie. Myślałam, że najlepsza jest uczciwość. Wierzyłam, że ludziom trzeba mówić prawdę, szczególnie najbliższym. Myliłam się. Nie zdawałam sobie sprawy, jak bardzo go przeraziłam. Nie każdy jest dość silny, by dźwigać taki ciężar. Nie odszedł wtedy, bo też chciał być uczciwy. Obiecał małżeństwo, więc się ożenił. Dopiero po jakimś czasie zdałam sobie sprawę, w jakim żył stresie. Obserwował mnie ukradkiem... Może wyobrażał sobie, że zadźgam go w nocy, gdy przyśni mi się zły sen... Z roku na rok stawał się coraz bardziej sztywny, poprawny, odległy. Ten związek nie mógł potrwać długo. Nie chciał dziecka, a gdy uparłam się i urodziłam ciebie, jego strach stał się dubeltowy. Rosłaś, a on obserwował twoje reakcje i zaczęłam żałować, że powiedziałam mu o Elce. Postanowiłam, że drugi raz nie popełnię tego błędu i tobie nie powiem. Na wypadek gdybyś okazała się słaba, jak twój ojciec!

Telefon zadzwonił ponownie. Posłuchała chwilę i odłożyła słuchawkę.

– Pamiętaj, że w tym, co się stało i dzieje się nadal, nie ma ani odrobiny twojej winy, ale tkwisz w tym po uszy, jak babcia i ja, i chcesz czy nie chcesz, musisz sobie z tym poradzić, bo inaczej zwariujesz!

Wstała, włożyła kurtkę i wyszła, a ja siedziałam jak ogłuszona. Boże, jaki ten świat gówniany!

Z okruchów chaotycznej rzeczywistości układał się powoli jasny i zrozumiały obraz. Ojciec chciał, żebym była inna. W połowie któregoś oddechu pojęłam, że gdybym nawet stała się inna, i tak by mnie nie kochał. Nie chciał nawet, żebym się urodziła. Zbrodnia Elki przekreśliła moje szanse. Dla niego byłam kontynuacją chorego szczepu z morderczym genem. Wierzył w biologiczne prawo dziedziczenia. Z historii Elki zrozumiał tylko tyle, że była zdolna do przerażającego czynu. A jeśli ona, to do tego samego może być zdolna jej bliźniacza siostra, a nawet kolejne pokolenie, czyli ja. Nie chciał mnie, a skoro już byłam, mścił się na mnie za swój strach. Musiał być śmiertelnie przerażony, gdy widział, co robiłam z mrówkami, motylami, a w końcu z jego chomikiem.

Zdumiało mnie, jak z każdym uderzeniem serca wszystko się w moim umyśle rozjaśnia. Zdarzenia ostatnich tygodni dostarczyły odpowiedzi na pytania, które dręczyły mnie przez całe świadome życie. Właściwie powinnam być wdzięczna Olkowi i Cylakowi, i Tarwidowi za zamieszanie, jakie wnieśli w mój pozornie uporządkowany świat.

Poczułam się dziwnie, jakbym ja, ta prawdziwa, stała obok siebie takiej, jaką kazano mi być. Zerknęłam do lustra, niemal pewna, że zobaczę podwójne odbicie. Było jedno. Ciekawe której?

31

Z samego rana poszłam do dyrektora. Spojrzał na mnie z nadzieją, gotów postawić dużą flaszkę coli, gdyby usłyszał to, czego pragnął. Niestety, zawiodłam go. Nawet nie był specjalnie zły. Przejechał palcem po terminarzu i wbił paznokieć w jutrzejszą godzinę piętnastą.

– Coś jeszcze? – spytał i poczułam się zbędna. Zaprzeczyłam.

Był zmęczony i nie chciało mu się okazywać swego rozczarowania w inny sposób. Zwyczajnie mnie olał i dwoma słowami wykopał za drzwi. Skłoniłam się uprzejmie i wyszłam.

Wieść rozeszła się w ciągu godziny.

Tego dnia nauczyłam się pierwszego prawa Ohma, przyczyn drugiego rozbioru Polski, zastosowania alkolidów i nawet zrozumiałam ilustrowaną cyframi opowieść matematyka. Na wuefie wrzucałam piłki do kosza jak automat. Pod koniec trzeciej lekcji zorientowałam się, że nikt ze mną nie rozmawia. Zdania pobrzmiewały wokół, ale żadne nie było skierowane bezpośrednio do mnie. Nie to, żeby na mój widok zapadało kłopotliwe milczenie, ale omijali mnie w odległości przynajmniej metra. Gdziekolwiek się pojawiałam, stawali bokiem, dając do zrozumienia, że rozmowy, które wiodą, z pewnością mnie nie zainteresują. Zaczęłam się zastanawiać, czy nie śmierdzę. Nawet Aśka była lekko oficjalna. Nie miałam jej tego za złe; przecież w razie czego ja mogę wyjechać, ona nie. Coraz większe natomiast zdziwienie budził fakt, że nie odczuwam z powodu tej sytuacji żadnej przykrości czy zakłopotania, raczej lekkie podniecenie; łagodny dreszcz łaskotał po brzuchu. Przestrzeń, jaką mi ofiarowali, napełniała radością. Mogłam poruszać się swobodnie, bez przepychania i potrącania. Kurczę, czułam się fajnie!

Na dużej przerwie poszłam do radiowęzła. Rudy chłopak bez słowa podał mi mikrofon.

– Tylko krótko! – pouczył, zanim nacisnął odpowiedni guzik.

– Zamiast muzyki chwila rozrywki! – zapowiedział i uniósł kciuk. Przez moment myślałam, że to gest aprobaty, ale chodziło mu tylko o to, kiedy mam zacząć.

Musiałam się skoncentrować, by w paru słowach powiedzieć wszystko, o co mi chodziło. Nie zamierzałam nikogo przekonywać, niech sami się męczą.

– W związku z posiedzeniem rady pedagogicznej w sprawie Cylaka proszę tych, którzy wiedzą, jak sprawy się mają, o pojawienie się przed szkołą jutro o godzinie piętnastej. Niczego więcej nie oczekuję. Dzięki!

Poszło jak po maśle. Sama sobą byłam zdziwiona. Wychodząc, puściłam do Rudego oko; niech myśli, że ten występ to dla mnie normalka. W rzeczywistości chlupotało mi w butach od ściekającego potu. Nie pamiętałam ani jednego słowa z tych, które przed chwilą puściłam w eter. Mogłam mieć tylko nadzieję, że nie powiedziałam nic głupiego.

Tak czy owak, odległość między mną a resztą wzrosła od tego momentu do półtora metra.

W szatni zatrzymała mnie woźna. Pociągnęła za rękaw, mrugnęła znacząco i wskazała drzwi swego kantorku. Weszłam, bo i tak w naszym boksie był tłok. Spieszyli się jak nigdy. Deptali sobie po piętach, żeby zerwać z haka kurtkę i wybiec ze szkoły. Ciekawe, czy bardziej gnał ich do domów głód, czy obawa, że o coś poproszę. W tej sytuacji wolałam wdać się w pogawędkę z władczynią szkolnych podziemi, by zwolnili tempo i nie powybijali sobie zębów.

Woźna zamknęła za mną drzwi, upewniła się, że nikt nie podsłuchuje, i ściszonym głosem wtajemniczyła w sprawy poufne. Okazało się, że wczoraj nauczyciele odbyli nieformalną naradę. Próbowali ustalić wspólną linię działania, gdyby rzeczywiście do czegoś doszło.

– Ale się żarli! Siedzieli do późnego wieczora. Dyrektor wyszedł i trzasnął drzwiami, a przedtem wrzeszczał, że tych, co cię poprą, wywali z pracy. Najbardziej kłócili się o to, jak mają głosować: na kartkach czy ręka w górę. Jak przez podnoszenie, to będą się bali, ale jak na kartkach, to więcej jest tych, co chcą młodego wyrzucić ze szkoły. Przecież o tych zepsutych rzeczach wiedzą, kto je niszczy, ale boją się o robotę i dlatego siedzą cicho!

Wysłuchałam posłusznie wszystkiego, co chciała mi powiedzieć, i nie mogłam zdecydować, czy jej rewelacje są dla mnie pomyślne. Uznałam, że raczej nie. Jeśli problem Olka jest powszechnie znany i dotąd nie wzbudził niczyjego sprzeciwu, tym gorzej dla mnie. W końcu to żadna odwaga poprzeć mnie anonimowo w tajnym głosowaniu. Gdy będą zmuszeni wypowiedzieć się otwarcie, to dupa blada.

Woźna w końcu umilkła, zawahała się, a po krótkiej pauzie dodała to, co naprawdę leżało jej na wątrobie:

– Może lepiej dać spokój. Olek za parę miesięcy zda maturę i pójdzie stąd w diabły. Wtedy wszystko wróci do normalności!

No tak, mogłam się domyślić, że nie konwersuje ze mną ze zwykłych nudów. Ciekawe, czy to wynik jej własnych przemyśleń, czy sugestia pochodziła z innych źródeł?

Uśmiechnęłam się w podzięce za radę i mile spędzony czas. Szatnia zdążyła opustoszeć. Zerwałam kurtkę z haka i uciekłam. Miałam nadzieję, że na zewnątrz owieje mnie wiatr i przywróci poczucie siły i chęci zrobienia czegoś szalonego. Nie wróciło. Z każdym krokiem czułam się gorzej. Normalność? Cholera!

Do domu szłam sama.

Mama przyjechała wcześniej, niż zapowiedziała. Ledwo weszła, zadzwonił telefon. Myślałam, że do mnie, ale nie. Wzięła słuchawkę z ociąganiem. Początkowo słuchała uważnie, ale z każdą chwilą jej twarz wykrzywiał grymas. Odsunęła słuchawkę od ucha i patrzyła na nią z obrzydzeniem. Nic dziwnego, brzęczało stamtąd odległą wściekłością. Gdy otrzymała prawo głosu, powiedziała tylko: – O la la! – i odsunęła się od aparatu. Przyciągnęła nogą krzesło i usiadła wygodnie. Nie przejmowała się zbytnio racjami wywrzaskiwanymi przez rozmówcę.

– Mówiłeś, że jesteś moim przyjacielem! – wtrąciła w pewnej chwili. – Więc dlaczego na mnie wrzeszczysz, zamiast robić to, co do ciebie należy?

Tamten jakby przycichł, ale nadal jego głos był pełen pretensji i własnych racji. Podsłuchiwałam bez żenady.

– Przestań chrzanić, bo cię wyłączę! Gówniany z ciebie dziennikarz. Powiedziałam ci, co masz robić, dałam jak papkę niemowlakowi. Mogłeś z tego zrobić dużą rzecz, ale się zestrachałeś! Może i byliśmy przyjaciółmi, ale już nie jesteśmy. Żeby ci ułatwić, powiem, że jesteś dupkiem. Możesz powołać się na to, gdy będziesz wyrzucał mnie z pracy. Gwiżdżę na to!

I żeby nie pozostać gołosłowną, gwizdnęła z całej siły w słuchawkę; tamtemu musiały włosy stanąć dęba. Potem ją spokojnie odłożyła i dopiero wtedy na mnie spojrzała.

– Poszło o Tarwida? – spytałam.

Rozłożyła ręce i skinęła głową.

– Wiem, że chcesz tu zostać, więc robiłam wszystko, by go nie tykać, ale za cokolwiek się wzięłam, zawsze trafiałam na jego świństwa. To miasto jest jak jeden wielki szalet. Gdzie wetkniesz rękę, ubrudzisz się. Gdzie powąchasz, cuchnie Tarwidem. Ze względu na mamę i ciebie zostawiałam rozpaprane sprawy, ale i tak mu się naraziłam. Zemścił się, wysyłając ci zeszyt Elki!

Otworzyłam usta, by wyjaśnić, że to nie tak, ale zastanowiło mnie coś innego.

– Wiedziałaś o jego istnieniu? – spytałam.

– Taaak! – Przeciągnęła sylabę, jakby jeszcze teraz miała zamiar się wycofać albo coś ukryć. – Ale nie chciałam, żebyś ty wiedziała. Skoro jednak wiesz, nie mam już czego się bać. Tarwid nie będzie mi dyktował, co mogę robić, a czego nie. Przez trzydzieści lat szantażował moją matkę i zmienił jej życie w piekło. Przy okazji i moje. Napisałam ten artykuł, ale tutaj się nie ukaże, słyszałaś! Ani ten, ani żaden inny, bo tutejszym cenzorem jest wiadomo kto. Od następnego miesiąca przenoszę się do Krakowa. Dostałam tę propozycję jakiś czas temu, ale nie chciałam znowu zostawiać cię tutaj samej. Teraz sytuacja wygląda inaczej... A ty co postanowiłaś?

Przełknęłam ślinę i powiedziałam, że chyba to zrobię, chociaż nie jestem do końca pewna samej siebie. Kiwnęła głową ze zrozumieniem i włączyła kuchenkę mikrofalową. Na obiad jadłyśmy podgrzewane świństwa i opowiadałyśmy o swoich przemilczeniach z ostatnich dni. Nie o wszystkich, ale i tak był to niezły początek nowej znajomości.

– Jeśli to zrobię, Tarwid ujawni pamiętnik Elki! – wydusiłam z siebie przy zmywaniu.

– Wiem – powiedziała bez emocji, podając mi sztućce do wycierania. Włożyłam wiele energii w to, żeby lśniły. Obserwowała moje wysiłki z uwagą, a gdy wreszcie odłożyłam ostatni widelec, dodała: – Nie oczekuj, że podejmę za ciebie decyzję! Cokolwiek zdecydujesz, zrozumiem i będę po twojej stronie.

Nie odczułam ulgi. Byłoby mi lżej, gdyby powiedziała: Zrób to, bo ja bym zrobiła! albo: Odpuść, bo co komu to da? Przez parę dni ludzie będą udawać, że zapomnieli, a potem zapomną naprawdę. A to, co zrobiła Ela, utkwi im w pamięci na zawsze!

Nic jednak nie powiedziała, tylko położyła się, nakryła kocem i po paru minutach spała.

Zostawiłam ją i poszłam się poszwendać. Poza wszystkim, co miałam na głowie, martwiłam się jeszcze o kundla. Od pogrzebu babci gdzieś się zapodział. Naszego mieszkania nie zaakceptował, a dom babci zamknięty był na cztery spusty, bo mama nie miała czasu na podjęcie decyzji o przeprowadzce. W szopie, do której nosiłam jedzenie, też rzadko się pokazywał. Liczyłam, że spotkam go na mieście i namówię do powrotu.

Nogi poniosły mnie w stronę dworca, machinalnie, bez żadnego pomysłu. Dopiero gdy usłyszałam gwizd lokomotywy, przyszło mi do głowy, by pojechać do ojca i spytać o jego prawdę. Nagle stało się to dla mnie ważne; zanim zacznę wtrącać się w czyjeś życie, powinnam zacząć rozmawiać o swoim.

Przez halę dworcową przelewały się tłumy nowych turystów. Ich entuzjazm utwierdził mnie w przekonaniu, że muszę jechać, pogadać i wyjaśnić raz na zawsze wątpliwości. Nie zajmie mi to wiele czasu; dwie godziny w tę, godzinę u niego, dwie z powrotem, przed nocą wrócę. Może on ma inne wyjaśnienie swego lęku, swojej do mnie niechęci. Niewykluczone, że niemiłe wspomnienia nałożyły się na siebie i utworzyły w wyobraźni fałszywy obraz dzieciństwa. Może wszystko sobie wymyśliłam i tak naprawdę nie istnieje żadna, najcieńsza nawet nić łącząca mnie z całym tym zakurzonym syfem sprzed lat. Gdyby tak było, mogłabym wypuścić z siebie powietrze i odetchnąć.

Przy okazji spytam, czemu nie przyjechał na pogrzeb babci.

Przed kasami stało sporo ludzi. Wybrałam najdłuższą kolejkę.

– Dokąd się wybierasz?

Adaś jak duch wynurzył się z czeluści dworcowego sklepu. Przed sobą ściskał torbę pełną bułek i czegoś tam, a drzwi przytrzymywał nogą. Zdziwił się na mój widok. Jak zwykle.

– Do ojca! Muszę go o coś spytać!

– Nie łatwiej przez telefon?

– Nie!

Wzruszył ramionami, oparł się o ścianę i gryząc suchą bułę, przyglądał mi się z ponurą miną. Podobało mi się to zatroskanie w jego oczach.

– Słyszałem, że jutro masz przedstawić wniosek w sprawie Cylaka! – powiedział, siląc się na obojętny ton.

– Zdążę wrócić! – zapewniłam. – Wyliczyłam sobie!

W odpowiedzi tylko prychnął.

Dotarłam do kasy i poprosiłam o bilet do Lublina. Pięćdziesiąt trzy złote, usłyszałam. Aż tyle? Na powrotny będę musiała pożyczyć od ojca.

– Masz pojęcie? Ulgowy kosztuje pięćdziesiąt trzy złote! To rozbój! – poskarżyłam się, skoro tu był.

Wzruszył ramionami. Chyba mi nie współczuł. Pociąg miałam dopiero za pół godziny. Weszliśmy do dworcowego baru. Adaś pewnie chciał sprawdzić, czy naprawdę pojadę. Wzięliśmy colę na spółkę. Przy sąsiednim stoliku bujała się na krześle mała dziewczynka. Odruchowo zerknęłam pod stół na jej nogi, niemal pewna, że zobaczę czerwone tenisówki. Zauważyła moje spojrzenie i pomachała zwykłymi brudnymi adidasami. Potem wgapiała się już we mnie otwarcie, tak jak potrafią tylko małe dziewczynki. Poprosiła o coś mamę, ta skinęła na kelnerkę i po chwili stanął na stole ogromny puchar bitej śmietany. Na szczycie góry leżała czerwona wisienka. Mała spojrzała na mnie spod równo przyciętej grzywki i mrugnęła znacząco. Zachłysnęłam się colą. Jeeezu! Jestem chyba stuknięta. Adaś coś do mnie mówił, ale słuch mogłam włączyć dopiero po chwili.

– ... życie składa się z tego, co zrobiliśmy, i z tego, czego nie zrobiliśmy, choć mieliśmy szansę!

To pewnie było o mnie. Nie miałam ochoty słuchać Adasiowego mendzenia. Smarkuli sprawiało wyraźną przyjemność ściąganie mojego wzroku. Nie wiem, które z nich bardziej mnie wkurzało.

– Patrzcie, jaki mądrala! – Łatwiej mi było napaść na Adasia. – Gdzie to wyczytałeś? W poradniku dla nastolatek? Pilnuj swoich spraw, bo masz kilka niezałatwionych!

Odwróciłam się i patrzyłam przez okno na ulicę.

– Jest masa ludzi, którzy cię poprą! – powiedział cicho, jakby sam w to nie wierzył. Rysy twarzy ściągnęły mu się i wyglądał naprawdę interesująco. Zrobiło mi się przykro, że gdy zawiodę, nie będzie mnie już lubił.

Znowu usiadłam tak, by zerkać na sąsiedni stolik. Mała ryła łyżeczką tunele w kremie. Wisienka wciąż tkwiła na czubku góry. Spojrzałam Adasiowi prosto w oczy.

– Mówisz, że wielu mnie poprze? A ja ci mówię, że nikt nie kiwnie palcem! Nie mam ani dowodów, ani świadków! Tarwid zetrze mnie w proch, nim zdążę otworzyć usta! Zakład?

– Gadasz, jakby cię przestraszył albo przekupił.

– Może i tak było! – zgodziłam się.

– Jak?

Przytrzymał mnie za rękę. W tym momencie megafon wychrypiał wiadomość o moim pociągu. Zerwałam się, zawołałam „cześć" i wybiegłam. Kątem oka zarejestrowałam kolisty ruch łyżeczki w rozbabranym kremie, błysk metalu nad krawędzią naczynia, pacnięcie w trzonek i strumienie białej brei lecące na wszystkie strony. Nawet niespecjalnie się zdziwiłam, że wisienka pofrunęła w moim kierunku i dosięgła mnie. Trafiony zatopiony. Zsunęła się po kurtce, upadła na posadzkę, a ja nie dałam rady zrobić większego kroku i nadepnęłam na nią. Gdy oderwałam but, na podłodze została czerwona plama. Pomyślałam, że wygląda jak krew. Wybiegłam, nie oglądając się za siebie.

Nie wiem, w której sekundzie zdecydowałam nie jechać. Po prostu zrobiłam krok i wiedziałam, że nie wsiądę do pociągu. Weszłam do dworcowego kibla i zmyłam plamę z kurtki. Robiłam to bez pośpiechu. Nie chciałam, żeby Adaś miał radochę. Niech odejdzie zawiedziony, rozczarowany mną, przekonany, że pojechałam.

Pociąg ruszył. Przez uchylone okno słyszałam dudnienie, ale powoli cichło, pozostawiając tylko to, które było we mnie. Odczekałam jeszcze parę lat i wyszłam na peron. Turyści zbierali się w grupy, szukali bagażu, nawoływali dzieci. Zamierzałam wmieszać się w tłum i wyjść razem z nimi, ale wzrokiem zahaczyłam o aparat telefoniczny. Myśl, że powinnam przynajmniej odrobinę być konsekwentna, wywołała przyspieszone bicie serca. Zmusiłam się, by podejść bliżej, i nie dałam sobie czasu do namysłu. Wystukałam numer, mając nadzieję, że nie odbierze. Odebrał już po drugim sygnale, nim zdążyłam zastanowić się, po co właściwie dzwonię.

– Cześć, tato! Co słychać? Dawno cię nie widziałam! – Od razu zrobiło mi się gorąco, bo zabrzmiało to tak, jakbym miała pretensje. Nie miałam.

On też był zdezorientowany i żeby to ukryć, zaczął snuć opowieść o przedłużającym się katarze, o badaniach, o zepsutym samochodzie i nowym programie komputerowym. Zasypał mnie gradem informacji, które miały przekonać, że mamy o czym ze sobą rozmawiać. Patrzyłam, jak znikają kolejne impulsy. Zostały tylko dwa, gdy odważyłam się przerwać:

– Dowiedziałam się o zeszycie Elki... Tarwid go opublikuje, gdy powiem o kradzieżach jego syna...

Umilkł. Ja też nie wiedziałam, co mogę jeszcze dodać. Wyobraziłam sobie wyraz jego twarzy. Słyszałam oddech po drugiej stronie i żeby dać zajęcie swoim myślom, wpatrywałam się w czytnik impulsów. Widniała tam cyfra: jeden. Pragnęłam z całego serca, by zaczęło już pikać. Niestety. Minęły jeszcze całe wieki, a potem usłyszałam słowa, których ta przeklęta karta magnetyczna mogła mi oszczędzić:

– Jestem po rozwodzie z twoją matką i ta sprawa mnie nie dotyczy!

Ale mnie dotyczy! – chciałam krzyknąć. – A ty jesteś moim ojcem i powinieneś udzielać mi rad. Nie wiem, czy chciałabym ich słuchać, ale mogłabym wierzyć, że ci na mnie zależy!

Wsłuchiwałam się w pikanie i czekałam, aż zamrożona krew ruszy w dalszą drogę. Odłożyłam słuchawkę, ale po namyśle wzięłam ją ponownie i wrzasnęłam w głąb dobiegającej stamtąd ciszy:

– Dzięki!!!

Powlokłam się na koniec peronu. Przeszłam przez tory i oparłam o barierkę. Patrzyłam na potężne skały ułożone jedne na drugich. Porastał je las, przykrywał zielenią jak czapką. Tylko w jednym miejscu widniał prześwit i stamtąd woda rzucała się z wściekłym wyciem w przepaść. Rozpryskując się o wystające kamienie, tworzyła delikatną mgłę, a w dole pieniła się, burzyła, tłukła między głazami, zła, że spotkała ją taka przykrość – utrata gruntu. Zza chmur wyjrzało na chwilę słońce i to wystarczyło, by pojawiła się tęcza. Zrobiło się niesamowicie pięknie i usłyszałam własne westchnienie. Jeeezu! Poczułam wyraźny zapach jabłek i grzybów z babcinej spiżarni. Chciałam mieszkać w jej domu i oglądać wodospad w każdej chwili, gdy przyjdzie mi na to ochota. Pragnęłam mieć swoje miejsce na ziemi, a to podobało mi się ponad wszystko. Zdałam sobie sprawę, jak łatwo mogę je stracić, bo Tarwid nie daruje mi zuchwalstwa i będzie się mścił. Tacy ludzie zdolni są do wszystkiego. Jednocześnie nie mogłam pozbyć się wrażenia, że gdy stchórzę i nie załatwię swoich spraw do końca, zawsze będzie mnie mógł szantażować zeszytem Elki, tak jak babcię.

Przełknęłam ślinę, bo zrozumiałam, że nie mam właściwie wyjścia. Mnie, tak jak i rzece, skończyła się prosta droga. Nie mogłam trwać w zawieszeniu, musiałam zdecydować się na skok w niewiadome, by przekonać się, co będzie dalej.

– Co tym razem kombinujesz?

Adaś oparł się o barierkę parę metrów dalej, ani trochę niezdziwiony moją tutaj obecnością.

Wzruszyłam ramionami. Nie miałam ochoty na rozmowę, ale cieszyłam się, że tu jest. O nic nie pytał, stał tylko, gotów wysłuchać wszystkiego, co chcę mu powiedzieć. I nim zdecydowałam się na cokolwiek, wiedziałam, że na poziomie zmysłów ta rozmowa między nami już się odbyła. Zawahałam się, ale słowa same znalazły ujście.

– Tarwid powiedział mi o sprawach, o których chciałam wiedzieć, ale nie od niego. Odpowiedział na wszystkie pytania, jakie kiedykolwiek powstały w moich myślach. Pytałam mamę, babcię, ale nie chciały mi niczego wyjaśnić. On wiedział i z prawdziwą satysfakcją wyjawił mi rodzinne tajemnice... W zamian za jego milczenie ja też mam się zamknąć i wycofać z oskarżenia!

Gadałam i gadałam, powtarzałam po parę razy te same kwestie i nie mogłam powstrzymać słowotoku. Powiedziałam o Elce. Jemu mogłam powiedzieć, zresztą jutro i tak dowiedziałby się od innych ludzi. Teraz mogłam zrobić to sama. Co mi tam! Może gdzieś w głębi duszy liczyłam, że zna jakiś łatwiejszy sposób wyjścia z tego galimatiasu.

Drżałam. Adaś objął mnie i przyciągnął do siebie. Pogładził po włosach. Znów poczułam zapach brzoskwiń. Nie odsunęłam się.

– Wiesz co – powiedział mi do ucha – ja też się go boję! Teraz to sobie uświadomiłem. Chce mi sukinsyn odebrać dom, a ja patrzę na to jak ofiara i nic nie robię. Z powodu głupiego zaginionego papierka pozwalam odebrać swoje dziedzictwo. I na dodatek mam pretensje do ciebie! Przecież zachowuję się jak zwykły dupek!

Uśmiechnęłam się.

– No to jest nas dwoje!

– Proszę odsunąć się od torów! Za dwie minuty nadjedzie pospieszny z Krakowa! – ostrzegł dworcowy megafon.

Adaś wziął mnie za rękę i pociągnął.

– Chodźmy stąd!

Pomyślałam, że gdybym mogła trzymać się jego ręki, nigdy niczego nie musiałabym się bać. Łaziliśmy po mieście, póki nie zrobiło się ciemno. Tyle było spraw, o których mieliśmy ochotę pogadać. Przerzucaliśmy się słowami, czując, że to, co naprawdę ważne, dzieje się w przerwach między nimi; musieliśmy paplać, by zachować powściągliwość. Potem odprowadził mnie do domu, cmoknął w czoło jak siostrę i patrzył, jak idę na górę i otwieram drzwi. Mamy nie było. Podbiegłam w butach do okna, by zobaczyć, czy odszedł. Stał jeszcze i uderzał otwartą dłonią w pień drzewa. Zastanawiałam się, czy nie powiedzieć mu, że jestem sama. Nie powiedziałam. Miałam jeszcze czas. Położyłam się, wyobrażając sobie, że stoi tam nadal.

32

Stała w ciemnościach, przylepiona do ściany, wsłuchana w odgłosy skradających się kroków. Serce łomotało spazmatycznie, strach zaciemniał myśli, przed oczami przesuwały się czarne plamy. Pod ciężarem paniki umysł zapadał się w głąb bezdennej otchłani. Przynajmniej nie czuła dłoni między udami. Wydobycie się z mroku było za każdym razem trudniejsze. Nie chodziła do jaskini, ale czatował na nią wszędzie, nawet za werandą jej własnego domu. Bała się go, bo wiedział o jej zbrodni. Za każdym razem ciemne plamy zacieśniały się i coraz mniej widziała. Rzeczywistość, która ją otaczała, była zamglona. Coraz mniej znajdowała prześwitów otwierających się na świat. Nikt nie mógł jej pomóc. Raz, gdy udało się jej zebrać wszystkie siły, powiedziała tak jasno, jak tylko umiała:
– Mamo, boli mnie brzuch i głowa, i oczy, i nogi...
Odpowiedź nadeszła poprzez szum:
– Pewnie najadłaś się niedojrzałych jabłek!
Potem nie miała dość energii, by próbować. W chwili jasności kupiła zeszyt i tam zapisała swoje wołanie o pomoc. Miała nadzieję, że ktoś go znajdzie i zrozumie. Czas gniótł się jak bibułka i powtarzał po kilka razy te same sceny albo zabierał całe fragmenty dnia. Jej wnętrzności stały się martwe jak zdechły kot leżący między grządkami. Powoli zamierał w niej wszelki ruch.

Siedziała, gapiąc się godzinami w jeden punkt na ścianie. W szarości, jaka ją otoczyła, coraz mniej było miejsca...

Siłą woli starałam się wyjść ze snu, a gdy mi się wreszcie udało, zdałam sobie sprawę, że to nie był sen, lecz zrozumienie. Obrazy z przeszłości ułożyły się w ciąg, potem zbladły i odeszły, ale zrozumienie pozostało. Na szyi poczułam zimny dotyk. Odwróciłam się przestraszona i zobaczyłam psią mordę.

– Dobijał się do drzwi, więc go wpuściłam! – powiedziała mama. – Albo się za tobą stęsknił, albo ma jakiś interes!

– Pewnie nie udało mu się niczego ukraść na śniadanie! – zadrwiłam, ale okazało się, że nie był specjalnie głodny. Poczekał, aż się ubiorę i zjem, a potem odprowadził do szkoły. Po drodze chciał skręcić do domu babci, ale nie miałam czasu i obiecałam, że zajrzymy tam po południu.

Po południu... Uświadomiłam sobie, że wtedy będzie już po wszystkim. Rada zacznie się o piętnastej, potrwa z godzinę, więc o czwartej będę wolna. Umówiłam się z kundlem na wpół do piątej. Był nieco zawiedziony, ale machnął ogonem na znak, że zaczeka. Mogłam się założyć, że przyjdzie punktualnie, o ile nie spędzi na werandzie całego dnia.

Póki co, miałam przed sobą sześć lekcji, w tym klasówkę z fizyki. Gdy wychodziłam z domu, mama dała mi forsę na zakupy. Miała pewnie na myśli, że obojętnie co się zdarzy i tak będę musiała zjeść kolację.

Pragnęłam mieć to już za sobą.

Cały dzień był jednym wielkim czekaniem. Każda chwila rozrastała się w nieskończoność. Minuty sklejone jedna z drugą ciągnęły się jak guma do żucia. Nikt mnie nie tykał; przez cały dzień ani razu nie byłam wywołana do odpowiedzi. Umierałam z nudów.

Pół godziny na cztery zadania z fizyki było takim oceanem czasu, że rozwiązałam nie tylko swoje, ale jeszcze dwa z drugiej grupy. W którymś momencie zapomniałam nawet, co mnie czeka. Przekonałam się, że najgorsze nawet przeżycia zostają przytłumione rutyną i nudą codzienności. Właściwie nie było mi z tym źle i mogłabym jeszcze czekać ze sto lat, ale wtedy skończyły się lekcje i wszyscy ruszyli do domów.

Weszłam na drugie piętro, usiadłam na parapecie i patrzyłam, jak dopinają kurtki, zarzucają plecaki, śmieją się, częstują niezjedzonymi kanapkami, rzucają ostatnie „cześć" i idą, każdy w swoją stronę. Nie liczyłam, że będzie inaczej, ale było mi przykro. Tylko profesor od informatyki okazał odrobinę serca i pozwolił włączyć komputer. Pograłam w kulki, bo na nic innego nie miałam ochoty.

Za piętnaście trzecia wyszłam przed szkołę. W głębi serca liczyłam, że jednak ktoś przyjdzie, że boisko wypełni popierający mnie tłum. Nie było nikogo. Tylko Cylak siedział na murku.

– Dzięki, że jesteś! – mruknął. – Już się bałem, że mnie wystawisz!

– Nie spodziewaj się wiele! – odmruknęłam.

– Nie szkodzi! – Wzruszył niezdarnie ramionami. – To co robisz i tak podnosi mnie na duchu. Jesteś odważna!

Żeby wiedział, ile ta odwaga mnie kosztuje! Ale nie musiał tego wiedzieć. Nie lubiłam go i przepełniało mnie paskudne uczucie, że go oszukuję, bo to, na co się zdecydowałam, robię bardziej dla siebie niż dla niego. On w tym całym bajzlu odgrywał najmniejszą rolę, ale i tego nie musiał wiedzieć.

Zaśmiałam się ponuro.

– Może nie jestem odważna, tylko głupia!

– Może! – zgodził się.

Gdy dyrektor zaprosił nas do środka, wszyscy już siedzieli. Masa ludzi przy długim stole. Usiadłam sztywno na wskazanym miejscu. Profesor od geografii, poprawiając swoje krzesło, położył mi, niby niechcący, rękę na ramieniu, że wszystko będzie dobrze i żebym się nie denerwowała. Wcale się nie denerwowałam. W tej chwili było mi dokładnie obojętne, co się dzieje. Czułam tylko, że jestem głodna.

Tarwid siedział kilka krzeseł dalej; niedbale rozparty, wpatrywał się we mnie bez zmrużenia powiek. Oczekiwał niepewności, by móc mnie zmiażdżyć jednym ordynarnym gestem. Olek siedział obok niego skulony, z opuszczoną głową. W przeciwieństwie do ojca nawet jednym drgnieniem nie zareagował na moje wejście. Biedak. Żebym przegrała dziesięć takich spraw i tak będę w lepszej sytuacji niż on.

Nie wiem, jak mój system nerwowy wymiksował pustkę i gorączkę, którą w sobie miałam, ale ulepił z tego doskonałą obojętność. Ziewnęłam ukradkiem, przejechałam wzrokiem po brudnych ścianach i jak gdyby nigdy nic, zatrzymałam spojrzenie na gębie Tarwida. Patrzyłam spokojnie, tak jak on, bez zmrużenia powiek. Myślałam tylko o tym, że przez niego umarła babcia, że prawdopodobnie on pobił Hirka, złapał za szyję i walnął o ścianę, bo nie miał pod ręką Olka. Za szyję... Elkę też napastnik chwycił za szyję... Zahuczało mi w głowie. Tarwid prychnął i odwrócił wzrok. Schylił się i wyjął z teczki gruby plik kartek z odbitkami ksero. Położył je na stole i kiwnięciem brody dał do zrozumienia, że to jest to, o czym myślę. Ale ja myślałam o czym innym: ile on może mieć lat... Wyglądał na pięćdziesiąt parę.

W chwili gdy dyrektor wstał i ogłosił rozpoczęcie posiedzenia, cały wewnętrzny szum ucichł. To, co miałam w zasięgu wzroku, oddaliło się, jakby zrobiło krok do tyłu. Sala wydała się ogromna, a ludzie po drugiej stronie stołu tacy odlegli i jakby mniej realni.

Wstałam i odczytałam swój wniosek. Skwitowała go cisza. Słychać było tylko wciąganie i wypuszczanie powietrza z wielu płuc. Tarwid głośno ciumkał gumą do żucia i stukał nogą o podłogę. Dojechałam do kropki i na dobrą sprawę na tym kończyła się moja rola. Teraz mogłam już tylko usiąść i czekać na to, co los przyniesie. Siła ciążenia zaczęła już proces przysysania mnie do krzesła, gdy spomiędzy mięsistych warg Tarwida wypłynął miękko różowy balon. Nie za duży, ot taki, kryjący w sobie lekceważenie mafioza dla gówniary; niewielkie, ot takie, na jakie zasługuje takie cielę jak ja.

Wszyscy to widzieli i głównie dlatego głupio mi było tak zwyczajnie usiąść. Obraził mnie. I żeby tylko mnie. Obraził przecież babcię, tym gorzej dla niego, że nieżywą, i Elkę, która przespała całe życie, i w jakiś sposób dziadka, który bez sensu tyrał przy budowie Nowej Huty, i w ogóle... Miałam wrażenie, że duchy przodków kopią mnie w tyłek, przywracając do pionu. Ostatecznie byłam mieszanką ich genów i lekceważąc mnie, Tarwid naraził się rojowi istnień, których byłam uwieńczeniem. Poczułam za plecami ich obecność i nie mogłam już tak zwyczajnie usiąść.

Odłożyłam kartkę i wyprostowałam się.

– Nie jestem policjantem ani prawnikiem, jestem tylko uczennicą tej szkoły i to od niedawna. Powierzono mi funkcję rzecznika praw ucznia i działam zgodnie z uprawnieniami. Jestem tutaj mimo szantażu, jaki zastosował wobec mnie i mojej rodziny pan Tarwid. Występuję w obronie praw ucznia Cylaka, bo powód, dla którego został usunięty ze szkoły, jest nieprawdziwy. Wykroczeń, o które został posądzony, dokonał kto inny. Liczę, że sprawa zostanie uczciwie rozpatrzona i właściwym uczniom zostaną postawione właściwe oskarżenia!

Potem mówiłam o rzeczach powszechnie znanych i takich, o których wiedzieli nieliczni. Przedstawiałam fakty, a Tarwid kwitował je pogardliwym śmiechem. Olek nie poruszył się ani o milimetr, cały czas gapił się na swoje buty. W naszej znajomości nie było w sumie nic ważnego, ale byłam mu wdzięczna za zainteresowanie, jakie mi okazał, nieważne nawet z jakiego powodu. To dzięki niemu wydostałam się zza swojej szyby. Zaufał mi i bez względu na to, jak zachowa się za chwilę, ja też musiałam dać mu szansę. W życiu muszą obowiązywać przecież jakieś zasady.

Nikt nie przeszkadzał, ale i nikt bodaj jednym mrugnięciem nie dał do zrozumienia, że mnie popiera. Ze wszystkich sił starali się zachować obojętność. A może nie musieli się aż tak bardzo starać, może naprawdę było im wszystko jedno, co gadam. I to mnie dopiero wkurzyło.

– Tworzycie nam świat pełen absurdu i hipokryzji, w którym wszystko jest umowne: prawda i kłamstwo, dobro i zło, sprawiedliwość i niesprawiedliwość. Nic nie jest stałe i pewne, a punkt widzenia zależy od widzimisię tego, kto jest akurat ważniejszy. Tracimy orientację, czy to, co robimy, jest w porządku, czy już nie. Fundujecie nam rozdwojenie jaźni, a jednocześnie dziwicie się kolejnej zbrodni dokonanej przez nastolatka. Ale wasze oburzenie trwa pięć minut, akurat tyle, ile migawka w wiadomościach. Dłużej nie zawracacie sobie głowy, bo to działo się gdzieś daleko, nie u nas. Ale sprawa Cylaka i Olka dzieje się tutaj. Oskarżacie Cylaka, doskonale wiedząc, kto niszczył komputery i ukradł pieniądze. Olek wcale się z tym nie krył. Robił to na waszych oczach i przyznawał się otwarcie. Dlaczego? Miał pewnie jakieś powody i gdyby go ktoś spytał, może by odpowiedział. Ale nikt nigdy nie zapytał, bo wtedy trzeba by podjąć inną decyzję, a na to nikt nie ma ochoty!

Ale rozpuściłam jadaczkę! Czy to ja?

Słowa odbijały się od ścian i wracały do mnie pogrubione, zniekształcone, bez sensu. Wodziłam wzrokiem po twarzach i dziwiłam się, kim są ci ludzie i dlaczego do nich mówię. To oni dostawali pieniądze za to, by mnie przekonywać, co to jest uczciwość i sprawiedliwość.

Skończyłam. Nikt się nie odezwał. Czekali, aż wypowie się ten najważniejszy.

Tarwid odczekał kilkadziesiąt głuchych sekund, podrapał się w kroczu, wyjął gumę, przylepił ją do blatu i westchnął:

– Wariatka! Istna wariatka!

Zrobił dłuższą przerwę, pokręcił głową i wycedził z niesmakiem:

– Ale można się dziwić? Cała rodzina taka! Krew z krwi. Jedna psychiczna, trzydzieści lat w szpitalu przeleżała, druga sensatka na całą Polskę, uczciwym ludziom tylko nerwy psuje! Ta wzięła sobie za cel mojego syna. Kręciła się koło niego, narzucała, a gdy babskie sztuczki zawiodły, oskarżyła go o wszystkie grzechy tego świata. Czy ma choć jeden dowód na poparcie swoich słów? Jeden mały dowodzik? A może jakiegoś świadka? Ha, ha, ha! Nie ma, bo to wszystko bujdy. Powinno się jej przetrzepać tyłek, że zawraca głowę tylu ludziom. Gdyby była o rok starsza, podałbym ją do sądu o zniesławienie, ale tym razem daruję, bo to tylko głupie dziecko!

Dobrze, że byłam daleko stąd i niewiele do mnie docierało. Poruszenie wśród zebranych było wyrazem nie tyle oburzenia, ile raczej ulgi, że nie będzie żadnej dyskusji. Nie będą musieli się wypowiadać ani tym bardziej opowiadać po czyjejkolwiek stronie. Tarwid załatwił sprawę jednym ciosem, bo skoro nie ma dowodów, to nie ma się nad czym rozwodzić. Przez długą chwilę nikt się nie ruszał, może nawet nikt nie oddychał, a potem ktoś zaszurał krzesłem, ktoś odchrząknął, ktoś wypuścił trzymane w płucach powietrze, ktoś zerknął na zegarek i dał innemu do zrozumienia, że jak dobrze pójdzie, zdążą obejrzeć kolejny odcinek „Klanu".

Tarwid wyczuł nastrój i wiedział, że wygrał. Popatrzył na mnie pogardliwie i chociaż mógł, nie powstrzymał się. Był mściwym typem, takim, który dobija leżącego przeciwnika.

– Mam tu coś, co was zaciekawi! Pamiętnik jej ciotki, tej, co zwariowała. Z tamtej to dopiero był świr! Chociaż i tej niewiele brakuje!

Przesunął na środek stołu stertę odbitek, które znałam tak dobrze. Nikt nie wyciągnął ręki, ale wiedziałam, że to tylko kwestia czasu. Za chwilę znajdzie się odważny i sięgnie od niechcenia po pierwszą z wierzchu. Inni pójdą za jego przykładem. Właściwie nie czułam oburzenia ani nic innego. Patrzyłam obojętnie na tę górę mięsa pojękującą z rozkoszy. Był obrzydliwy i może dlatego nikt się jeszcze nie ruszył. Łagodny podmuch polizał mi skórę za uchem. Niewiele już mogłam zrobić, ale wstałam i zaproponowałam:

– A może zapytajmy Olka, co ma do powiedzenia!

Przez twarz Tarwida przebiegł cień, ale zaraz rozjaśnił go życzliwym uśmiechem.

– Ależ oczywiście! To pierwsze rozsądne słowa tej histeryczki. Niech syn potwierdzi moje słowa i będziemy mogli zakończyć tę żenadę!

Olek uniósł głowę. Jego twarz nie zdradzała żadnych emocji, ale oczy zachowywały się tak, jakby należały do kogoś innego, kogoś, kto patrzy na świat od spodu. Była w tym spojrzeniu głęboka rozpacz. Wstał i skinął ojcu głową w geście wyrażającym gotowość. Na co? Dopiero teraz poczułam, jak bluzka lepi mi się do pleców.

Dyrektor najchętniej kazałby mu usiąść, ale nie miał wyjścia, musiał zachować formalną procedurę.

– Czy coś ci wiadomo w sprawie kradzieży i zniszczonego sprzętu? – spytał bez przekonania, przewidując, co usłyszy.

Olek kiwnął głową.

– Tak! – wychrypiał. – Ukradłem dwa komputery, kilka rozwaliłem w drobny mak, podziurawiłem wiertarką faceta z pleksi, ukradłem kasetkę z forsą, a ojciec doskonale o tym wie!

Słychać było, jak czas skapuje z sufitu, po kropelce, i tworzy na podłodze kałużę. Kropla czasu nie odpowiada sekundzie ani minucie, ani kwadransowi, ani godzinie; można ulepić z niej kulkę albo ciągnąć nieskończenie długą nić, a gdy stanie się zbyt cienka, trzeba tylko złapać kolejną kroplę i bawić się nią wystarczająco długo, by uspokoić rozedrgane nerwy. Każdy z obecnych po swojemu dopasowywał to, co wiedział, i to, o czym wiedzieć nie chciał, do tego, co usłyszał. To się nazywa konsternacja i trochę potrwało, nim uporali się ze swoimi układankami. Czas wciąż kapał, a kałuża rozrosła się do wielkości stawu. Nie tego się spodziewali. Nie mieli ochoty przyswoić słów, które padły. Wbrew swojej woli stali się świadkami. Łapali więc kolejną kroplę, by ją miętosić i zastanawiać się, co usłyszeli, a czego nie.

Tarwid zastygł w pozie karpia, z otwartymi ustami.

– Dlaczego?

Dyrektor pierwszy odzyskał głos. Nie chodziło mu bynajmniej o przyczyny występków, ale o to, czemu Olek wygaduje takie głupoty. O to właśnie pytał i pragnął, by tak go zrozumiano. Dał chłopakowi czas i liczył, że młody Tarwid zarży chamsko i powie, że to taki żart. Wtedy wszystko wróci do „normalności”, a czas znów popłynie wartkim strumieniem. Chłopak jednak nie zrozumiał albo nie chciał zrozumieć intencji dyrektora i odpowiedział na zadane pytanie:

– Z ciekawości... Chciałem sprawdzić, ile rozrób ojciec może zatuszować... ile kitu może wam wcisnąć... jak długo będziecie udawać ślepych i głuchych... – Zaśmiał się ironicznie. – Przekonałem się, że w nieskończoność! Gdyby nie Malina, mógłbym czekać do usranej śmierci! Tyle lat przychodzę do szkoły posiniaczony i jakoś nikt nigdy tego nie zauważył. Katował mnie, ale udawaliście, że to nic takiego, rodzinne sprawy. Bił mnie i gwałcił, odkąd tylko pamiętam, ale nie miałem do kogo zwrócić się o pomoc, bo wszyscy boją się go jeszcze bardziej niż ja! Następnym razem podpaliłbym tę budę razem z wami wszystkimi, może wtedy ktoś by wskazał na mnie palcem. A może też nie? – zakończył i zaczął się histerycznie śmiać.

Serce podeszło mi do gardła i tam utknęło. Nie mogłam złapać oddechu... pękały mi płuca, a nie mogłam... Olek stał i czekał na reakcję. Śmiał się tylko po to, by zagłuszyć swoje przerażenie. Wiedziałam, czego potrzebował. Tego, czego pragnąłby każdy w jego sytuacji; by ktoś do niego podszedł, potrzymał za rękę, pogłaskał po głowie i powiedział, że wszystko już będzie dobrze, już dobrze... Ale nie było nikogo, kto by się odważył. Wszystkim zatkało gardła z takiego samego oszołomienia.

Nagle Tarwid oprzytomniał. Poderwał się błyskawicznie i odwrócił miękko w stronę Olka. Pomyślałam z ulgą, że już koniec przedstawienia. Nie, nieprawda. Nie zdążyłam niczego pomyśleć. Jedna chwila po drugiej nastąpiła zbyt szybko. Mignął tylko cień ulgi. Przez ułamek sekundy zdawało się, że Tarwid podejdzie i zrobi to, na co nikt się nie zdobył; położy synowi rękę na ramieniu, powie, że już dobrze, już po wszystkim, i wyprowadzi rozhisteryzowanego chłopaka z sali. Gdy odwracał się tak lekko, odsuwał bezwiednie łokieć od ciała i zaciskał palce, i nim u kogokolwiek zdążyło się zrodzić jakieś podejrzenie, pięść wylądowała na twarzy Olka, a krople krwi z nosa rozbryznęły się wokół, tworząc między tymi dwoma czerwoną mgiełkę. Olek zachwiał się, nie przestając głupkowato chichotać. Drugi cios rzucił nim o ścianę.

Powietrze skamieniało. Ciekawe, że mogłam myśleć o tym, że brzuch mnie boli, i że źle umówiłam się z kundlem, bo już jest chyba wpół do piątej, i że wszyscy chyba wyszli, bo jest taka cisza, i jak nikt się nie ruszy, będę musiała wstać i wsadzić Tarwidowi palec w oko, żeby przestał. Odczekałam jeszcze dwa oddechy i zaszurałam krzesłem.

Ten dźwięk w umysłach nauczycieli zadziałał jak dzwonek na lekcję. Matematyk i geograf podnieśli się równocześnie. Kilku innych belfrów zareagowało z ćwierćsekundowym opóźnieniem. Zaczął się rejwach. Ktoś usiłował przytrzymać Tarwida za rękaw, ale on odwinął się i przywalił pierwszemu z brzegu w szczękę. Matematyk zatoczył się i osunął na podłogę. Jakaś baba zaczęła piszczeć; inna, przytomniejsza, wyjęła z torebki telefon i zadzwoniła na posterunek. Tarwid szalał. Strącał z siebie każdego, kto usiłował go powstrzymać. Dopadł Olka i tłukł go pięściami po głowie. Szaleniec.

Nie wiem, jak długo trwało, nim go odciągnęli.

Olek otrząsnął się jak pies, zrobił kilka niepewnych kroków, podniósł swój plecak i wysypał z niego zawartość na podłogę; stertę kartek ksero, podobnych do tych, co leżały na stole. Tarwid skamieniał. Po sekundzie odtrącił trzymających go ludzi i rzucił się na podłogę, by zbierać rozrzucone papiery. Dziesiątki nóg zrobiło krok w tył, żeby mu nie przeszkadzać. Zapanowała cisza, przerywana sapaniem jednego człowieka. Nikt się nie schylił, nikt nie miał ochoty sprawdzać, co jest na tych kartkach.

– Mam ich dużo! – wysyczał Olek, gdy Tarwid uporał się ze sprzątaniem. – Mam oryginał... i inne rzeczy też mam... są we właściwych rękach...

Przyszło mi do głowy, że te ręce należeć mogą do mojej mamy. Tarwidowi też coś podobnego musiało zaświtać, bo spojrzał na mnie z nienawiścią. Akurat z tym nie miałam nic wspólnego, ale wzrok tego drania o czymś mi przypomniał. Podeszłam do stołu i zgarnęłam wszystkie kserokopie zeszytu Elki. Nikt nie zaprotestował.

– Waszego Hirka pobił mój ojciec... jako ostrzeżenie dla mnie... żebym zamknął jadaczkę i nie podskakiwał... – usłyszałam. – Złożę zeznanie!

Zza uchylonego okna dobiegł dźwięk gitary. Podeszłam bliżej i wyjrzałam. Siedzieli na boisku w grupach i pojedynczo, na ławkach, na murkach, zupełnie jak na przerwie. Nie wyglądali na tłum, raczej na bezładną zbieraninę ludzi niemających wspólnego celu. Ale byli tu, głowa przy głowie, pełne boisko. Śpiewali, wygłupiali się, gadali o swoich sprawach, o tym, gdzie pójdą na dyskotekę, które piwo jest lepsze i kto dzisiaj funduje papierosy. Może nawet zakładali się, kto wygra: Tarwid czy ja. Pewnie obstawiali Tarwida. Nie widać było emocji, podniecenia, zapalczywości, chęci walki. Mieli to wszystko gdzieś, bo tak ich wychowywano, ale przyszli. Ktoś puścił muzykę przez głośnik i zaczęli skakać do rytmu, bo zimno było tak stać.